# 일과 영성

Every Good Endeavor

*Every Good Endeavor: Connecting Your Work to God's Work*
by Timothy Keller with Katherine Leary Alsdorf



일과 영성

지은이 | 팀 켈러
옮긴이 | 최종훈
초판 발행 | 2013. 11. 18
50쇄 발행 | 2018. 4. 20.
등록번호 | 제3-203호
등록된 곳 | 서울특별시 용산구 서빙고로 65길 38 두란노빌딩
발행처 | 사단법인 두란노서원
영업부 | 2078-3333 FAX | 080-749-3705
출판부 | 2078-3444

책값은 뒤표지에 있습니다.
ISBN 978-89-531-1990-1 03230

독자의 의견을 기다립니다.
tpress@duranno.com http://www.duranno.com

두란노서원은 바울 사도가 3차 전도 여행 때 에베소에서 성령 받은 제자들을 따로 세워 하나님의 말씀으로 양육하던 장소입니다. 사도행전 19장 8-20절의 정신에 따라 첫째 목회자를 돕는 사역과 평신도를 훈련시키는 사역, 둘째 세계선교(TIM)와 문서선교(단행본·잡지) 사역, 셋째 예수문화 및 경배와 찬양 사역, 그리고 가정·상담 사역 등을 감당하고 있습니다. 1980년 12월 22일에 창립된 두란노서원은 주님 오실 때까지 이 사역들을 계속할 것입니다.

# 일과 영성

팀 켈러 지음 | 최종훈 옮김

두란노

## 추천의 글

「일과 영성」은 일터의 현장에서 추구해야 하는 크리스천의 영성에 관한 책입니다. 이 책은 일이란 저주나 고역(苦役)이 아니며 소명임을 가르쳐 줍니다. 선한 수고는 지극히 단순하고 사소한 것이라도 영원무궁한 가치를 갖게 됨을 보여 줍니다. 일의 영성과 쉼의 영성을 조화 있게 추구하도록 가르쳐 줍니다. 또한 세상의 일터에서 신앙과 일의 조화를 이루도록 도와 줍니다. 일터에서 직면할 수 있는 다양한 이슈들을 복음적으로 풀어 주는 이 책은, 강력하게 추천하고 싶은 양서(良書)입니다.
**강준민** _LA 새생명비전교회 담임목사

성경적인 세계관을 가지고 크리스천의 삶을 살기를 소망하며 직장 생활을 시작하는 젊은이들을 볼 때마다 참 기쁘고 감사합니다. 그러나 시간이 지날수록 조여 오는 세속적인 압박과 믿음 사이에서 갈등하는 성도들의 모습이 안쓰러울 때도 적잖이 있습니다. 험한 세상에서 빛과 소금의 역할을 감당하며 복음의 빛을 발하기 위해 오늘도 애쓰는 모든 성도들에게 이 책을 권합니다.
**김인중** _안산동산교회 담임목사

세상 모든 사람들이 일하지만, 일의 열매는 저마다 다릅니다. 단순히 각자의 취향과 재능이 다르기 때문이 아닙니다. 자신의 일을 대하는 기본적인 자세가 다르기 때문입니다. 세계경제와 문화의 중심인 뉴욕 한복판에서 20여 년간 복음을 전하며 현대인들의 생생한 고민을 경청해 온 팀 켈러 목사님의 놀라운 메시지를 통해, 여러분의 일이 고역(苦役)이 아닌 하나님께서 여러분에게 맡기신 위대한 '소명'(vocation)임을 깨닫게 되기를 소망합니다.
**김학중** _꿈의교회 담임목사

팀 켈러의 글은 끌립니다. 그가 현대 도시인들이 겪고 있는 우리 삶의 문제를 다루기 때문입니다. 팀 켈러의 글은 도전적입니다. 그가 우리가 안고 있는 문제를 돌아가거나 덮어 두지 않고 직면하기 때문입니다. 팀 켈러의 글은 성경적입니다. 그는 심리학이나 마케팅적인 접근을 넘어서 성경적 지혜에서 답을 찾고 있기 때문입니다. 팀 켈러의 책은 꼭 읽어야 합니다. 한국교회는 이렇게 삶의 현장을 붙들고 치열하게 씨름하는 글을 자주 만나지 못하기 때문입니다.
**김형국** _나들목교회 대표목사, 「한국교회가 잃어버린 주기도문」 저자

많은 책들이 성경적 · 신학적 · 세계관적 관점에서 일의 문제를 다루고 있지만, 이 책은 온전히 목회적 산물입니다. 신학생 시절 제 은사였던 팀 켈러 목사는 '목회는 교인들과 함께 호흡하며 고민하는 것'이라고 가르치셨는데, 이 책은 그분의 고민의 흔적을 담고 있습니다. 일터에서 크리스천으로 산다는 것은 무엇인가를 질문하던 많은 청년들에게 해 줄 말이 생겼고, 권할 책이 생겨서 무척 기쁩니다. 복음을 살아 내기 위해 혹독한 영적 전쟁을 치루고 있는 한국교회에 이 책을 권합니다.
**노진준** _LA 한길교회 담임목사

그동안 크리스천들은 복음을 전하는 일(Sharing the Gospel)에 올인(all in)해 왔습니다. 또한 앞으로도 계속해서 그리스도의 피 묻은 복음을 전하는 일에 올인을 해야 합니다. 그러나 이 일 못지않게 올인을 해야 할 사명이 있습니다. 바로 복음으로 사는 것(Living Out the Gospel)입니다. 팀 켈러 목사와 캐서린 알스도프가 이 책에서 현대 크리스천들이 어떻게 일터라는 마켓플레이스(marketplace)에서 복음으로 살아야 하는지에 대해 명확하고 실제적인 해답을 제시해 주고 있습니다.
**노창수** _남가주사랑의교회 담임목사

저는 33년 일하는 동안 '어떻게 크리스천으로 살아가면 되는 것일까' 하는 고민을 많이 했습니다. 목사님들께 물어도, 또 믿음의 선배들에게 물어도 답을 찾기 어려웠습니다. 그러나 이 책을 읽고, 저의 답답함이 풀렸습니다. 하나님께서 왜 일을 만드셨으며, 하나님과 함께

일하는 기쁨을 누리는 답을 찾을 수 있었기 때문입니다.
**문애란** _G&M 글로벌문화재단 대표

성경적인 직업관과 일터 사역에 관한 책들은 이미 많이 나와 있지만 지역교회를 담임하는 목회자들이 쓴 책들은 많지 않습니다. 그런 의미에서 일터 사역에 대한 구체적인 프로그램으로 잘 알려진 리디머교회의 팀 켈러 목사가 쓴 이 책은 새로운 가치를 지닙니다. 일과 일터 사역에 대한 깊은 이해와 구체적인 적용사례가 담겨 있는 이 책은 이 분야에 관심을 가지려는 사람들은 물론, 이미 일터 사역에 헌신한 사람들에게도 큰 도움이 되리라 확신합니다.
**방선기** _이랜드 사목, 직장사역연합 대표

'삶의 체계로서의 신앙과 일', 이 책은 이 한 구절로 요약될 수 있습니다. 한국교회는 지금까지 진리가 성도의 일상에 어떤 연관이 있는지 가르치는 일을 매우 소홀히 해 왔습니다. 그 부작용으로서 신앙이 일주일의 하루, 일 년 중 특별한 며칠 동안 행하는 종교적인 업무들로 축소되는 경향이 깊어지고 있습니다. 특별히 선교적 제자로서 일터에서 영성을 세워가는 가르침은 매우 부족했던 것이 사실입니다. 「일과 영성」에는 리디머 교회가 자본주의의 본거지 뉴욕 맨해튼에서 실행해 왔던 선교적 제자로서의 노하우가 담겨 있습니다. 이 책이  일상의 영성에 관한 성경적 기초와 실제를 독자들에게 의미 있게 전달할 것을 확신하며 일독을 권합니다.
**송태근** _삼일교회 담임목사

팀 켈러의 책은 언제나 기대가 됩니다. 이번에 우리에게 내놓은 이 책은 치열한 일상 속에 매몰되지 않고 한 사람의 그리스도인으로서 자신의 일을 통해 가치를 증대시키고 이웃을 어떻게 섬길 수 있는지에 대한 성경적 노동관을 제시하고 있습니다. 다소 까다로운 주제이지만 시간을 들여 살펴볼 만한 충분한 가치가 있는 책을 소개할 수 있어 기쁩니다.
**이규현** _수영로교회 담임목사

직업(일)을 뜻하는 독일어 '베루프(Beruf)'는 소명, 부르심을 의미합니다. 독일인에게 일은 소명 자체인 것입니다. 일이 소명과 부르심이라는 것은 비단 독일인에만 국한된 것은 아닙니다. 우리 모두에게도 일은 소명입니다. 그러나 우리 일상에서 일은 단지 일일 뿐입니다. 많은 사람들이 '일상에 매이고, 일생에 매여' 그저 일하다 떠납니다. '베루프'로서의 일은 현실 세계에서는 실종되어 있습니다. 팀 켈러 목사의 이 책은 우리에게 베루프로서 일의 의미를 명확하게 알려 주고 있습니다. 우리가 지금 '하나님의 정원을 가꾸고 있다'는 인식을 하고 일할 때, 일터에서 수많은 변화가 일어날 것입니다. 오직 하나님의 뜻이 통과되는 통로의 삶을 살기 원하는 사람들에게 일터는 결코 포기할 수 없는 귀중한 사역의 현장입니다. 일터를 소명의 장소로 만들기 원하는 사람들, 일터를 붙들고 고민하는 사람들, 일터 사역을 꿈꾸는 사람들에게 이 책은 아주 유익합니다. 복음으로 뉴욕을 변화시키려 진력한 팀 켈러의 '일터 영성'이 책에 배어 있습니다. 사실 팀 켈러의 책에는 언제나 뭔가가 더 있습니다! 이번에도 그는 독자들을 실망시키지 않았습니다.

**이태형** _국민일보기독교연구소장, 「더 있다」 저자

하늘과 땅이 만나는 곳마다 일이 있습니다. 그래서 일에 영성이 배어 있습니다. 일을 통해 더 영적이 되고 영성을 통해 일은 깊어집니다. 그러나 우리는 어떠합니까. 자기초월의 선물로 받은 일을 통해 자기성취를 욕망합니다. 그런 세대를 향해 팀 켈러는 일이 곧 예배이고 공동체의 길임을 알려 줍니다. 혹시 당신이 일에 갇혔거나 일 속에 길을 잃었다면 그를 만나십시오. 일하는 가운데서도 다시 기뻐하고 한껏 자유할 것입니다!

**조정민** _베이직교회 목사

삶의 현장에서 늘 고민하던 '일과 신앙'의 문제를 통쾌하게 파헤칠 뿐 아니라 실제적으로 진단하고 성경적으로 다시 세워 가는, 보기 드문 책입니다. 이 책은 무엇보다, 평일에 일터에서 크리스천으로 산다는 것을 고민하는 이들에게 해답을 줄 것이며, 삶 전체가 일에 통째로 삼켜져 일에 목매단 이들에게, 또 일을 저주로 여기며 힘겨워하는 이들에게 새로운 시각을 부여해 줄 것입니다. 실전에서 훈련된 팀 켈러의 균형 잡힌 영성이 녹아 있는 이 책을 적극 추천합니다.

**진재혁** _지구촌교회 담임목사

나날이 경쟁이 치열해지고 그 속에서 고달프지만 생존을 위해서 어쩔 수 없이 직장 생활을 해야 하는 것처럼 여겨지는 오늘날, 우리의 직업과 일상에 주님의 부르심이 있고 그 일상을 통해 이웃과 하나님을 섬긴다는 직업 소명과 몸으로 드리는 예배의 회복이 절실합니다. 「일과 영성」은 우리가 가진 그런 고민을 잘 해결해 줄 책이며, 특히 오늘 미국의 가장 주목할 만하고 탁월한 설교자이자 목회자인 팀 켈러 목사의 책이라는 사실 하나만으로도 반드시 읽어야 하는 좋은 책입니다.

**화종부** _남서울교회 담임목사

## contents

들어가기 전에

## 리디머교회에서 답을 찾았다

1989년, 함께 일하던 동료가 자신이 다니는 교회에 한 번 와 보라고 졸랐다. 맨해튼에서 시작한 공동체인데 이름이 리디머교회라고 했다. 개인적으로 어렸을 때 다녔던 교회를 보면 늘 본질이야 어찌 됐든 형식이 먼저였다. 아울러 거기서 무슨 가르침을 얻든, 이성적으로 생각하면 다 해결할 수 있을 것 같았다. 그럼에도 불구하고 이 리디머교회는 몇 가지 점에서 관심을 끌었다. 목회자부터 평범하지 않았다. 뛰어난 지성을 가졌으면서도 평범한 아저씨 같은 말투로 메시지를 전했다. 성경 말씀을 진지하게 받아들일 뿐 아니라 일과 직장처럼 내게는 대단히 중요해 보이는 영역에 적용하려는 노력을 포기하지 않았다.

그렇게 몇 년이 흐르자 이제는 신앙적인 결단을 내리고 성경의 진리와 약속에 '삶을 드려야' 할 때가 됐다고 판단했다. 솔직히 걱정스러웠다. 남자 형제 둘이 예수를 믿고 나서 해외 선교사로 부름 받았던 터라, 헌신과 함께 직업적인 포부와 물질적인 여유를 한꺼번에 잃어버릴 것만 같았다. 둘 중 하나는 수돗물도, 전기도 없는 아프리카 오지에서 살고 있었다. 정말 하나님을 으뜸으로 삼는다면 마음을 열고 섬기라고 부르시는 곳이면 어디든 갈 각오를 해야 했다. 그건 곧 현실이 됐다. 뜻을 정하고 몇 주가 지났을 무렵, CEO 자리에 있던 상사가 갑자기 병으로 쓰러졌다. 기겁할 일이었다. 상사는 경영자가 되어 회사를 이끌어 달라고 부탁했다. 난데없는 상황이었지만, 하나님이 제3세계가 아니라 재계에서 제 몫을 다하라고 말씀하시는 듯했다.

그 뒤로 10년 동안, 뉴욕시와 유럽, 실리콘밸리 등지의 기술개발회사 몇 군데에서 일했다. 날마다 언제 무슨 일을 하든 기업의 리더로 하나님의 부르심에 응답하는 게 무얼 의미하는지 씨름하고 고민했다. 그때마다 리디머교회와 팀 켈러 담임 목사는 든든한 발판이 되어 주었다. 덕분에 예수 그리스도의 복음으로 변화될 뿐만 아니라, 그로 말미암아 다른 이들과 어울려 살아가는 관계 속에서 하나님의 쓰임을 받아야 하며, 경우에 따라서는 세상과 다른 방식으로 회사를 운영해야 한다는 점을 일찌감치 깨달을 수 있었다. 더할 나위 없이 근사한 생각이다. 하지만 실제로 무얼 어떻게 해야 하는가?

본보기로 삼을 만한 모델은 거의 없었다. 있다손 치더라도 대다수 미국인들이 교회에 다니던 시절의 이야기들이었다. 어느 CEO는 책상 위에 늘 성경책을 올려놓았더니 더러 그 까닭을 묻는 이들이 나타나더라고 했다. 열심히 기도했더니 회사가 잘 돌아가더라고 간증하는 이들도 있었다. 돈을 많이 벌어서 자선사업을 하고 여러 기관을 돕는 데서 기업 경영의 의미를 찾는 이들이 열에 아홉은 됐다. 목회자들과 직장인들에게 신앙을 일터에 어떻게 적용하는 게 좋을지 물어보면, 흔히(혼자 일하는 전문직 종사자가 아닌 한) "함께 일하는 동료들에게 복음을 전해야 한다"는 답이 돌아왔다. 하지만 전도는 자신의 은사가 아닌 것 같다는 말을 재빨리 덧붙이는 이들이 적지 않았다. 이러한 접근 방식들로는 신앙으로 일터를 변화시키는 문제에 해답을 찾을 길이 없었다.

오히려 나날이 성장하는 하이테크 세계에서는 아이러니하게 그런 시도의 본보기들을 어렵잖게 만날 수 있었다. 1990년대에는 특히 그랬다. 기업가와 엔지니어들을 이 시대의 신처럼 떠받들고 첨단 기술을 세상의 온갖 어려움을 해결하는 열쇠로 여겼다. 몸담았던 회사의 직원들만 하더라도 비전과 기술을 전파하려는 그들 나름의 '선교 열정'이 그 어느 교회보다도 뜨거웠다. 신규 상장을 기대하는 소망이 얼마나 구체적이며 삶의 동기가 되는지, 크리스천들이 피상적으로 하늘나라를 그리는 심정과는 상대가 되지 않았다.

오래도록 함께 일한 파트너들 또한 저절로 머리가 숙여질 만큼 성숙한 인격을 가진 훌륭한 이들이었다. 교회에 다니지 않고 성경이 가르치는 예수님을 제대로 알지 못하면서도 세상에 이바지하기 위해 자신을 희생하며 열심히 뛰었다. 신앙이 없거나 다른 종교를 가진 동료들을 통해 일터에서 느끼는 기쁨, 인내와 희망, 팀워크와 진실만을 말하려는 의지 따위와 관련해서 큰 깨달음을 얻었다. 주말에 명상을 하러 다녀온 직원은 주일마다 복음적인 교회에 모여 예배를 드리는 신자들보다 훨씬 생기발랄했다. 그렇다면 일이란 역동적이고 효과적으로 하나님을 섬기는 도구라기보다 그분이 날 단련하는 곳이 아닌가 싶은 생각이 들기 시작했다.

창조주께서 우주의 모든 것들을 지으시고, 거룩한 형상을 좇아 인간을 만드셨으며, 죄로 망가진 만물을 대속하시려 독생자를 보내셨다는 복음의 진리를 나는 믿었다. 하나님이 일을 시키시고 한 기업의 리더로 만드신 데는 특별한 목적, 곧 다른 이들과 힘을 모아 세상을 바람직하게 바꾸어 가게 하시려는 뜻이 있다고 믿었다. 하지만 경쟁 사회 최전방에서 조직을 관리하고 이끄는 입장에서는 하나님의 계획을 어떻게 몸으로 살아 내야 할지 도통 감이 잡히지 않았다.

리디머교회 말고는 거기에 필요한 지침을 주는 교회를 찾아보기 어려웠다. 세상에 나가 뭇 백성들을 섬기도록 식구들을 훈련하고 무장시키기보다는 교회 내부에서 봉사하도록 준비시키는 데 집중하는 목회자들이 허다했다. 실리콘밸리의 성과가 정점을 향해 치닫던 1990년대에는 세상과 인간이 얼마나 망가졌는지 의식하는 크리스천이 많지 않아 보였다. 가난한 이들에게 깊은 연민을 품고 있으면서도 현대 산업사회의 시스템과 구조, 사고방식이 오늘날 나타나는 갖가지 균열과 붕괴에 사실상 결정적인 요인을 제공하고 있다는 데까지 생각이 미치지 않는 이들이 수두룩했다. 일터에서 신앙의 원리를 삶으로 구현해 내는 과제는 소소한 상징적 제스처를 취하고, 특정한 행동들을 절제해서 자기 의를 드러내며, 이 시대를 풍미하는 문화적이고 법률적인 이슈들에 대해 정치적으로 통일된 입장을 보이는 수준으로 격하된 듯했다.

마지막으로 일했던 회사에서 아주 놀라운 리더십을 경험했다. 경영권을 넘겨 준 창업주는 직원들과 초기 고객들을 잘 설득해서 생산 혁신과 신규 상장이 큰 수익을 가져오리라는 비전을 심어 준 인물이었다. 2000년대 초반에는 잠재적인 상장 가치를 3천 억에서 5천 억쯤으로 추산한 여러 투자 은행들이 앞다퉈 달려들었다. 아직 본격적인 생산에 돌입하지는 못했지만 베타모드를 채택한 몇 가지 제품들이 얼리어답터들(가장 먼저 제품을 사는 소비자) 사이에서 시험되고 있었다. 직원과 투자자, 고객들의 신뢰를 얻는 한편, 약속된 상품을 생산하고 수익을 끌어올려서 손익분기점을 넘기는 게 내 일이었다. 어떤 영역에서도 문제가 생기지 않도록 사업을 진척시켜야 한다는 압박감이 컸다. 절박한 심정으로 어떻게 하면 복음을 그 모든 현장에 적용할 수 있을지 수없이 궁리했다. 다음은 당시에 고민하며 정리했던 내용들이다.

- 복음은 내가 무얼 하든 하나님이 돌보시고 귀 기울여 주신다고 또렷이 가르친다. 기대했던 방식으로 응답하시지 않을 수도 있다. 주님은 누구보다 나를 잘 아시므로 거기에는 그만한 이유가 있을 것이다. 성공이든 실패든 하나님의 선하신 계획의 일부다. 힘과 끈기를 얻을 수 있는 근원은 오직 하나님뿐이다.
- 복음은 지금 만들고 있는 제품, 일하는 회사, 섬기는 고객들을 하나님이 낱낱이 기억하신다는 사실을 일깨운다. 주님은 자녀들뿐만 아니라 온 우주를 두루 사랑하시며 크리스천들이 세상을 잘 섬기길 원하신다. 따라서 내 일은 인류를 보살피며 천지를 새롭게 하시는 그분의 긴요한 도구다. 하나님은 비전과 소망을 아울러 주신다.
- 복음은 기쁜 소식이다. 목회자이자 카운슬러인 잭 밀러(Jack Miller)는

말한다. "감히 상상조차 할 수 없을 만큼 흉악한 죄인임에도 불구하고 꿈도 꾸지 못한 사랑을 받았으니, 기뻐하고 또 기뻐하십시오!"[1] 다시 말해서, 난 끊임없이 실수를 범하고 죄를 짓지만 하나님은 선하심과 은혜로 내 삶 가운데서 늘 승리하실 것이다.

- 복음은 기업의 리더로 일하는 내게 의미를 준다. 크리스천이라면 모든 인간과 일을 존엄하게 대해야 마땅하다. 따라서 누구나 즐겁게 지내며 하나님이 주신 은사를 사용할 수 있는 환경을 조성할 의무가 있다. 조직 속에서 은혜와 진리, 소망과 사랑을 구현해 내야 한다.
- 말하고, 일하고, 이끄는 방식을 통해서 하나님과의 관계와 그분의 사랑을 드러내야 한다. 완벽한 모범이 아니라 그리스도를 가리키는 나침판이 되라는 뜻이다.

열여덟 달 동안 치열하게 일했지만 결국 회사는 무너졌다. 인터넷 산업의 거품이 걷히면서 그 기세에 휩쓸려 버리고 말았다. 제품 출시를 앞두고 있었지만 벤처 자금이 빠져나간 뒤라 추가 자금을 구할 길이 없었다. 계속해서 물건을 만들어 내고, 직원들의 일자리를 최대한 지켜 내고, 투자자들에게 다만 얼마라도 돌려줄 수 있는 방안을 찾아서 문턱이 닳도록 은행들을 들락거렸다. 하지만 시장에 두려움이 짙게 깔려 있는 상황이어서 바이어들도 차일피일 계약을 미뤘다. 결국 백 여 명의 직원을 내보낸 데 이어 지적 재산들을 매각할 수밖에 없었다.

착실하게, 그리고 열심히 추진했던 일들이 어떻게 이처럼 한순간에 물거품이 될 수 있단 말인가! 개인과 회사, 그리고 산업적인 차원에서 하나님을 향한 저항감과 회의가 밀려왔다. 친히 '부르셔서' 이 일을 하게 하신 하나님이 어째서 성공의 길을 열어 주시지 않는 것일까? 직원들의 필요를 한 점 부족함 없이 채워 주려고 안간힘을 썼건만 결과적으로는 붕괴된 시장을 떠도는 실직자 신세를 만들었을 따름이었다. 수익과 가치를 극대화시키려는 회사의 비전을 좇다가 인터넷 시장의 거품과 파국을 부채질한 게 아닌지 회의가 들었다. 경영자는 모든 주주들에 대해, 더 나아가 조직 문화 전반에 대해 어떤 책임을 져야 하는 것일까? 크리스천 기업가들에게 들은 얘기라고는 하나님이 복을 주셔서 대성공을 거뒀다는 내용뿐이었다. 그렇다면 이 실패는 어떻게 받아들이고 처리해야 할까? 이런 상황에도 기쁜 소식이 될 만한 복음이 필요했다.

그런데 직원들에게 '내일이 마지막 날'이라는 사실을 알렸을 때 놀라운 일이 벌어졌다. 직원들은 대가를 바라지 않고 각자 알아서 이튿날 서로를 축복하고 하던 일을 마무리 지을 계획을 세웠다. 당일 저녁, 비록 서글픈 잔치 자리였지만 식구들은 저마다 가져온 악기를 꺼내 동료들 앞에서 연주하거나 태극권 시범을 보이고 가르쳐 주기도 하면서 웃음소리가 끊이지 않는 즐거운 시간을 보냈다. 천만 뜻밖이었다. 직원들은 최종 결과에 개의치 않고 스스로 즐기며 일했던 조직과 그 문화, 거기서 맺었던 관계들을 존중했다. 한마디로 말해서 그날, 하나님이 역사하시는 걸 목격했다. 주님은 여느 때처럼 치유하고, 새롭게 하며, 구속하시는 일을 멈추지 않으셨다.

교계의 지원이 전혀 없다고 불평을 일삼던 터에 뉴욕으로 돌아와서 직장 사역을 시작하게 도와 달라는 리디머교회의 초대를 받았으니 일종의 대가를 치른 셈이었다. 십 년 가까이 하나님과 씨름하며, 변화시키는 복음의 능력을 깊이 묵상하고, 교회가 나서서 지침을 마련하고 뒤를 받쳐 주지 않는 걸 불만스러워하던 끝에 이제는 크리스천들이 직업적인 소명을 기반으로 복음이 제시하는 소망과 진리를 더욱 잘 살아 내도록 도울 수 있는 기회를 얻은 것이다.

이 책은 성부 하나님과 성자 예수님, 그리고 성령님에 관한 기초적인 개념들을 담고 있다. 삼위일체에 비추어 자신을 돌아보고 그것이 창조주가 한 사람 한 사람을 지으시며 맡기신 일을 해 나가는 데 어떤 영향을 미치는지 살핀다. 문화, 역사적인 시기, 소명, 조직 따위의 맥락에서 어떻게 일할 것인가 하는 이슈는 우리 사회 전체가 반드시 함께 고민해야 할 주제다. 하지만 그 해답은 하나님의 속성, 인간과의 관계, 세상을 향한 계획, 그리스도의 복음이 삶과 일하는 방식을 백팔십도 바꿔 놓는 원리 같은 핵심적인 신학 지식을 바탕에 깔고 있어야 한다.

지난 25년 동안 말씀을 선포하고 교회를 이끌면서 줄곧 복음을 직장 생활이라는 영역에 적용하는 방법을 알려 준 팀 켈러 목사에게 감사하다. 아울러 기초적인 원리들을 책으로 만드는 데 시간을 투자해 준 데 대해서도 고마움을 전한다. 덕분에 일터에서 신실하게 살아가라고 부르시는 하나님의 음성을 누구나 더 손쉽게, 더 깊이 파고들 수 있게 되었다.

캐서린 알스도프
리디머교회 Faith & Work 센터 대표

프롤로그

## 일은 단순히 '밥벌이'가 아니라 소명이다

로버트 벨라(Robert Bellah)는 「마음의 습관」(*Habits of the Heart*)이란 기념비적인 책에서 우리 문화의 응집력을 갉아먹어 버린 것을 콕 찍어 '표현적 개인주의'(expressive individualism)라고 불렀다. 미국인들의 지나친 개인주의와 표현들이 결국은 우리 사회를 함께 공유하는 삶이라든지 사회 구성원 전체를 한데 묶는 지배적인 진리나 가치가 존재하지 않는다고 말하는 수준에 이르게 했다.

벨라는 이렇게 적었다. "개인의 신성함을 인정하고 보장하는 쪽으로 현대사회가 급속하게 기울어 가면서 그 개인들을 한데 묶는 사회구조를 그려내는 상상력은 점점 사라지고 있다. 개인을 신성불가침한 존재로 여기는 관념과, 전체를 보는 감각이나 공동선에 대한 관심이 균형을 이루지 못하고 있는 것이다."[1] 하지만 「마음의 습관」 말미에서 저자는 해체된 문화를 다시 결속시키는 긴 과정을 치러 낼 방법을 제시한다.

> 진정한 변화를 이끌어 내기 위해서는 … 소명이라든지 부르심 같은 개념을(이것은 확실히 존재한다) 다시 가져와야 하며, 새로운 방식으로 일의 의미를 파악하는 방향으로 돌아서야 한다. 노동은 그저 개인의 이익을 도모하는 수단이 아니라 모두의 유익에 기여하는 행위로 보아야 한다는 뜻이다.[2]

탁월한 지적이다. 벨라의 말대로라면, 인간의 일이란 단순한 밥벌이가 아니라 소명이라는 관념을 회복하는 것이 해체된 사회를 살리는 소망의 끈이 될 수 있다. '직업'을 말하는 영어 보통명사 'vocation'의 어원은 라틴어 단어 '보카레'(vocare)다. 요즘은 일이라면 먹고살기 위한 노동을 가리키는 경우가 대부분이지만 본래의 의미는 달랐다. 누군가가 하라고 시키고 이편에선 자신이 아니라 불러 준 이를 위해 그 요구에 따를 때에 일은 소명이 될 수 있다. '개인적인 이해를 초월해서 어떤 존재를 섬기는 사명'으로 일의 본질을 재설정하지 않으면 부르심이란 의식이 자리 잡을 수 없다. 앞으로 살펴보겠지만, 전반적으로 자기완성의 도구이자 자아실현의 수단이라는 노동관은 벨라를 비롯한 여러 학자들이 지적하듯, 개인을 파괴하고 더 나아가 사회 자체를 붕괴시킨다.

그러나 예전의 직업관을 재도입하자면 먼저 본래 개념을 확인할 필요가 있다. 일을 소명으로 보는 시각의 근원은 성경에 있다. 따라서 이 책에서는 벨라가 던진 도전을 실마리로 삼아 기독교 신앙과 일터 사이를 혁신적이고 혁명적으로 연결하는 길을 모색하도록 최선을 다해 도울 작정이다. 뿐만 아니라 그 길을 둘러싼 모든 개념과 실천 방안들까지 살펴볼 것이다. 여기서 '연결'이라는 표현은 '신앙과 일의 통합'을 가리킨다.

## 신앙과 일의 관계에 대한 다양한 견해들

이런 시도는 어제오늘의 일이 아니다. 적어도 종교개혁 이후로는 오늘날과 매한가지로 기독교 신앙과 노동의 관계를 규명하는 데 적잖은 관심을 쏟아 오지 않았나 싶다. 특히 지난 20년 사이에 이 주제에 관한 서적들과 학문적인 프로젝트, 학술 프로그램, 온라인 토론 등이 기하급수적으로 늘어났다.

그럼에도 불구하고 일터에 적용할 만한 실질적인 가이드라인을 찾는 크리스천들 가운데 대다수는 그런 움직임의 혜택을 전혀 보지 못하고 있는 실정이다. 캐서린 알스도프 같은 이들은 조언과 사례들의 조잡함에 낙담했다. 반면에 크리스천으로서 어떻게 직장에서 정체성을 세워 갈 것인가에 관해 자문하는 목소리들이 지나치게 다양하고 더러 상반되는 경우까지 있어서 몹시 헷갈려하는 이들도 적지 않다.

요즘 부각되는 이른바 '신앙과 일 운동'은 헤아릴 수 없을 만큼 다채로운 샘에서 나오는 수많은 '물줄기들' 쯤으로 봐도 좋을 것 같다. 신앙과 일을 통합하도록 도우려는 세력과 집단들은 대부분 성경과 기독교 신앙을 복음주의적으로 이해하는 쪽이지만, 다른 전통과 기독교 종파들도 이 분야에 중요한 영향을 끼치고 있는 게 사실이다. 크리스천들에게 일을 통해 이 땅에 정의를 세워 가야 한다는 점을 주지시키는 데는 에큐메니컬 운동의 공이 컸다. 하나님 앞에서 신실하게 일하자면 세상과 명백히 구별되는 크리스천 윤리를 적용해야 한다는 깨우침을 준 것이다.[3] 20세기를 풍미했던 소그룹 운동은 그리스도를 믿는 이들이 서로 보살피고

도와가며 일터에서 벌어지는 갖가지 갈등과 난관을 해결해 가야 한다는 강조점을 가지고 있었다. 신앙적인 노동에는 영적으로 새로워지고 심령이 변화되는 내면의 역사가 필수적임을 선명하게 보여 준 셈이다.[4] 복음주의 진영에 자극을 주었던 부흥 운동가들은 일터를 무엇보다 예수 그리스도를 드러내는 마당으로 인식했다.[5] 그들에게 신앙적인 노동이란 동료들이 주님을 더 알고 싶어 할 만한 방식으로 일하는 일종의 공개 간증을 의미했다.

신앙과 노동을 통합하려는 움직임의 근원을 찾아 더 먼 과거로 거슬러 올라가는 이들도 적지 않다. 마르틴 루터나 장 칼뱅을 비롯한 16세기 종교개혁자들은 수도사나 목회자 같은 이른바 '성직'뿐만 아니라 '세속적'이라고 부르는 일들을 포함해 노동이란 노동은 모두 하나님이 주신 소명이라고 부르짖었다.[6]

루터교 신학의 원류는 모든 노동의 존엄성을 크게 강조한다. 일이란 하나님이 인간의 수고를 통해 인류를 보살피고 먹이고 입히고 잠자리를 마련하며 필요를 채우시는 도구라고 본다. 루터교 전통에 따르면, 일을 하는 순간 인간은 '하나님의 손가락', 즉 하나님의 사랑을 주위에 전하는 일꾼이 된다. 이런 사상은 일의 목적을 생계 해결에서 이웃 사랑으로 끌어올리는 동시에 입에 풀칠을 하자면 어쩔 수 없다는 식의 무거운 부담에서 해방시킨다.

아브라함 카이퍼(Abraham Kuyper)처럼 칼뱅주의, 또는 개혁교회의 전통을 따르는 이들은 '하나님의 부르심'이라는 일의 또 다른 측면을 부각시킨다. 피조물을 보살필 뿐만 아니라 방향을 정하고 틀을 잡는 게 일의 속성이라는 것이다. 개혁적인 시각으로 보자면 노동의 목적은 하나님을 높이고 인류를 번성케 하는 문화를 창출하는 데 있다. 크리스천은 이웃을 사랑해야 할 의무가 있으며 기독교 신앙은 인간의 본성과 인류를 번성하게 하는 것들에 대해서도 구체적인 가르침을 준다. 무슨 일이든지 반드시 이런 인식에서 벗어나지 말아야 한다. 하나님의 뜻에 충실한 노동은 기독교 '세계관'을 좇아야 한다는 뜻이다.[7]

이처럼 소명을 다시 붙잡는 문제에 대해 신앙 전통에 따라 대단히 다양한 답이 제시되어 있다. 이런 흐름들이 크리스천들을 혼란스럽게 만들기도 한다. 아귀가 서로 들어맞지 않는 경우가 있기 때문이다. 루터교 신학은 개혁교회 쪽의 '세계관' 개념을 받아들이지 않는 편이며 크리스천이라고 해서 굳이 예수를 믿지 않는 이들과 전혀 다른 방식으로 일할 필요는 없다고 주장한다. 전통적인 기독교 신앙을 구원으로 통하는 유일한 길로 여기지 않는 까닭에, 주류 교회들 가운데 복음주의자들이 복음화에 대해 느끼는 긴박감을 느끼지 못하는 경우도 허다하다.

기독교 세계관을 지향하는 작가들과 단체들은 내면에서 일어나는 심령의 변화를 가벼이 평가하며 지성적인 경향에 치우친다고 생각하는 이들도 적지 않다. 하지만 그런 의견을 가진 이들조차도 내면의 변화나 영적인 성장의 실체를 두고 의견이 엇갈리고 있다. 따라서 일터에서 신실하게 살려고 애쓰는 크리스천이라면 아래 소개하는 다채로운 견해들을 이리저리 살피며 저울질할 수밖에 없다.

○ 세상에서 정의를 세워 가는 것이 일터에서 하나님을 섬기는 방법이다.

- 개인적으로 정직하게 살며 동료들에게 복음을 전하는 것이 일터에서 하나님을 섬기는 방법이다.
- 더도 덜도 말고 능숙한 솜씨로 탁월하게 일하는 것이 일터에서 하나님을 섬기는 방법이다.
- 본보기가 될 만큼 멋지고 아름다운 결과를 내는 것이 일터에서 하나님을 섬기는 방법이다.
- 하나님께 영광을 돌리겠다는 크리스천다운 의도를 가지고 문화 속에 뛰어들어 영향을 미치며 그 목표를 이루기 위해 최선을 다하는 것이 일터에서 하나님을 섬기는 방법이다.
- 어떤 일을 만나든지 감사하고 기뻐하며 복음으로 변화된 마음을 품고 온갖 우여곡절을 헤쳐 가는 것이 일터에서 하나님을 섬기는 방법이다.
- 더할 나위 없이 큰 기쁨과 열정을 선사하는 일을 하는 것이 일터에서 하나님을 섬기는 방법이다.
- 최대한 수입을 올려서 그 돈으로 넉넉히 베푸는 것이 일터에서 하나님을 섬기는 방법이다.

이런 주장들은 어떤 점에서 상호 보완적이고 또 어떤 면에서 상반되는가? 저마다 최소한의 성경적 근거를 갖추고 있으니 대답하기가 무척 까다로운 질문이다. 신학적인 책임이 따르고 갖가지 문화적인 요소가 엉켜 있다는 점뿐만 아니라 직업의 분야와 일의 유형에 맞추어 골고루 적용할 수 있느냐 하는 점에 있어서도 대단히 어려운 문제이다. 크리스천의 윤리와 동기, 정체성과 간증, 세계관은 일의 형태에 따라 다채로운 방식으로 그 의미와 속성을 규정한다.

예를 들어, 꾸준히 사회정의에 관심을 보이고, 일과 관련해서 어떤 거래를 하든지 정직하게 처리하며, 어려운 일을 겪는 이웃들이 찾아와서 지혜를 구하고, 같은 분야에서 일하는 동료들에게 기독교 신앙을 전하며, 자신의 예술이 스스로의 유익이나 지위를 추구하는 방편이 아니라 하나님과 이웃을 섬기는 도구임을 누구보다 잘 아는 크리스천 비주얼 아티스트가 있다고 치자. 그게 신앙과 일을 제대로 통합해 내고 있음을 뜻하는 것일까? 아울러 실존의 본질에 관한 성경의 가르침은 이 예술가가 작품을 통해 내보이는 주제라든지 표현기법과 어떤 관계가 있는가? 예술을 빌어 작가가 전하는 이야기에 영향을 미칠 것인가? 죄와 대속에 대한 신앙과 장래의 소망이 작품에 진한 그림자를 드리울 것인가? 반드시 그래야 한다. 이처럼 신실한 노동에는 의지와 감정, 마음과 뜻이 모두 필요하다. 날마다 하는 일을 화폭 삼아 신앙의 참뜻을 생각하고 살아 내야 한다는 것이다.

반면에 크리스천 피아니스트나 크리스천 구두 디자이너라면 어떠하겠는가? 어떻게 자신이 만드는 구두에, 또는 월광 소나타를 연주하는 기법에 크리스천 세계관을 녹여 내겠는가? 실제로 똑 부러지는 답을 내놓기가 쉽지 않다.

이토록 복잡하게 얽히고설킨 수렁에서 누가 우리를 건져 줄 것인가? 관련 서적들을 막 읽기 시작한 독자들이나 신앙과 일을 통합하려고 노력하는 모임에 갓 들어간 신참들은 십중팔구 ⓐ 특정한 신학적인 흐름을 좇고 있거나 ⓑ 온갖 사조가 가르치는 모순된 교훈을 읽거나 들으면서 극도의 혼란을 느낄 수 있을 것이다. 신앙과 일을 강조하는 교회와 단체들 역시 곧잘 균형을 잃어버린다. 그래서 그들은 여러 갈래 물줄기 가운데 어느 한두 가닥 물줄기에 특별한 강세를 두는 반면, 나머지는 깨끗이 무시해 버리는 식이다. 그렇다고 다양한 강조점들을 단순히 모아 놓고 나서 그 이질적인 성분들이 서로 단단히 달라붙기를 기대하는 것 또한 해결책이 될 수 없다.

그런 차이들이 이 책에서 모두 해소되길 기대할 수는 없다. 다만 좀 더 정리되길 바랄 따름이다. 위에 소개한 견해들에 관해 두 가지 인식을 갖는 데서 시작하는 게 좋겠다. 첫째로, 각 명제에다 '으뜸가는'이란 말을 덧붙여서 살짝 바꿔 놓으면("이러저러하는 게 일터에서 하나님을 섬기는 '으뜸가는' 길이다"라는 식으로) 상호 충돌을 피할 수 없다. 한두 가지를 선택하고 나머지는 폐기할 수밖에 없다. 은근하게든 노골적으로든 신앙과 일을 언급하는 이들 가운데 대다수는 사실상 그런 자세를 보인다. 그러나 제시된 명제들을 제각기 일을 통해 하나님을 섬기는 한 방법으로 여긴다면 여러 견해들이 서로 보완적이 되도록 할 수 있을 것이다. 둘째로, 알다시피 이러한 요소들의 중요도는 직업과 문화, 역사적 상황 같은 변수에 따라 평가가 크게 엇갈리는 법이다.

이 두 가지 원칙을 염두에 둔다면 다양한 흐름과 견해, 사실들을 저마다의 분야와 시공간에서 신앙과 일을 통합하는 모델을 세워 가는 공구세트쯤으로 파악하고 사고를 진전시킬 수 있을 것이다.

개념을 명확히 하는 게 중요한 만큼, 여기서는 그걸 더 생생하고 사실적이며 구체적으로 드러내는 데 초점을 맞추려 한다. 어쩌면 지치게 만드는 이 주제에 관해 기독교 신앙이 직간접적으로 주는 풍성한 가르침을 가지고 독자들의 상상력을 부추기며 행동을 자극하는 데 이 글의 목적이 있다.

성경에는 일을 배우거나 일을 찾거나 일하려 애쓰거나 일하고자 하는 이들에게 필요한 지혜와 자료, 소망이 가득하다. 성경이 “소망을 준다”는 말을 들으면, 얼마나 감당하기 어렵고 힘든 일일까 하는 의구심과 세상에서 소명을 추구하는 과제에 도전하기 위해서는 영적으로 큰 소망을 품어야겠다는 생각이 동시에 떠오르게 마련이다. 상대적으로 잘 알려지지 않은 톨킨(J.R.R. Tolkien)의 단편 ‘니글의 이파리’(Leaf by Niggle)는 그러한 소망을 웅변하듯 증언한다.

## 달랑 이파리 하나뿐인 인생이라고?

「반지의 제왕」 집필에 몰두하던 톨킨은 어느 순간, 막다른 골목에 부닥쳤다.[8] 작가에겐 여태 세상이 보지 못했던 이야기를 써 내겠다는 비전이 있었다. 고대 영어와 북유럽의 여러 언어로 된 문헌들을 읽어 나가던 작가는 그리스와 로마, 심지어 스칸디나비아 신화에도 자주 등장하는 엘프, 난쟁이, 거인, 마법사 등의 ‘요정 나라’ 백성들 이야기가 영국에서는 사라졌음을 알았다.

톨킨은 고대 영국 신화와 가장 가까운 모습을 재창조하고 다시 그려 내기 위해 안간힘을 썼다. 「반지의 제왕」은 그 잃어버린 세계에 뿌리를 두고 있다. 작가가 꿈꾸는 프로젝트에는 수천 년에 걸친 여러 나라의 역사는 물론이고 배경으로 삼을 몇 가지 가상의 언어와 문화를 만들어 내는 작업이 꼭 필요했다. 그래야 내러티브에 깊이와 사실성을 확보할 수 있었다. 그 두 가지야말로 이야기에서 눈을 뗄 수 없게 만드는 필수 요소라는 게 작가의 생각이었다.

원고를 써내려 가는 작업을 계속하다 보니 내러티브가 부차적 줄거리로 수없이 갈라지는 지점에 이르렀다. 주인공들은 가상세계의 여러 지역들을 떠돌아다니며 온갖 모험을 거듭하고 일련의 복잡한 사건들을 겪었다. 여러 갈래의 이야기들을 명쾌하게 전개해 나가면서 하나하나 만족스러운 결말을 이끌어 내는 건 대단히 힘든 일이었다. 게다가 제2차 세계대전이 시작됐다. 오십 줄에 들어선 터라 징집 대상은 아니었지만 전쟁의 그림자가 짙게 드리우는 것만큼은 어쩔 수가 없었다. 톨킨은 이미 제1차 세계대전의 참상을 경험했고 그 두려움을 잊지 않고 있었다. 영국은 금방이라도 침공을 받을 수 있는 바람 앞의 등불 같은 처지였다. 평범한 시민 가운데 그 누가 전쟁의 손아귀를 피해 살아남기를 장담할 수 있단 말인가?

작가는 필생의 작품을 완벽하게 마무리할 수 없을 것 같은 느낌에 낙담하기 시작했다. 당시로서는 얼마나 더 긴 시간이 걸릴지 가늠하기 어려웠다. 「반지의 제왕」을 시작할 당시, 톨킨은 수십 년에 걸쳐 소설의 밑바닥에 깔릴 언어와 역사, 사연들을 정리해 둔 상태였다. 작품을 완성하지 못할지도 모른다는 상상만으로도 "오금이 저리고 막막했다."[9]

그 무렵, 톨킨이 살던 집 근처 길가에 나무 한 그루가 있었다. 하루는 자리에서 일어나 창밖을 보다, 이웃 사람이 가지란 가지는 다 잘라 내고 줄기에도 심한 상처를 입혀 놓은 게 눈에 들어왔다. 머릿속에 구상하고 있는 신화가 그처럼 토막 날 운명에 처한 '내면의 나무'란 생각이 들었다. 정신적인 에너지와 창의력[10]이 바닥을 드러내고 있었다.

그러던 어느 날 아침, 눈을 뜨기 무섭게 짤막한 이야기가 떠올랐다. 작가는 서둘러 내용을 종이에 적어 내려갔다. 때마침 청탁이 오자 톨킨은 그 원고에다 '니글의 이파리'라는 제목을 붙여 〈더블린 리뷰〉(The Dublin Review) 편집부로 보냈다. 한 화가에 관한 글이었다.

첫 단락에서 독자들은 주인공에 관해 두 가지 사실을 알게 된다. 첫째로, 화가 이름은 '니글'이다. 톨킨도 필진으로 참여한 바 있는 「옥스퍼드 영어사전」(*Oxford English Dictionary*)에 따르면 니글은 "깨작거리거나 비능률적으로 일하거나 … 쓸데없이 시시콜콜 사소한 일에 시간을 낭비"[11] 한다는 뜻이다. 니글은 두말할 것도 없이 작가 자신이다. 스스로의 결함을 누구보다 잘 알고 있었던 것이다. 톨킨은 완벽주의자였다. 무얼 하든 만족하는 법이 없었다. 하잘것없는 곁가지에 지나치게 관심을 보이고 걱정이 많으며 꾸물거리는 성격 탓에 중요한 이슈에서 벗어나기 일쑤였다. 니글도 그랬다.

아울러 니글은 "먼 길을 떠나야 했다. 가고 싶지 않았다. 실은 생각하기도 싫었다. 그러나 어쩔 수가 없었다." 니글은 여행을 미루고 또 미루며 미적거렸지만 언젠간 반드시 떠나야 한다는 걸 잘 알았다. 옥스퍼드에서 고대 영문학을 가르치는 톰 시피(Tom Shippey)는 앵글로색슨 문헌에서 '피할 수 없는 긴 여행'은 죽음을 의미한다고 설명한다.[12]

니글에게는 꼭 그리려는 어떤 그림이 있었다. 이파리 하나에서 시작해서 나무 한 그루 전체의 이미지를 마음에 품고 살았다. 나무 뒤쪽으로 펼쳐진 멋진 세계까지 상상했다. "숲이 땅과 경계를 이루고 높은 산들이 눈을 뒤집어쓰고 우뚝우뚝 서 있는 게 언뜻언뜻 보였다." 다른 그림엔 흥미를 잃었다. 니글은 머릿속의 환상을 담아내기 위해 사다리를 타고 올라가야 할 만큼 커다란 캔버스를 준비했다. 언젠가는 어차피 죽어야 할 존재라는 걸 잘 알고 있었지만 화가는 스스로 다짐한다. "넌덜머리나는 여행을 떠날 수밖에 없는 순간이 오기 전까지, 어쨌든 이 그림 한 폭만큼은 꼭 그려 내고 말겠어."

그리하여 니글은 "여기에 붓질을 하고 저기다 물감을 문지르며 화폭 위에 그림을 그려 나갔다." 하지만 좀처럼 진도가 나가지 않았다. 여기에는 두 가지 이유가 있었다. 우선 화가 자신이 "나무보다 잎에 더 공을 들였기 때문이다. 이파리 하나를 그리는 데 지나치리만치 오랜 시간을 쏟았다." 음영과 광택, 표면에 맺힌 이슬방울까지 있는 그대로 그리려 온 힘을 기울였다. 그러니 아무리 열심히 작업을 해도 캔버스 위에 표현되는 이미지는 거의 없었다. 두 번째는 '따뜻한 마음' 탓이었다. 이웃들이 부탁하는 일들을 처리하느라 니글은 쉴 새 없이 붓을 놓아야 했다. 특히 이웃 남자 패리쉬(Parish)는 그림 따위에는 눈길조차 주지 않고 틈틈이 찾아와 자질구레한 일거리들을 떠맡기곤 했다.

어느 날 밤, 니글은 시간이 얼마 남지 않았다는 걸 깨달았다. 패리쉬는 그런 상황에서도 아내가 아프니 빗방울이 떨어지는 차가운 거리를 달려가 의사를 불러와 달라고 성화를 부렸다. 결국 화가는 독감에 걸리고 고열에 시달렸다. 아픈 몸을 이끌고 어떻게든 그림을 끝내려 버둥거리는데 죽음의 사자가 찾아왔다. 그동안 미뤄 뒀던 길을 떠나자는 것이다. 더 이상 어쩔 수 없다는 걸 알아챈 화가의 눈에서 왈칵 눈물을 쏟아졌다. "'제발!' 불쌍한 니글은 엉엉 울며 소리쳤다. '아직 완성하지 못했단 말이요!'"

그렇게 세상을 떠나고 얼마나 긴 세월이 흘렀을까? 화가의 집을 사들인 이들은 죄다 해진 캔버스 위에 아름다운 이파리 한 장만이 오롯이 남아 있는 걸 발견했다. 그림은 마을 박물관에 전시됐다. "'잎사귀 : 니글 작'이란 딱지가 붙은 그림은 그렇게 구경꾼들의 눈길조차 자주 닿지 않는 후미진 구석에 오래도록 걸려 있었다."

## 선한 수고에는 반드시 선물이 있다

하지만 이야기는 거기서 끝나지 않는다. 세상을 떠난 화가는 하늘나라의 높은 산들로 가는 열차에 태워졌다. 한참을 달려가는데 어디선가 두 갈래 음성이 들렸다. 하나는 엄하고 엄한 공의의 목소리였다. 허다한 시간을 흘려보냈을 뿐, 평생 이뤄 놓은 일이 거의 없다면서 꾸짖었다. 하지만 또 다른 쪽에서는 비록 부드럽지는 않았지만 따뜻한 소리가 들려왔다. 자비인 듯했다. 니글이 한 일을 잘 알고 있다면서 남을 위해 희생하는 쪽을 선택했다는 사실을 지적하며 맞섰다.

화가가 하늘나라 가장자리쯤 이르렀을 무렵, 마치 상급처럼 무언가가 눈길을 사로잡았다. 니글은 얼른 그리로 달려갔다. 거기에 꿈꾸던 바로 그게 있었다. "커다란 나무, 그의 나무가 완성된 모습으로 서 있었다. 잎이 벌어지고 있었다. 가지는 길게 자라서 바람에 나부꼈다. 자주 느끼거나 어림짐작으로 추측해 보았지만 좀처럼 포착할 수 없었던 바로 그 상태였다. 니글은 나무를 가만히 바라보았다. 그리곤 천천히 팔을 들어 활짝 벌렸다. 그리고 말했다. '이건 선물이야!'"[13]

죽기 전에 살았던 옛 세상은 화가를 완전히 잊다시피 했다. 작품 또한 미완성인 채로 남았고 기껏해야 몇몇 사람들에게만 도움이 될 뿐이었다. 하지만 이곳, 영원히 참된 세계에서 니글은 구석구석까지 빠짐없이 완성된 자신의 나무가 더 이상 육신과 더불어 땅에 묻힌 상상의 산물이 아니라는 걸 깨달았다. 그랬다. 진정 영원토록 살아서 즐길 수 있는 진실한 실재의 일부였다.[14]

갖가지 직업, 특히 미술계를 비롯해 창의적인 분야에서 일하는 이들에게 이 이야기를 수없이 들려주었다. 하나님과 죽음 이후의 세상을 믿느냐와 상관없이 대다수는 깊은 감동을 받았다. 톨킨은 미술, 실상은 모든 일에 대해 기독교적인 통찰을 가진 인물이었다.[15] 하나님이 각자에게 달란트와 은사를 주셔서 인류를 염두에 두고 의도하셨던 일들을 사람들이 서로 도와 해내게 하셨다고 믿었다. 가령, 자신은 작가로서 실재의 본질을 전하는 이야기를 전달함으로써 사람들의 삶에 의미를 채워 주는 일을 한다는 것이다.[16] 니글은 자주 느끼거나 어림짐작으로 추측해 보던 그 나무가 창조의 진정한 일부[17]이며 더 나아가 세상에 사는 동안 자신이 사람들 앞에 펼쳐 드러냈던 그 작디작은 조각이 참다운 세계를 보여 주는 환상이었을 거라고 생각했다.

톨킨은 스스로 만들어 낸 이야기에서 위안을 얻었다. 글쓰기로 돌아가게 만드는 데는 C. S. 루이스의 우정과 사랑이 듬뿍 담긴 재촉도 큰 몫을 했지만 이 소품 또한 톨킨이 두려움을 떨쳐 내고 다시 작업을 시작하도록 힘을 주었다.[18]

예술가들과 기업인들은 쉽게 니글에게서 자신의 모습을 찾아낸다. 저마다 마음에 품은 독특한 세계를 향해, 더러는 너무 크다 싶은 비전을 품고 일한다. 얼마나 의미가 있는지 아는 이도 흔치 않고 그 꿈에 다가섰다고 말하는 경우는 더 드물다. 톨킨처럼 지나치리만치 완벽주의적이고 꼼꼼한 이들은 니글과 자신이 영락없이 닮았음을 금방 알아챌 수 있을 것이다.

그러나 실제로는 너나없이 니글이다. 다들 무언가를 성취하기를 꿈꾸지만 한편으로는 그걸 온전히 이룰 힘이 없음을 깨닫는다. 누구나 잊혀 가기보다 성공해서 영향력 있는 삶을 살기 원한다. 하지만 그럴 수 있느냐 없느냐를 가름하는 건 인간의 몫이 아니다. 땅 위의 삶이 전부라면, 아무리 발버둥 쳐도 언젠가 태양이 소멸될 때 남김없이 타 버릴 테고 그동안의 기억도 깡그리 스러지고 말 것이다. 모두가 잊힐 수밖에 없다. 세상에 얼마나 큰 영향을 주었든, 얼마나 땀 흘려 가며 애썼든 그야말로 '제로'가 돼 버린다.

하나님이 계시지 않는다면 당연한 귀결이다. 그러나 성경의 하나님이 존재하신다면 현재의 삶 밑바닥에, 또는 그 너머에 참다운 실재가 있는 게 분명하다. 이생에서 끝나는 게 아니므로, 주님의 부르심에 답하기 위해 애쓰는 선한 수고는 지극히 단순하고 사소한 것일지라도 하나하나가 영원무궁한 가치를 갖는다. 그게 바로 기독교 신앙이 주는 약속이다. 바울은 고린도교회에 보내는 첫 번째 편지 15장 58절에 이렇게 썼다. "너희 수고가 주 안에서 헛되지 않은 줄 앎이라."

사도는 선교 사역을 말하고 있지만 톨킨의 소설은 그 가르침이 모든 일에 적용될 수 있음을 보여 준다. 톨킨은 그리스도의 진리를 가지고 세상의 관점으로 보기에는 하찮은 일을 이뤄 낼 준비를 했다(아이러니하게도 그의 작품은 역대상 가장 많이 팔린 '작품다운 작품'으로 평가받는다).

## 일할 준비가 되었는가

여러분의 경우는 어떠한가? 예를 들어, 도시를 설계한다고 치자. 여러 사례들을 참고하면서 어떻게 실제로 도시를 건설할지 비전을 품을 것이다. 어쩌면 평생을 쏟아부었음에도 불구하고 이파리 한 장, 잔가지 하나를 그리는 데 그쳐서 깊은 좌절에 빠질지도 모른다. 그러나 남편을 위하여 단장한 신부와 같이 차리고 하늘에서 내려올 하늘나라의 도성, 새 예루살렘이 있다(계 21-22장).

또는 변호사의 경우를 생각해 보자. 정의를 실현하고 평등과 평화가 지배하는 건전한 사회를 세워 가는 꿈을 품고 법을 파고들 것이다. 그렇게 10년쯤 일하다 보면 중요한 문제들을 해결하려고 노력함에도 불구하고 실제로는 시시하고 소소한 일들에 매달릴 수밖에 없다는 사실에 깊은 환멸을 느낄 가능성이 높다. 적어도 평생 한두 번쯤은 '달랑 이파리 한 장 얻었을 뿐'이란 감정에 시달릴지도 모른다.

무슨 일을 하든지 '진짜 나무'가 있다는 사실을 알아야 한다. 정의와 평화가 넘치는 도시, 빛나고 아름다운 세계, 흥미진진한 이야기, 질서, 치유, 그밖에 무엇을 추구하든 '진짜'는 따로 있다. 하나님이 계시고 주님이 고쳐 주실 미래의 새 세상이 있다. 지금 하고 있는 일은 그걸 부분적으로나마 다른 이들에게 보여 주는 작업이다. 기껏해야 눈곱만 한 성공을 거두었다 하더라도 그 나라를 실현해 가는 일이다. 지금 저마다 추구하는 온전한 나무(아름다움, 조화, 정의, 위안, 기쁨, 공동체 같은)는 장차 반드시 열매를 맺을 것이다. 이러한 사실을 제대로 마음에 새긴다면 평생 나뭇잎 한두 장 그리는 데 그친다 하더라도 낙심하지 않으며, 만족스럽고 기쁘게 일할 것이다. 성공에 도취되어 으스대거나 이런저런 차질에 흔들릴 까닭도 없다.

다만, "이러한 사실을 제대로 마음에 새긴다면"이란 전제가 붙는다. 톨킨이 기독교 신앙에서 위로와 자유를 찾고 다시 작품을 썼던 것과 같은 식으로 일을 하자면 다음 세 가지 질문에 대해 성경이 어떤 답을 제시하는지 알아야 한다.

- 왜 일하고 싶어 하는가?(만족스러운 삶을 사는 데 일이 꼭 필요한 까닭은 무엇인가?)
- 왜 그토록 일하기가 어려운가?(어째서 열매가 없고, 무의미하고, 까다롭기 일쑤인가?)

- 어떻게 하면 복음을 발판으로 난관을 이겨 내고 노동에서 만족을 얻을 수 있을까?

지금부터 이 질문들을 중심으로 세 영역에 걸쳐 각각 답을 찾아보기로 하자.

part 1

# 일,
# 하나님의 황홀한 설계

# 행복하고 싶다면,<br>주님처럼 일하고<br>주님처럼 쉬라

> 천지와 만물이 다 이루어지니라. 하나님이 그가 하시던 일을 일곱째 날에 마치시니 그가 하시던 모든 일을 그치고 일곱째 날에 안식하시니라. 하나님이 그 일곱째 날을 복되게 하사 거룩하게 하셨으니 이는 하나님이 그 창조하시며 만드시던 모든 일을 마치시고 그 날에 안식하셨음이니라. … 여호와 하나님이 그 사람을 이끌어 에덴동산에 두어 그것을 경작하며 지키게 하시고(창 2:1-3, 15).

성경은 입을 떼자마자 일에 관해 이야기한다. 노동이 얼마나 중요하고 기본적인 요소인지 단적으로 보여 주는 대목이다. 창세기 저자는 천지를 창조하신 하나님의 사역을 일로 묘사한다.[1] 우주를 빚어내는 광대한 프로젝트를 일주일 동안 진행된 규칙적인 노동으로 그려 내고 있는 것이다.[2]

이어서 최초의 인류가 낙원에서 일을 하고 있음을 보여 준다. 질서정연한 주님의 창조 사역과 인간을 지으신 목적에 뿌리를 두는 이러한 노동관은 세상의 온갖 종교나 신앙 체계들과 명확히 구별된다.

창세기에 기록된 창조 이야기는 우주의 기원을 설명하는 고대 설화 가운데서 유례를 찾을 수 없을 만큼 독특하다. 대다수 문화와 설화들은 세계사와 인간사의 출발점을 우주적인 세력들이 치열하게 싸우는 투쟁의 결과로 그려 낸다. 바빌로니아의 창조 설화 '에누마 엘리쉬'(Enuma Elish)

만 하더라도 마르둑(Marduk) 신이 티아맛(Tiamat) 여신을 쓰러트리고 그 주검에서 세상을 빚어냈다고 풀이한다. 이런 부류의 설명에 따르자면 눈에 보이는 우주는 서로 긴장 관계에 있는 세력들이 불안하게 균형을 유지하는 공간이다.[3]

그러나 성경에서 창조는 갈등의 결과물이 아니다. 하나님에겐 적수가 없기 때문이다. 하늘과 땅의 모든 존재와 그 권세는 하나님의 피조물이며 그분의 수중에 있다.[4] 그러므로 창조는 전투의 후유증이 아니라 장인의 계획에 가깝다. 하나님은 참호를 파는 전사가 아니라 명품을 만드는 장인으로서 세상을 지으셨다.

그리스인들은 황금시대에서 시작되어 '인간의 시대'로 넘어오는 전이의 개념으로 창조를 설명한다. 이 시기에는 인류가 신들과 땅 위에서 화목하게 어울려 살았다. 언뜻 들으면 에덴동산 이야기와 비슷하지만 한 가지 명백하게 다른 점이 있다. 시인 헤시오도스(Hesiod)는 인간이든 신이든 황금시대 동안에는 일할 필요가 없었다고 말한다. 최초의 낙원에서는 땅이 먹거리를 넘치도록 냈기 때문이다.[5] 성경의 가르침과는 천지 차이다. 창세기는 첫 장부터 멜라카(mlkh)란 표현을 써 가며 거듭 일하시는 하나님의 모습을 그려 낸다. 멜라카(mlkh)는 인간의 노동을 뜻하는 히브리 단어의 어원이다. 어느 학자의 말처럼, "하늘과 땅을 짓는 걸 포함한 말할 수 없이 거룩한 신의 행위를 그런 식으로 묘사하는 건 정말 뜻밖이다."[6]

그처럼 태초에 하나님은 일하셨다. 뒤늦게 추가된 필요악이나 인간이 만들어 낸 제도가 아니라 창조주가 그리신 밑그림이었다. 주님은 순전한 기쁨을 얻도록 일을 지으셨다. 이쯤 되면 일보다 더 행복하고 축하해야 할 게 또 있을까 싶을 정도다.

## 하나님은 인간에게 일을 맡기셨다

창세기 1장에서, 하나님은 일하실 뿐만 아니라 거기서 큰 기쁨을 누리셨다. 놀라운 일이다. "하나님이 지으신 그 모든 것을 보시니 보시기에 심히 좋았더라. … 천지와 만물이 다 이루어지니라"(창 1:31, 2:1). 주님은 스스로 지으신 세상을 참 아름답게 여기셨다. 뒤로 한 걸음 물러서서 "지으신 모든 것을" 보시다가 결국 탄성을 터트리셨다. "참 좋구나!" 멋지고 만족스러운 작품들이 다 그렇듯, 작가는 그 안에서 자신을 본다. "완성된 하늘과 땅의 어울림과 완벽함은 그 어떤 개별적인 성분들보다 더 정확하게 지으신 이의 성품을 드러낸다."[7]

창세기 2장 역시 하나님이 만물을 창조하실 뿐만 아니라 피조물들을 돌보시는 일을 계속하시는 걸 보여 준다. 신학자들이 '공급'이라고 부르는 사역이다. 주님은 인류를 지으시고 스스로 '공급자'가 되어 돌보신다. 인간을 빚으시고(창 2:7), 그 인간을 위해 동산을 일구시고 물을 내셨으며(창 2:6, 8), 아내를 만들어 주셨다(창 2:21-22). 성경을 읽어 보면 그 뒤로도 하나님은 공급자로서 샘물이 솟아나게 하시고 땅을 경작하시며 세상을 가꾸셨으며(시 104:10-22), 스스로 만드신 모든 피조물에 먹을거리를 주셨고, 고난받는 백성들에게 도움의 손길을 내미셨으며, 궁핍한 이들이 살아가도록 필요한 것을 모두 채워 주셨다(시 145:14-16).

마지막으로, 하나님은 일하실 뿐만 아니라 일꾼들에게 그 일을 맡기기도 하신다. 창세기 1장 28절에서 주님은 인류를 향해 "땅에 충만하라. 땅을 정복하라"고 말씀하셨다. '정복하라'는 말은 비록 하나님이 지으신 만물이 더할 나위 없이 훌륭하지만 개발되어야 할 여지가 여전히 남아 있음을 가리킨다. 피조 세계에 아직 손이 닿지 않아 차츰 가꿔 가야 할 여지를 남기셔서 인류가 노동을 통해 그 빗장을 열어 가게 하신 것이다.[8] 창세기 2장 15절에서 주님은 사람을 데려다가 동산에 두시고, 그곳을 '경작하며 지키게' 하셨다. 하나님은 우리의 공급자가 되시지만 우리 또한 그분을 위해 일해야 한다는 사실을 암시한다. 주님은 실제로 인간을 '통해' 일하신다. 시편 127편 1절은 "여호와께서 집을 세우지 아니하시면 세우는 자의 수고가 헛되며"라고 가르친다. 하나님은 '세우는 사람들'을 통해 집을 지으신다(공급). 마르틴 루터가 지적하듯, 하나님이 모든 생명을 먹이신다는 말씀은 농부와 다른 일꾼들의 수고를 통해 인류에게 먹을거리를 베풀어 주신다는 뜻이다.[9]

## 인간은 일의 유전자를 가지고 있다

창세기가 전해 주는 일은 낙원의 일부라는 진리는 놀랍다 못해 충격적이다. 어느 성경학자는 그걸 이렇게 정리했다. "하나님의 선한 섭리는 늘 일하는, 더 구체적으로 말하자면 일과 쉼을 지속적으로 반복하며 살아가는 인간을 포함하고 있다."[10] 이보다 더 선명하게 다른 종교나 문화와 구별되는 차이점이 또 있을까? 일은 무위도식하는 황금시대가 지난 뒤에 역사에 끼어든 재앙이 아니다. 주님이 인생을 염두에 두고 마련하신 완벽한 설계의 일부다. 인간은 하나님의 형상대로 지음받았기 때문이다. "내 아버지께서 이제까지 일하시니 나도 일한다"(요 5:17)는 독생자의 말씀처럼 하나님의 영광과 기쁨 가운데 적어도 일부는 일하는 데서 비롯된 것이다.

창조주께서 낙원에 일을 두셨다는 사실은 노동을 필요악이나 심지어 징계쯤으로 여기는 이들에게는 기겁할 만큼 놀라운 진리다. 일을 아담의 타락 이후에 인류 역사에 끼어든 상함과 저주의 결과물로 보아선 안 된다. 노동은 하나님의 정원에 존재했던 축복의 일부다. 일은 음식, 아름다움, 쉼, 우정, 기도, 섹스와 마찬가지로 인간의 기본적인 욕구에 해당한다. 영혼을 고치는 약이 아니라 영양을 공급하는 밥이다. 의미 있는 일을 하지 못하면 내면적으로 심각한 상실감과 공허감에 시달린다. 건강 문제를 비롯해 여러 요인으로 일터에서 밀려난 이들은 정서적으로, 신체적으로, 그리고 영적으로 행복하게 사는 데 일이 얼마나 긴요한지 금방 알게 된다.

필라델피아 외곽에서 기업을 운영하는 제이와 바버라 부부(Jay and Barbara Belding)는 발달장애를 가진 성인들에게도 노동이 절실하게 필요하다는 걸 깨달았다. 특수교육 교사로 일하던 시절, 제이는 학교를 졸업한 학생들의 진로 때문에 늘 고민이 많았다. 통상적인 직업 교육과 고용 프로그램만으로는 충분한 일자리를 확보하기 어려웠으므로 대다수 졸업생들은 마땅한 돈벌이 수단을 구하지 못한 상태로 무한정 빈둥거릴 수밖에 없었다.

1977년, 제이와 바버라는 그런 처지에 있는 이들을 잘 훈련하고 일거리를 제공하는 회사(Associated Production Services)를 설립했다. 지금 이 기업에는 480여 명의 직원들이 네 군데 시설에서 수많은 소비재 생산 업체들이 주문한 노동집약적인 포장과 조립 업무를 처리해 내고 있다. 제이는 품질을 보장하고 생산성을 높이는 도구와 시스템을 제공하는 데 집중한다. 그래야 돕고 있는 회사와 장애인들에게 새로운 성공 문화를 제시할 수 있기 때문이다.

이들 부부는 생산적인 존재가 되고자 하는 식구들의 본질적인 필요를 채울 실질적이고 지속 가능한 방법을 찾아낸 걸 무척이나 기뻐하며 감사한다. "우리가 돌보는 이들은 '일상적인 세계'에 편입되길 바랄 따름입니다. 자신을 긍정적으로 인식하고 제 힘으로 벌어서 먹고살고 싶은 거죠." 이 회사의 직원들은 비로소 일꾼이자 창조자로 설계된 인간에게 필수적인 영역들을 완전히 충족시킬 수 있게 되었다.

사실, 일이란 인간의 삶을 구성하는 대단히 근본적인 요소여서 해를 입지 않고 의미를 찾을 수 있는 몇 안 되는 영역에 속한다. 실제로 성경은 하루 동안 일하고 엿새를 쉬라거나 일과 쉼이 정확하게 균형을 이뤄야 한다고 가르치지 않는다. 여가를 누리고 즐거움을 만끽하는 게 나쁠 리 없지만 자칫하면 도를 넘을 수 있음을 기억해야 한다. 요양원이나 병원에 있는 사람들에게 요즘 어떠냐고 물어보면, 무슨 일이든 해서 다른 이들에게 유익을 주어야 할 텐데 그러지 못하는 게 가장 유감스럽다는 대답이 돌아오기 십상이다. 스스로 너무 많이 쉬고 충분히 일하지 않는다고 여기는 것이다. 인간은 일을 하도록 설계된 터라 일거리를 잃으면 적잖이 불안해진다. 이런 자각은 '생존하기 위해' 일한다는 통념에 더 깊고 넓은 의미를 부여한다. 성경에 따르면, 생존을 위해서는 일해서 버는 돈만 필요한 게 아니다. 하루하루 연명할 뿐만 아니라 온전한 인생을 살자면 일 자체가 필수적이다.

어째서 그런지는 나중에 더 자세히 다루겠지만, 일은 자신을 위해 살기보다 남들에게 유익한 존재가 되는 길 가운데 하나라는 점만큼은 분명히 짚어 두고 싶다. 아울러 일을 통해 저마다 가진 특별한 능력과 은사를 파악하게 되고 그게 정체성 확립에 핵심 요소라는 점을 감안할 때, 노동은 자아 발견의 주요한 통로이기도 하다.[11] 그러기에 도로시 세이어즈(Dorothy Sayers)는 이렇게 썼다. "일을 보는 기독교적인 관점은 무엇인가? … 무엇보다 살기 위해 일해야 하는 게 아니라 일하기 위해 살아야 한다는 것이다. 일하는 이의 능력을 최대로 표현하는 게 곧 … 자신을 하나님께 드리는 수단이며 반드시 그리되어야 한다."[12]

## 일은 자유로 이끄는 초대다

인간의 DNA에 내장된 일의 속성을 파악하는 건 자유에 대한 크리스천의 독특한 개념을 파악하는 데도 중요하다. 현대인들은 자유를 전혀 제한이 없는 상태 정도로 이해한다. 하지만 물고기를 생각해 보라. 물고기는 공기가 아니라 물에서 산소를 흡수하므로 물을 벗어나지 않아야 자유로울 수 있다. 물고기 한 마리가 강을 벗어나 풀밭을 탐험하러 나갔다 치자. 마음껏 움직일 수 있는 자유가 사라지는 건 물론이고 목숨까지 잃을 것이다. 고유한 속성을 존중하지 않는 한, 물고기는 자유롭기는커녕 도리어 위태로워진다. 비행기나 새도 마찬가지다. 공기역학적인 원칙들을 거스르기가 무섭게 땅에 처박히고 만다. 그러나 거기에 순응한다면 자유자재로 치솟고 활강할 수 있다. 생명의 세계가 다 그렇다. 자유는 구속이 없는 상태라기보다 올바른, 다시 말해서 자신과 세계의 본질에 부합되는 한계 속에서 살아갈 때에 얻을 수 있다.[13]

따라서 성경에 제시된 하나님의 명령은 자유를 보장하는 도구들이다. 창조주께서는 바로 그 계명을 통해 인간을 지으실 때 의도하셨던 존재로 부르시기 때문이다. 주인이 가진 매뉴얼을 따르고 디자인을 존중할 때 자동차는 가장 잘 움직인다. 기름을 넣지 않는다 해도 벌금을 매기거나 감옥에 보내는 이는 아무도 없다. 고유한 본질과 속성을 무시한 탓에 자동차가 고장 나고 부서질 따름이다. 자연스럽게 찾아오는 결과 때문에 고생할 게 뻔하다.

그와 마찬가지로 인생 또한 주인의 매뉴얼, 즉 하나님의 계명에 따라 처신해야 제대로 작동되는 법이다. 거룩한 명령을 어기면, 주님의 마음을 슬프게 하고 영광을 돌리지 못할 뿐만 아니라, 창조주께서 설계해 두신 본성을 거스르게 된다. 하나님은 이사야서 48장에서 이스라엘의 불순종을 지적하며 이렇게 말한다. "너희의 구속자시요 이스라엘의 거룩하신 이이신 여호와께서 이르시되 '나는 네게 유익하도록 가르치고 너를 마땅히 행할 길로 인도하는 네 하나님 여호와라. 네가 나의 명령에 주의하였더라면 네 평강이 강과 같았겠고 네 공의가 바다 물결 같았을 것이며"(사 48:17-18).

쉼과 더불어 짝을 이루는 일도 마찬가지다. 십계명에는 "엿새 동안은 힘써 네 모든 일을 행할 것"(출 20:9)이라고 명시되어 있다. 태초에 하나님은 인간을 일하는 존재로 지으셨으며 지금도 분명히 그 설계에 따라 살라고 부르시고 이끄신다. 짐스러운 명령이 아니라 자유로 이끄시는 초대다.

### 일만이 삶의 유일한 의미가 되어선 안 된다

그럼에도 불구하고, 하나님이 스스로 일하신 뒤에 쉬셨다는 점은 시사하는 바가 크다(창 2:2). 일은 저주이며 여가, 가족, 또는 영적인 추구 같은 그밖의 요소들이 삶의 의미를 찾는 유일한 길이라고 생각하는 이들이 얼마나 많은지 모른다. 이미 살펴봤고 또 살펴보겠지만, 성경은 이런 사고방식의 허구성을 여지없이 드러낸다. 그러나 성경은 오직 노동만이 인간의 중요한 활동이며 쉼은 필요악으로 여기는(휴식의 가치를 일을 계속하도록 '배터리를 재충전하는' 행위쯤으로 엄격하게 제한하는) 반대쪽 착각에 빠지지 않도록 지켜준다. 따라서 하나님은 이럴 때 어떻게 하셨는지 알아볼 필요가 있다.

주님은 굳이 쉬지 않아도 기력이 떨어지지 않는 분이셨음에도 불구하고 일주일에 하루를 비우셨다(창 2:1-3). 인간은 그분의 형상대로 지음받았으므로, 쉼, 그리고 쉬면서 하는 일들 자체가 생기를 불어넣는 선한 요소로 볼 수 있다. 삶에는 일만 필요한 게 아니다. 일이 없으면 의미 있는 삶을 살 수 없지만 일만이 삶의 유일한 의미라고 말할 수는 없다. 일을 삶의 목적으로 삼는다면, 설령 교회 사역일지라도 하나님과 대적하는 우상을 만들어 내는 셈이다. 삶의 으뜸가는 토대는 주님과의 관계다.

주님과의 관계는 삶의 으뜸가는 토대이자 다른 모든 요소들(일, 우정, 가족, 여가, 행복을 비롯해)을 값지게 여기고, 중독과 왜곡에 이르지 않도록 막아 주는 예방약이다.

20세기에 활동했던 독일의 가톨릭 철학자 요제프 피퍼(Josef Pieper)는 '여가, 문화의 기반'(Leisure, the Basis of Culture)이란 유명한 논문을 썼다. 글쓴이는 여기서 여가란 그저 일이 없는 상태가 아니라 가치나 눈앞의 쓰임새를 떠나 사물을 있는 그대로 묵상하고 즐길 수 있는 정신적, 영적 태도라고 주장했다. 서구 문화에서 흔히 보듯, 일을 앞세우는 태도는 만사를 효용, 가치, 속도 등을 기준으로 인생의 가치를 판단하는 경향이 있다. 그러나 더할 나위 없이 단순하고 평범한, 더 나아가 엄밀히 말해 유용하지는 않지만 즐거움을 선사하는 인생의 국면들을 누릴 줄 알아야 한다. 놀랍게도 무뚝뚝하기로 정평이 난 종교개혁가 장 칼뱅도 같은 의견을 내놓는다. 크리스천의 삶을 정리한 책에서 무엇이든 '쓸모'로만 평가하는 행위에 대해 주의를 주었다.

> 하나님이 오로지 필요(영양)를 채우시려고 음식을 지으셨겠는가? 즐겁고 유쾌한 기분을 위해서는 아니겠는가? 옷을 주신 목적 또한 필요(보호)에

그치지 않고 단정함과 품위를 지키게 하시려는 게 아니겠는가? 풀과 나무, 과일들 역시 다양한 용도를 넘어 아름다운 생김새와 상쾌한 향기를 가지고 있다. … 한마디로 말해, 꼭 필요한 쓰임새와 별개로 매력적인 구석들을 넣어 만물을 만드신 것이다.[14]

다시 말해서, 무엇을 보든 이렇게 고백해야 한다.

찬란하고 아름다운 만물들, 크고 작은 모든 피조물들 지혜롭고 경이로운 만물들, 하나같이 주 하나님이 만드셨네.[15]

일을 정기적으로 멈춘 뒤 예배하고('여가, 문화의 기반'에서 피퍼는 이를 중요한 활동으로 꼽았다) 세상을(노동의 열매들을 포함해서) 찬찬히 들여다보고 즐기는 시간을 갖지 않는 한, 삶의 의미를 진정으로 체득할 수 없다. 피퍼는 이렇게 적었다.

여가는 찬양하는 심령으로 사물을 바라보는 데 꼭 필요한 전제 조건이다. … 여가는 긍정을 먹고 산다. 단순히 활동을 멈추는 것과는 다르다. … 오히려 연인들의 대화에 문득 끼어든 침묵과 같다. 일체감에서 비롯된 정적이다. … 성경에 적혀 있듯, 하시던 일을 다 마치시고 쉬실 때, 하나님의 눈에 비친 세상은 보시기에 더할 나위 없이 좋았다(창 1:31). 그와 마찬가지로 인간의 여가 역시 찬양, 지지, 내면의 눈으로 창조의 실체를 오래도록 바라보는 시선들을 모두 포함한다.[16]

간단히 정리하자면, 일은 의미 있는 인생과 떼려야 뗄 수 없는 핵심 요소다. 하나님이 주신 최고의 선물이며 삶에 목적을 주는 주요한 요소들 가운데 하나다. 그래서 주님의 뜻을 좇는 고유한 역할에서 벗어나선 안 된다. 하지만 신체적으로 기운을 되찾기 위해서만이 아니라 세상과 일상을 기쁘게 받아들일 수 있기 위해서 정기적으로 일손을 놓고 쉬어야 한다.

너무 빤해 보일지도 모르겠다. "일이 중요한 건 당연한 얘기고 그게 인생의 전부가 아니라는 것 또한 지당하신 말씀 아닌가요?"라고 물을 수도 있겠다. 하지만 이 진리를 정확하게 파악하는 건 결정적이리만치 중요하다. 타락한 세상에서 일은 불만스럽고 고단하기만 한 탓에 피하거나 꾹 참고 견뎌야 할 짐으로 서둘러 결론짓기 십상이다. 어수선하고 혼란스러운 심령은 확신과 보증을 갈구하기 마련이므로 출세하고 성공하는 데 온 정신을 쏟고 다른 쪽에는 그다지 신경을 쓰지 않는 정반대 방향으로 치달으려는 유혹을 받는다. 사실 밤낮없이 일에 매달리는 건 평생에 걸친 삶의 가치를 일을 통해 비정상적인 방식으로 얻으려는 암울한 몸부림일 가능성이 크다. 그러기에 차마 일을 놓지 못하는 것이다. 이런 태도는 결국 일을 더욱 무의미하고 만족스럽지 못하게 만들 따름이다.

"일하기 싫어!"라는 생각이 들 때마다, 세상 만물 가운데 특히 노동이 죄의 대가로 임한 저주라는 생각을 떠올리게 만들기도 하지만 일 자체는 저주가 아니라는 사실을 반드시 기억해야 한다. 인간은 일하도록 지음받았고 일을 통해 자유로워진다. 하지만 삶이 통째로 일에 빨려들어가는 오늘날의 상황에서는 그 한계를 존중해야 함을 잊지 말아야 한다.

일과 쉼의 균형을 잡는 신학적인 기초를 견고하게 다지는 작업이야말로 의미 있는 일을 시작하기 위해 더할 나위 없이 좋은 출발점이다.

chapter **2**

**일은 그것만으로도**
**충분히 가치가 있다**

# 세상에 하찮은 일은 없다

> 하나님이 이르시되 우리의 형상을 따라 우리의 모양대로 우리가 사람을 만들고 그들로 바다의 물고기와 하늘의 새와 가축과 온 땅과 땅에 기는 모든 것을 다스리게 하자 하시고 하나님이 자기 형상 곧 하나님의 형상대로 사람을 창조하시되 남자와 여자를 창조하시고 (창 1:26-27).

아인 랜드(Ayn Rand)는 노동이라는 주제에 관하여 넓은 독자층을 확보한 20세기 철학자 가운데 하나다. 이 작가가 쓴 유명한 소설 두 편은 사회주의와 집산주의 흐름에 반기를 든 주인공들을 그리고 있다. 「원천」(*The Fountainhead*)에 등장하는 건축가 하워드 로어크(Howard Roark)는 생태 환경을 창의적으로 활용하고, 주위의 자연 여건을 고상하게 보완하며, 입주 대상자들의 필요를 효과적으로 충족시키는 건물을 만들려는 열정에 사로잡힌 인물이다. 랜드는 로어크를 오직 돈과 명예를 얻기 위해 일하는 다른 건축가들과 대조되는 온전한 존재로 그려 낸다.

또 다른 소설 「아틀라스: 지구를 떠받치기를 거부한 신」(*Atlas Shrugged*)에서는 전혀 다른 유형의 영웅, 존 골트(John Galt)를 볼 수 있다. 존 골트는 사회 전체를 통틀어 가장 생산적인 이들이 착취당하기를 거부하며 일으킨 파업을 앞장서 이끈다. 그는 무언가를 창의적으로 만들어

낼 자유가 없는 세상은 불행한 결말을 맺는다는 사실을 드러내 보이기를 꿈꾸는 인물이었다. 랜드는 여기서 창의적이고 생산적인 노동은 인간의 존엄을 지키는 데 필수적임에도 불구하고 관료주의와 보편주의에 밀려 폄하되기 일쑤라고 주장한다. 「아틀라스」의 한 등장인물은 말한다. "심포니를 만들든 탄광에서 탄을 캐든 노동은 어느 것 하나 예외 없이 창조 행위며 똑같은 근원 … 즉, 보고 연결해서 여태 보지도 연결하지도 만들지도 못했던, 빚어내는 능력에서 나온다."[1]

크리스천들이 창세기 1장을 읽으며 깨닫는 인간 존엄의 핵심을 이루는 일면을 엿본 셈이다. 그러나 불행하게도 이 작가는 그 형상을 좇아 인간을 지으신 성경의 하나님을 거부하고 기독교를 소리 높여 비판했던 20세기 지식인이기도 했다. 그럼에도 불구하고 노동이 인간 존엄을 보장하는 주요한 성분이라는 점에는 변함이 없다. 그건 오늘날 가장 세속적인 학자들조차도 인정하는 진리다. 과거엔 상황이 달랐다.

신들이 일을 시키려고 인간을 만들었다고 믿었던 고대 그리스인들은 노동을 축복으로 보지 않았다. 일의 가치는 평가 절하되었다. 이탈리아 철학자 아드리아노 틸게르(Adriano Tilgher)의 말처럼 "그리스인들에게 일은 저주에 지나지 않았다."[2] 실제로 아리스토텔레스는 "실업 상태(굳이 일을 하지 않아도 살아갈 능력이 되는)야말로 진정으로 가치 있는 삶의 첫 번째 요건이라고 했다.[3] 어쩌다 그리스인들은 이런 노동관을 갖게 되었을까?

플라톤은 대화편 「파이돈」(*Phaedo*)에서 육신에 속한 존재는 영혼의 길을 왜곡하고 방해해서 진리를 좇지 못하게 한다고 주장했다. 이 세상에서 영적인 통찰과 정결한 삶을 추구하며 훈련하는 이들은 힘닿는 데까지

육체를 무시해야 한다는 의미였다. 따라서 죽음은 일종의 해방이었으며 영혼의 친구였다.[4]

"그리스 철학자들은 전반적으로 신을 고독하고 자급적이며 세상사에 개입하거나 인간들이 벌이는 북새통에 발을 담그지 않는 '완벽한 정신' 쯤으로 이해했다. 인간은 활동적인 생활에서 한 걸음 물러나 사색과 명상에 충실하면 신의 경지에 이를 수 있다고 보았다."[5] 관조적인 태도는 물질계가 순간적이고 환상에 불과하며 거기에 지나치게 개입하거나 정서적으로 집착하다 보면 두려움과 분노, 근심 걱정에 사로잡혀 사는 일종의 동물적 존재로 추락한다는 걸 깨닫도록 도와준다. 진정한 평안과 행복을 누리는 길은 오히려 세상에 속한 것에 '집착하지 않는' 마음가짐에 있다. 에픽테토스(Epictetus)는 제자들에게 "올바른 삶이란 희망과 두려움을 모두 벗어 버린 인생이다. 다시 말해서, 인간의 실상과 화해하며 세상을 있는 그대로 받아들이는 삶"[6]이라고 가르쳤다. 물질세계에 최소한으로 휘말리고 최소한으로 투자하며 살아야 한다는 것이다.

그렇다면 노동은 최상의 삶을 사는 길을 가로막는 장애물일 수밖에 없다. 일은 세상에 매인 단조로운 삶에서 벗어나 신들이 지배하는 철학의 세계로 들어가는 걸 불가능하게 만든다. 그리스인들은 이 땅에 사는 한 노동이 필수적이라는 점을 잘 알고 있었지만 모든 일이 동등하다고 생각지는 않았다. 몸이 아니라 정신에 유익한 일이 더 고상하며 덜 동물적이라고 믿었다. 몸을 가장 적게 움직이고 정신을 최대한 왕성하게 움직이는 부류를 가장 고상한 일로 쳤다. "그리스 사회구조 전체가 그런 세계관을 지탱했다. 엘리트들이 예술과 철학, 정치를 통해 정신을 수련하는 데 전념

하도록 노예와 직인들이 노동으로 뒷받침해야 한다는 전제가 깔려 있었기 때문이다."[7] 아리스토텔레스는 「정치학」(*Politics*) I.V.8에서 개중에는 노예가 되도록 태어난 인간이 존재한다는 대단히 유명한 말을 남겼다. 더러는 수준 높은 이성적 사고가 불가능하므로 열심히 일해서, 재능 있고 총명한 이들이 자유로이 명예로운 삶과 문화를 추구하도록 보조해야 한다는 뜻이다.

현대인들은 발끈해서 분통을 터트릴 얘기지만, 문자적인 노예 개념은 사라졌다 해도 아리스토텔레스의 논리 이면에 숨은 마음가짐은 지금도 여전히 살아 왕성하게 작용하고 있다. 리 하디(Lee Hardy)를 비롯한 여러 크리스천 철학자들은 장구한 세월이 지났음에도 불구하고 "노동과 일이 차지하는 위치를 바라보는 그리스인들의 자세는 기독교회의 사상과 행위규범 양면에 걸쳐 고스란히 남아" 있으며 우리 시대의 문화에 지대한 영향을 미치고 있다고 주장한다.[8] 오늘날 크리스천들이 물려받은 건 이런 사조가 듬뿍 배어든 노동관이다.

일은 필연적으로 악하다는 인식부터가 그렇다. 그 관점에 따르자면, 돈을 벌어서 가족을 먹여살리며 다른 이들에게 임금을 주어 자질구레한 심부름을 시키는 것만이 선한 일이다. 둘째로, 지위가 낮거나 수입이 적은 일은 인간의 존엄을 해친다고 믿는다. 이런 관념이 가져오는 폐단 가운데 하나는 너나없이 자신에게 전혀 어울리지 않는 일을 선택한다는 점이다. 은사와는 맞지 않더라도 더 높은 봉급과 특혜를 주기만 하면 얼른 그 직장에 들어간다. 서구 사회는 큰 수입을 올리는 '식자층'과 형편없는 품삯을 받는 '서비스 부문' 사이의 간격이 점점 더 벌어지고 있으며 대다수가 그 카테고리에 따른 가치판단을 받아들여 다시 전수하고 있다. 수많은 이들이 스스로 천하게 보는 노동을 하기보다는 일을 놓는 쪽을 택하고 있으며 대다수 서비스 직종과 육체노동이 이 범주에 속한다는 점도 큰 문제다. 이른바 식자층에 드는 이들이 경비원, 가사도우미, 세탁부, 요리사, 정원사를 비롯해 서비스 업종에 종사하는 근로자들을 업신여기는 듯 처신하는 사례가 얼마나 많은지 모른다.

## 일은 종류에 상관없이 모두 고귀하다

이러한 사안들에 관한 성경의 시각은 전혀 다르다. 손으로 하든, 머리로 하든 일이란 일은 죄다 인간의 존엄성을 상징하는 증표로 인식한다. 인간 내면에 존재하는 창조주 하나님의 형상을 반영한다고 보기 때문이다. 성서학자 데렉 키드너(Derek Kidner)는 동물과 인간을 창조하는 내용을 다루는 창세기 1장에서 심오한 진리를 깨달았다. 오로지 사람만이 일, 곧 직무(창 1:26하, 28하; 2:19, 비교: 시 8:4-8, 약 3:7)를 맡았다는 점이다.[9] 쉽게 말해서, 식물과 짐승들은 그저 "충만하고 번성하라"는 명령을 받았을 따름인데 유독 인간은 명확하게 일을 부여받았다. 정복하고 지배하며 세상을 다스리라는 지시를 받은 것이다.

인간은 하나님의 형상대로 창조되었으므로 할 일을 구체적으로 받았다. 여기에는 어떤 의미가 담겨 있을까? "고대 근동의 통치자들은 권위를 내세우거나 권력 행사를 요구받는 자리에 자신의 모습을 담은 그림이나 조형물을 세웠다. 지배자의 이런 이미지들은 직접 그 자리에 머물며 다스린다는 상징이었다."[10] 창세기 1장 26절이 '다스리라'는 명령과 긴밀하게 연결되어 있다는 사실은 이런 통치 행위가 창조주의 형상대로 지어졌다는 말이 의미하는 바를 명확하게 규정해 준다. 인간은 하나님을 위해 이 땅에 존재하며 일종의 부섭정(vice-regent)으로서 나머지 창조 세계를 관리하는 청지기 역할을 하도록 부름받았다. 주님이 창조 과정에서 행하셨던 것처럼 혼돈스러운 세상에 질서를 부여하며, 인간 본성을 사용하여 창의적으로 문명을 세우고, 친히 지으신 만물을 보살피는 일들을 나눠 맡게 된 것이다. 창조주가 인간을 지으시며 기대하신 가장 큰 역할이 바로 이것이다.

그리스 사상가들은 통상적인 일을 짐승 수준으로 인간을 전락시키는 행위로 본 반면, 성경은 사람을 짐승과 구별하고 존엄한 위치로 끌어올려 주는 요소로 파악했다. 구약학자 빅터 해밀턴(Victor Hamilton)은 이집트와 메소포타미아 같은 주변 문화권에서 왕과 왕족들을 '하나님의 형상'으로 불렀다는 점에 주목한다. 하지만 용법이 지극히 제한적이어서 "운하를 파는 노동자들이나 지구라트에서 일하는 석공 같은 이들에게는 적용되지 않는 단어였다. … (그런데 창세기 1장에서는) 그처럼 굉장한 용어를 대단할 것 없는 '인간'을 표현하는 데 사용했다. 하나님 눈에는 인류 전체, 한 사람 한 사람이 고귀하다. 성경은 이스라엘 주변 국가들에게 귀족적이고 배타적으로 사용되던 개념을 민주화시켰다."[11]

일은 하나님이 친히 행하셨고 인간이 주님을 대신해서 하는 행위이기에 존엄성을 가지고 있다. 일 자체가 존엄할 뿐만 아니라 모든 종류의 일이 고귀하다. 창세기 1-2장에서 창조주가 하신 일은 흙으로 인간을 빚어내고, 신중하게 몸에 생기를 불어넣고, 정원을 만드는(창 2:8) '육체노동'이었다. 현대인들로서는 인류의 사상사를 통틀어 이게 얼마나 놀라운 사건인지 실감하기 어려울 것이다. 목회자이자 작가인 필립 젠센(Phillip Jensen)은 이렇게 말한다. "하나님이 세상에 오신다면 어떤 모습일까? 고대 그리스인들은 철학자-왕일 거라고 생각했다. 고대 로마인들은 정의롭고 고상한 정치가를 떠올렸을 것이다. 하지만 히브리 땅에 임하신 하나님은 어떠셨는가? 목수로 오셨다."[12]

경제가 중심이 되는 이 시대는 농작물을 키우거나 자녀를 양육하는 따위의 일은 '지식'이 필요한 일이 아니며 따라서 제대로 값을 치르지 않아도 된다는 오명을 씌우도록 자극한다. 하지만 창세기에서 하나님은 정원사였으며 신약에서는 목수였다. 주님이 일에 부여하신 엄청난 존엄을 담아내지 못할 만큼 하찮은 일은 없다. 몸으로 하는 단순한 노동도 신학적 진리를 탐구하는 활동과 조금도 다름없이 '하나님의 일'이다. 보통 하찮게 생각하는 청소를 예로 들어보자. 직접, 또는 누군가를 고용해서라도 집 안을 치우지 않으면 세균이나 바이러스가 번식하고 결국 감염되어 앓아눕거나 목숨을 잃을 것이다. 창조주는 물질세계를 지으시고 인간들로 하여금 이루 헤아릴 수 없을 만큼 다양한 방식의 노동을 통해 개발하고, 양육하고, 보살피게 하셨다. 그 가운데 지극히 간단한 것들도 중요하긴 마찬가지다. 모두 다 구비되지 않으면 인생은 제대로 돌아갈 수 없기 때문이다.

캐서린 알스도프의 친구 마이크(Mike)는 뉴욕시에서 경비원으로 일한다. 맨해튼의 커다란 조합주택에서 일하는 열다섯 명의 경비원 가운데 하나다. 담당하는 아파트 한 채만 하더라도 백 여 가족이 보금자리를 꾸리고 있다. 이제 갓 육십 줄에 들어선 마이크는 어린 시절 크로아티아에서 미국으로 건너와 식당 종업원 노릇부터 막노동까지 안 해본 일이 없었다. 지금 일하는 빌딩의 경비원이 된 지는 20년 됐는데, 일을 대하는 태도에 분명 남다른 구석이 있다. 마이크에게 이 일은 직업 그 이상이다. 건물에 사는 이들을 진심으로 염려할 뿐만 아니라 짐을 실어 주고, 주차 공간을 찾고, 손님을 맞이하는 업무에 자부심을 느낀다. 나름대로 표준을 세워서 건물 로비와 앞쪽을 깨끗하고 단정하게 관리한다.

주말여행을 마치고 돌아오는 주민이 보일 때마다 얼른 길가로 달려가서 짐 내리는 걸 돕는 까닭을 물으면 "그게 내 일이니까요"라든지 "도움이 필요한 것 같아서요"란 답이 돌아온다. 아파트 아이들의 이름을 죄다 기억하는 이유를 물으면 "여기 사는 친구들이니까요"라고 대꾸한다. 누군가 "구석구석 분주하게 뛰어다니면서 그토록 열심히 일하는 까닭이 뭡니까?"라고 질문하자 이렇게 대답했다. "글쎄요, 그냥 아침마다 거울에 비친 나를 떳떳하게 마주보고 싶어서요. 날마다 최선을 다하지 않으면 스스로 못 견딜 것 같아요." 마이크는 평생 자신이 하는 일에 감사하는 마음을 품고 출근한다. 아울러 이 나라에 살며 거기서 일할 기회를 갖게 된 걸 늘 기쁘게 생각한다.

마이크가 섬기는 이들은 대부분 경비원에게 특별히 고마워하지 않을 법한 전문직 종사자들이나 기업인들이다. 경비원 이 하는 일을 우습게 여기며 직접 문을 열어야 한다고 생각하는 이들도 있다. 하지만 마이크의 자세를 보면, 자신이 하고 있는 일에 내재된 존엄성을 정확히 파악하고 그 이점과 가치를 최대한 끄집어내고 있음을 여실히 알 수 있다.

### 일은 사람을 존엄하게 만든다

어떤 일이든 존엄성을 갖는다. 우리 가운데 있는 창조주의 형상을 반영하고 있을 뿐만 아니라 보살피도록 맡기신 세계가 주님 보시기에 좋은 세상이었기 때문이다. 그리스인들은 죽음을 친구로 보았다. 육신에 갇힌 생명을 해방시켜 준다는 것이다. 그러나 성경은 친구가 아니라 적이라고 지적한다(고전 15:26). 피조 세계는 빛나고 아름다우며(창 1:31), '주의 종'들은 영원히 살아 예배하게 되어 있는(계 22:1-5) 까닭이다. 성경이 가르치는 창조 원리는 성육신(하나님 자신이 인간의 몸을 입고 세상에 오셨다)과 부활(주님이 영혼과 몸을 모두 대속하셨다)의 교리와 조화를 이루며 기독교가 얼마나 육신적인 삶에 깊은 관심을 가지고 있는지 단적으로 보여 준다. 크리스천들에는 궁극적으로 맞이할 미래까지도 육신과 분리되지 않는다. 본질에 집착하는 이들은 육신적인 것보다는 영적인 존재가 더 실질적이고 참되다고 믿는다. 반면에 자연주의적인 시각을 가진 이들은 영적인 실재를 환상으로 치부하고 오직 물질만이 실재한다고 주장한다. 두 쪽 다 성경의 진리에 어긋난다.

창조주가 지으신 세계가 선하다는 건 다들 알고 있다. 이곳은 잠정적으로 한 사람 한 사람이 구원받는 이야기를 공연하다 막이 내리면 차원이 완전히 다른 세상으로 가서 육신과 분리된 삶을 살게 되는 간이 무대가 아니다. 성경에 따르면, 이 세상은 '만물이 부활하여 새롭게 되는 날'(마 19:28, 롬 8:19-25) 순결해지고 회복되고 비할 데 없이 향상된 새 하늘과 새 땅의 전조다. 물질과 영혼이 영원토록 통합된 상태로 함께 사는 꿈을 제시하는 종교는 오로지 기독교뿐이다. 이처럼 새가 날고, 바다가 출렁이고 사람들이 먹고 걷고 사랑하는 건 변함없이 아름다운 일이 될 것이다.

이미 살펴본 것처럼, 크리스천들은 본질적으로 노동을 가벼이 생각할 수 없으며 물질세계에 깊이 개입해야 마땅하다. 그저 잔디를 깎는 노동일지라도 물질계를 보살피고 가꾸는 가치 있는 일이다. 이는 '세상적인' 일들도 목회를 비롯한 이른바 '거룩한' 일들과 똑같은 존엄성과 고귀함을 갖는다는 뜻이기도 하다. 인간에게는 영혼과 몸이 있다. 성경이 말하는 '샬롬'은 영적인 평안과 신체적인 안녕을 모두 아우른다. "힘을 주는 음식, 비를 막아 주는 지붕, 태양의 열기를 가려 주는 그늘. … 인간에게는 물질의 혜택이 반드시 필요하다. … 기업을 움직여서 공동체가 누리는 행복을 한 단계 더 끌어올린다면 거기에 종사하는 이들은 하나님 앞에서 귀한 일을 하고 있는 셈이다. 하나님이 중요시 여기시는 일을 하는 것이다."[13]

시편 65편 9-10절과 104편 30절을 보면, 하나님은 비를 내려 밭을 적시시고 성령님을 통해 "지면을 새롭게" 하신다. 한편, 요한복음 16장 8-11절에서는 성령님이 마치 전도자처럼 범죄한 백성들에게 죄와 거기에 따른 주님의 심판을 선포하신다. 여기서도 하나님의 영이 정원을 돌보시는 동시에 복음을 전파하는 장면을 볼 수 있다. 둘 다 그분의 일이다. 그렇다면 어떻게 감히 이런 일은 고상하고 고귀하며 저런 일은 낮고 천하다고 애기할 수 있겠는가?

피조 세계의 선함과 일의 존엄성을 이해했다면 확실한 기초를 놓은 셈이다. 인간은 적어도 부분적으로는 우리에게 기쁨을 누리게 만들어진 놀라운 세상에서 일하고 있다. 창세기 저자는 풍성한 피조물 앞에서 경외감을 느껴야 한다고 말한다. 생명력으로 가득 차 있기 때문이다. 하나님은 다양하고 창의적인 일을 무척 즐기시는 듯하다. 또 다른 성경 본문은 하나님의 창조 역사가 세상을 지으시는 순전한 즐거움과 기쁨에서 비롯되었다고 설명한다(잠 8:27-31). 이것 역시 일이 어떠해야 하는지, 노동을 포함해서 만물을 망쳐 놓은 타락 사건이 벌어지지 않았더라면 어땠을지 보여 주시려는 하나님의 계획 가운데 일부다.

인간은 노동을 하도록 지음받았으며 지위나 급여와 상관없이 일은 인류에게 존엄성을 부여한다. 이러한 사실이 미치는 실질적인 영향은 끝을 알 수 없을 만큼 광대하다. 이 원리를 제대로 깨닫고 나면 은사와 열정을 좇아 자유롭게 직업을 선택할 수 있다. 경제 상황이 악화되고 일자리가 줄어들어도 더 많은 기회에 대해 긍정적일 수 있다. 체면과 우월감이 사라지게 된다. 질투나 상대적 박탈감도 사라진다. 크리스천이라면 누구나 자신이 하는 일을 통해 하나님의 창조와 개척 사역에 동참하고 있다는 확신과 만족을 누릴 수 있어야 한다. 그러자면 문화에 대한 성경의 가르침으로 돌아갈 필요가 있다.

chapter **3**



# 일터에서
# 주님의 매뉴얼을 따라
# 야심차게 일하라

하나님이 그들에게 복을 주시며 하나님이 그들에게 이르시되 생육하고 번성하여 땅에 충만하라. 땅을 정복하라. 바다의 물고기와 하늘의 새와 땅에 움직이는 모든 생물을 다스리라 하시니라(창 1:28).

"여호와 하나님이 동방의 에덴에 동산을 창설하시고 그 지으신 사람을 거기 두시니라. 여호와 하나님이 그 땅에서 보기에 아름답고 먹기에 좋은 나무가 나게 하시니 동산 가운데에는 생명나무와 선악을 알게 하는 나무도 있더라. … 여호와 하나님이 이르시되 사람이 혼자 사는 것이 좋지 아니하니 내가 그를 위하여 돕는 배필을 지으리라 하시니라. 여호와 하나님이 흙으로 각종 들짐승과 공중의 각종 새를 지으시고 아담이 무엇이라고 부르나 보시려고 그것들을 그에게로 이끌어 가시니 아담이 각 생물을 부르는 것이 곧 그 이름이 되었더라. 아담이 모든 가축과 공중의 새와 들의 모든 짐승에게 이름을 주니라. 아담이 돕는 배필이 없으므로 여호와 하나님이 아담을 깊이 잠들게 하시니 잠들매 그가 그 갈빗대 하나를 취하고 살로 대신 채우시고 여호와 하나님이 아담에게서 취하신 그 갈빗대로 여자를 만드시고 그를 아담에게로 이끌어 오시니"(창 2:8-9, 15-22).

## 땅에 충만하라, 땅을 정복하라!

인간은 일하도록 설계되었고 일을 통해 존엄하게 되며, 일은 창의성, 특히 문화 창조를 통해 하나님을 섬기는 도구이기도 하다.

창조주는 첫 인류를 동산에 두셨다. 히브리 학자 데렉 키드너는 그곳에 온갖 즐거운 것들이 가득했지만, 그중에서 일하는 기쁨이 가장 두드러졌다고 말한다. "에덴이라는 지상낙원은 … 부모가 자식을 돌보는 보살핌의 모델이다. 안전하게 지키시되 숨 막히게 통제하지 않는 양육 방식이다. 하늘 아버지는 자녀들에게 분별하고 선택하는 능력을 심어 주기 위해 어디를 가든 새로운 무언가를 발견하고 만날 수 있게 하셨다. 심미적, 신체적, 영적 미각을 충족시킬 만한 양식이 무궁무진했을 뿐 아니라 몸과 마음의 건강을 다질 수 있는 일들이 있었다"(15, 19절).[1] 영적인 성장을 위해 순종해야 할 말씀을 주셨다(16-17절). 문화적이고 창의적인 능력을 개발하도록 정원을 돌보는 육체노동을 시키시는 한편(15절), 짐승들의 이름을 짓는 작업에 참여시키셔서 정신적인 역량과 통찰력을 키우게 하셨다(19절). 마지막으로 하와를 지으시고 짝으로 맺어 주셔서 인류가 성장해서 세상에 가득하게 될 길을 열어 두셨다(19-24절). "땅에 충만하라. 땅을 정복하라"는 막중한 직무를 맡기시기 위해 그처럼 공을 들이신 것이다. 흔히 이 말씀을 가리켜 '문화 명령'이라고 한다. 무슨 뜻일까?

첫째로, 하나님은 "땅에 충만하라", 즉 수를 늘이라고 명령하신다. 동식물에게는 단순히 "번성하게 하라"고 말씀하시는 반면(11절, 20절 전반, 20절 후반, 22절, 24절), 사람에게는 적극적으로 감당해야 할 명령(28절 전반)

뿐 아니라 구체적으로 실행해야 할 사항까지 주셨다(28절 후반-29절). 다시 말해, 오로지 인간만이 '번성'을 의지적으로 완수해야 할 임무를 부여받았다는 뜻이다. 어째서 그걸 일로 치는 것일까? 자연스럽게 진행되는 과정이지 않을까? 그렇지 않다. 인간이 땅에 충만하게 되는 건 동식물이 세상에 가득해지는 것과는 의미가 생판 다르다. '출산'이 아니라 '문명'을 뜻하기 때문이다. 하나님은 단순히 인간이라는 종(種)의 개체수가 증가되길 원하신 게 아니라 세상에 인간 사회가 가득하길 기대하셨다. 창조주는 한 마디 말씀으로도 수많은 주거지에 인간이 득실거리게 만들 수 있지만 그렇게 하지 않으셨다. 인류에게 사회를 발전시키고 세워 가는 걸로 일을 삼게 하신 것이다.

둘째로, 하나님은 다른 피조물들을 '다스리며' 더 나아가 '정복'하라는 명령을 주셨다. 이건 무슨 뜻일까? '정복'이라는 표현은 자칫 자연력을 적으로 간주하고 어떤 식으로든 싸워 이겨야 할 것 같은 분위기를 풍기기 쉽다. 개중에는 이 구절이 자연 파괴의 면허를 내주었다고 불평하는 이들도 있다. 하지만 이건 그런 얘기가 아니다.[2] 본문의 명령은 타락, 그러니까 '썩어짐에 종살이'하기(롬 8:17-27) 전, 열매와 더불어 가시덤불이 생기기(창 3:17-19) 전에 주어졌다는 사실을 기억할 필요가 있다. 인간이 죄를 짓는 바람에 더 이상 볼 수 없게 된 피조물 사이의 원시적인 조화가 여전히 남아 있었다는 뜻이다. 따라서 땅을 정복하라는 명령에는 폭력적인 의도가 눈곱만큼도 섞여 있지 않다. 따라서 하나님의 형상을 가진 존재로서 세상을 '다스린다는' 건 청지기나 대리인 역할을 한다는 의미로 받아들여야 한다. 만물의 주인이신 하나님은 세상을 경작하는 책임을 인간에게 맡기셨다. 그러므로 정복하라는 분부는 명백히 온 천지와 거기에 속한 자원들을 마음대로 사용하고 착취하고 폐기할 수 있는 대상으로 삼으라는 명령이 아니다.

그럼에도 불구하고 '정복'으로 번역된 단어는 의지를 진심으로 내비치는 강력한 표현으로, 피조물을 대하는 하나님의 입장을 명확히 보여준다. 태초에 물질계를 지으실 당시, 창조주는 이미 준비해 둔 기성품을 꺼내 놓으신 게 아니다. 세상은 온통 "혼돈하고 공허"했다(창 1:2). 주님은 꾸준히 일하시면서 창세기 1장 전반에 걸쳐 점진적으로 상태를 바꿔 놓으셨다. 우선 세상에 뼈대를 세우셨다. 형태도 없고 구분되지도 않는 세계를 나누고 정교하게 다듬으셨다. 뭉뚱그려진 덩어리를 분리해서 특정한 개체들로 만드셨다. 예를 들어, 하늘과 바다를 떼어 놓으시고(창 1:7), 어둠과 밤을 구별하셨다(창 1:4).

다양성을 좋아하시는 하나님의 성품은 하와를 창조하시는 과정에서도 볼 수 있다. 한 가지 형태로 인류를 빚는 쪽이 훨씬 쉽고 편리하겠지만 주님은 서로 다르면서 보완적이며 완전히 평등한 두 가지 성으로 만드셨다. 아담과 하와라는 별개의 성을 가진 인간은 생물학적인 출산을 통해 자손을 낳게 되었다. 창조주의 형상을 닮은 존재로서 그분이 태초에 시작하신 일을 또 다른 방식으로 이어가게 된 것이다.

공허한 자리가 있으면 하나님은 어김없이 무언가로 그 여백을 메우셨다. 첫 사흘에 걸쳐 주님은 영역들(창공들, 하늘과 바다, 땅)을 나누시고 두 번째 사흘 동안은 그 하나하나에 적합한 구성 요소들(해와 달과 별, 새와 물고기, 짐승과 인간)을 채워 넣으셨다.

그러므로 '정복'이라는 말은 세상을(타락하지 않은 원초적 상태에서조차도) 일의 무대로 만드셨음을 암시한다. 하나님은 세상이 설계한 대로 완성되어 그 풍요로움과 잠재력이 최대한 드러나도록 열심히 일하셨다. 창세기 1장 28절에서 인류를 향해 그분이 친히 보여 주신 모범을 그대로 좇아 충만하고 정복하는 일을 하라고 말씀하시는 건 우연이 아니다.

## 하나님의 사역 패턴을 따라 일해야 한다

철학자 알 월터스(Al Wolters)는 이렇게 썼다.

> 세상은 총체적으로 혼돈스럽고 공허했다. 하나님은 엿새간의 개발 과정을 통해 모양새를 잡고 빈자리를 채우셨다. 하지만 아직 완전히는 아니었다. 지금부터는 인류가 개발하는 사역을 감당해야 한다. 생산적이 되어 세상을 채우고 정복에 힘써 세상을 더 온전한 모양으로 만들어 가야 한다. … 위임을 받은 하나님의 대리인으로서 그분이 세워 주신 자리에서 일을 계속해야 한다. 하지만 이것은 지금 이 땅의 인간 개발을 위한 것이다. 인류는 자신과 같은 부류가 세상에 가득하게 하며 동일한 부류를 위해 이 땅을 빚어 가야 한다. 향후로 피조 세계의 개발은 본질적으로 사회적이고 문화적이 될 것이다.[3]

창조와 관련해서 우리가 하나님의 형상을 닮은 존재라면, 주님의 사역 패턴을 따라 일해야 마땅하다. 창조주가 지으신 세계는 적대적이지 않으므로 원수를 대하듯 두들겨 부술 필요가 없다. 도리어 그 안에 담긴 잠재력이 다 드러나지 않은 상태이므로 정원처럼 잘 가꿔야 한다. 마치 국립공원 관리 직원처럼, 담당 구간을 변형시키는 게 아니라 있는 그대로 보존하고 가꾸는 데 집중하는 게 당연하다. "정원을 아스팔트로 뒤덮어" 주차장을 만드는 식으로 피조 세계를 대해선 안 된다.

능동적인 자세로 업무에 임하는 정원사가 되어야 한다. 그런 일꾼들은 정원을 황폐한 상태로 버려두지 않는다. 흙이 가진 성장과 발전 잠재력을 끌어내서 최대한 풍성한 열매를 맺도록 손을 쓴다. 땅을 갈아엎은 다음, 염두에 두고 있는 목표에 따라 다시 정리한다. 정원의 원재료들을 주물러서 먹을거리와 꽃을 내고 아름다운 풍경을 빚어내게 만드는 것이다. 이것이 세상 모든 일에 적용되어야 할 패턴이다. 창의적이고 적극적인 태도다. 하나님이 지으신 원재료를 가지고 세상을 널리 이롭게 하는, 특히 인류가 번성하고 윤택해지는 방식으로 재배열하는 것이다.

이러한 패턴은 일의 종류와 상관없이 어디서든 찾아볼 수 있다. 농업은 흙과 씨앗이라는 물질적인 재료를 가지고 먹을거리를 만들어 낸다. 음악은 음(音)이라는 물질적 소재를 가져다가 아름답고 신나게 재배치해서 삶을 풍요롭게 한다. 옷감을 가져다 의복을 만들고, 빗자루를 들고 방을 치우고, 기술을 동원해서 전기의 힘을 제어하고, 말랑말랑하고 깨끗한 마음에 무언가를 가르치고, 어느 부부에게 뒤엉킨 관계의 매듭을 푸는 비결을 일러 주고, 단순한 재료를 사용해서 가슴에 사무치는 예술 작품을 만들어 내는 그 하나하나가 곧 빚고 충만하게 하고 정복하는 하나님의 사역을 계속 이어 나가는 작업이다. 혼돈을 정리해 질서를 잡고, 창조적인 잠재력을 끌어내며, 시간과 장소를 초월해서 창조 세계를 펼쳐 보일 때마다 하나님의 창의적인 문화 개발 패턴을 따르고 있다고 보면 된다. 사실, 문화를 의미하는 영어 'culture'는 경작(cultivation)의 개념에 뿌리를 둔 단어다. 하나님은 스스로 창조 사역을 통해 땅을 정복하셨던 것처럼 거룩한 자녀들도 주님의 대리인으로서 정복하는 일을 계속하며 확장해 가라고 명령하신다.

리디머교회에서는 가진 자원을 최대한 활용해서 새롭고 혁신적인 결과를 내는 방식으로 가치를 창출하는 기업인들을 격려하고 지원한다. 2008년 경영자 연례포럼의 강사를 맡았던 제임스 투펜키언(James Tufenkian)만 해도 그렇다. 몇 가지 사업을 벌였다가 쓴 맛을 본 제임스는 2005년, 명품 잼을 만들어 판매하는 비즈니스를 시작했다. 아르메니아에 머물며 가난과 낭비가 판을 치는 현지의 현실을 자주 목격했으며 그때마다 안타까운 마음을 지울 수가 없었다. 광대한 국토 전역에서 먹음직스러운 과일이 생산되지만 운송과 보관 시설이 형편없어서 제철에만 잠깐 시장에 내다 팔거나 맛보는 게 고작일 뿐, 엄청나게 많은 나머지 과일들은 그대로 버려지고 있었다. 제임스는 동업자 한 명과 더불어 과일통조림 제조 회사를 출범시켰다. 지역적으로 이뤄지던 한철 장사를 한 해 내내 돌아가는 사업으로 바꿔 놓은 것이다. 〈하베스트 송〉(Harvest Song) 과일통조림은 탁월한 품질로 국제적으로 호평받으며 세계 곳곳에서 팔리고 있다. 산지의 좋은 기후와 뛰어난 보존 기술 덕분이다.

"오래도록 변치 않는 아름다운 물건을 만들자"[4]는 게 제임스가 신앙을 기반으로 잡은 일생의 목표다. 세상을 빚으시고 충만하게 채우신 뒤에 피조물들을 돌아보시고 "참 좋구나!"라고 말씀하신 하나님의 모습을 보면서 크게 깨우친 제임스는 기쁨에 겨워 소리쳤다. "하나님은 허접하게 만들지 않으셨어! 나도 그럴 거야!" 성경이 가르치는 일의 개념을 정확하게 받아들이면 주어진 자원에서 가치를 창출하려는 소망이 솟게 마련이다. 원재료를 가져다주시고 함께 만들고 키워 내는 특권을 베푸시는 하나님을 의식하는 한, 무슨 일을 하든지 메마르지 않는 창의성을 가지고 임할 수 있는 것이다.

마크 놀(Mark Noll)은 「복음주의 지성의 스캔들」(*The Scandal of the Evangelical Mind*)에 이렇게 적었다.

> 무엇보다도 누가 자연계를 만들었으며, 자연에서 차츰차츰 찾아낸 정보들을 통해 과학을 발전하게 했는가? 사람과 사람이 서로 영향을 미치는 세계를 만들고 정치, 경제, 사회, 역사의 원재료를 공급하는 주인공은 누구인가? 누가 모든 예술과 문학의 배경이 되는 조화와 형식, 서사 패턴의 근원이 되는가? 누가 지성을 창조해서 철학자와 심리학자들로 하여금 무한한 자연과 인간의 상호작용, 아름다움의 실체를 파악하고 이론적으로 정리할 수 있게 하는가? 누가 자연계와 인간의 상호작용, 존재의 조화를 잠시도 차질 없이 유지하는가? 누가 순간순간 지각 속에 있는 것과 지성을 초월한 세계의 실재 사이를 연결하는가? 질문은 달라도 답은 똑같다. 하나님이 하셨고 지금도 하신다.[5]

창세기 2장 19-20절에 등장하는 동물들 이름 짓는 작업은 창조 과정에 동참하라고 부르시는 하나님의 초대장이다. 창조주는 어째서 손수 작명하지 않으시는가? 창세기 1장에서 빛을 '낮'이라 하시고 어둠을 '밤'이라고 하셨던 전례에 비춰 보면 짐승들에게도 얼마든지 이름을 붙이실 수 있었다. 그럼에도 불구하고 주님은 창조 사역을 지속적으로 발전시키는 일에 인간을 동참시키셨다. 인간 본성과 기질의 폭을 최대한 확장해서 그분을 영화롭게 하는 문명을 건설하게 하시려는 배려였다. 인간은 일을 통해 혼돈에 질서를 부여하고, 새로운 사물을 만들어 내고, 창조 패턴을 활용하며, 공동체를 조직한다. 따라서 유전자를 결합시키든, 뇌수술을 하든, 고물을 수집하든, 그림을 그리든, 일은 세상의 기본 구조를 더 발전시키거나 유지하거나 고치는 기능을 한다. 인간의 노동은 그런 식으로 하나님의 사역과 연결된다.

## 크든 작든 모든 일이 소중하다

한번은 풀러신학교 교장 리처드 마우(Richard Mouw)가 뉴욕시의 은행원들을 대상으로 강연했다. 창세기 말씀들을 짚어 가며 하나님이 온갖 창의성의 모태가 되는 세상을 지으신 창조주요 발명가라는 점을 역설했다. 그리곤 청중들에게 창조주를 투자은행의 경영진으로 생각해 보라고 했다. 주님은 자산을 동원해서 새 생명으로 가득한 온 세상을 지으셨다. 이처럼 충족시켜야 할 인간의 필요가 무언지 보이고 그 요구를 채울 만한 은사나 자원이 파악될 때, 대가나 위험을 계산하지 않고 과감히 투자한다면 어떻게 될까? 부족한 부분이 메워지고 그 열매로 새로운 일자리와 새로운 제품이 창출되고 삶의 질이 더 나아지지 않을까? 마우는 그런 비즈니스야말로 실질적으로 하나님의 사역을 닮은 일이라고 결론지었다.

강연이 끝난 뒤, 청중들 가운데 여럿이 찾아와서 말했다. "우리 교회 목사님한테도 말씀을 좀 해 주세요. 저희들이 그저 돈 버는 데만 혈안이 된 줄 아신다니까요." 사실, 모든 사업이 공익적인 건 아니다.[6] 하지만 투자자와 기업인이라면 다들 공공의 이익 따위는 아랑곳하지 않고 오로지 수익을 올리는 일에 온 신경을 쓴다고 믿는 목회자들이 얼마나 많은지 모른다. 사역자들이 비즈니스 역시 문화를 만들고 피조 세계를 가꿔 가는 방식 가운데 하나라는 인식을 갖지 않는다면 교인들을 제대로 이끌 수 없다.

성경이 가르치는 이런 노동관은 야심을 품고 앞서 나가는 이들뿐만 아니라 평범한 대다수 직장인들에게도 비전과 의미를 준다. 날마다 피조 세계를 가꿔 나가는 건 누구나 감당해야 할 반드시 필요한 일이기 때문이다. 앤디 크라우치는 중요한 진리를 담고 있으면서도 아주 쉽게 쓴 저서, 「컬처메이킹」(*Culture-Making : Recovering Our Creative Calling*)에서 크든 작든, 규모와 상관없이 온갖 일이 다 중요하다는 점을 상기시킨다. 저자는 물리학 교수로 일하는 아내 캐서린(Catherine)에게 많이 배운다면서 이렇게 소개했다.

물리학 교수로 학생들을 가르치는 캐서린은 학사 과정과 연구실 문화를 새로 빚어내는 데 적잖이 힘을 보탰다. 아내는 다소 메마르고 기능적인 실험실에 클래식 음악을 틀어 놓아서 창의적이고 우아한 분위기로 환경을 만든다. 학생들이 신나거나 실망스러운 결과에 반응하는 방식도 바꿔 놓았다. 산만하게 일하면서 찔끔찔끔 쉬기보다 집중해서 연구하고 푹 쉬는 데도 모범을 보인다. 가끔씩 아이들을 직장에 데려가서 가족이 일을 방해하는 요소로 작용하지 않는 문화를 만드는 동시에 꼬맹이들에게 교육과 연구가 엄마의 자연스러운 일상임을 보여 준다. 제자들을 집으로 불러서 한 사람 한 사람을 단순히 연구 성과를 내기 위한 팀의 멤버가 아니라 인격체로 소중히 여긴다는 걸 보여 준다. 실험실과 교실에서 소규모로 벌이는 일들이지만 캐서린은 세상의 판을 다시 짜는 진짜 능력을 유감없이 드러내고 있다.[7]

세상에는 창조주께서 일하신 패턴을 좇지 않아도 괜찮을 만큼 존엄성이 떨어지는 일상사도 없고, 주님이 보여 주신 유형과 한계를 초월하는 대형 거래나 공공정책 사업도 없다. 아울러 하나님은 손수 지으신 피조물들을 가꾸는 방법과 이유를 저마다 알아서 찾아내도록 버려두지 않으시고 일의 목표를 분명하게 제시하시며 뒤를 따르라고 신실하게 부르신다.

chapter **4**

## 일은 목적이 있는 소명이다

# 자신만을 위하지 말고
# 하나님과 세상을 위해
# 땀방울을 흘리라

오직 주께서 각 사람에게 나눠 주신 대로 하나님이 각 사람을 부르신 그대로 행하라. 내가 모든 교회에서 이와 같이 명하노라(고전 7:17).

제이씨페니(JCPenny)의 CEO를 지낸 마이크 울먼(Mike Ullman)은 그룹에서 처음 영입 제안을 받았을 때 스타벅스 창업주 하워드 슐츠(Howard Schultz)와 나눴던 이야기를 들려주었다.

울먼은 매장 관리 분야에서 오래도록 일하며 성공적으로 경력을 쌓고 나서 몇 해 전에 은퇴한 터라 다시 비즈니스 현장으로 돌아가는 게 망설여졌다. 하지만 슐츠는 울먼에게 말했다. "이건 기회입니다. 그쪽에서는 서비스를 회사의 사명으로 삼으려 하는데 선생을 그 일의 적임자로 본 것 같습니다."

울먼은 돈도, 인정도 필요치 않았지만 제의를 받아들였다. 2만5천 명에 이르는 판매 직원들에게 저마다의 업무를 소중하게 여기며 고객들을 섬기는 게 명예로운 일임을 깨닫도록 새로운 방향을 제시할 수 있는 기회라고 판단했다. 간단히 말해, 누군가를 섬길 수 있는 자리로 하나님이 자신을 부르셨다고 믿었던 것이다.

지금까지 창세기를 훑으면서 일의 의도와 존엄성, 패턴을 살펴보았지만 신약성경, 그 가운데서도 특히 바울의 서신들을 살펴보면 하나님이 어떻게 세상을 섬기라는 부르심을 통해 일의 목적을 분명히 하셨는지 더 깊은 깨달음을 얻을 수 있다.

흔히 '부르심'으로 번역되는 단어가 성경에서 어떻게 쓰이는지부터 먼저 짚어 보자. 신약성경의 목회서신들에서 '부르다'라는 뜻을 가진 그리스어 칼레오(kaleo)는 보통 믿음으로 구원을 받고 예수님과 더불어 하나가 되라는 하나님의 요청을 묘사할 때 사용되는 말이다(롬 8:30, 고전 1:9). 온 세상에 거룩한 메시지를 선포함으로써 주님을 섬기라고 부를 때도 쓰인다(벧전 2:9-10). 하나님은 개인적으로뿐만 아니라 공동체적으로 부르시기도 한다. 예수님은 물론이고 크리스천 공동체와도 친교를 맺게 하는 초대다(고전 1:9, 엡 1:1-4, 골 3:15). 실은, 교회를 가리키는 그리스어 에클레시아(ekklesia) 자체가 '부르심을 받은 이들'을 의미한다.

고린도전서 7장에서 바울은 서신을 읽는 독자들에게 일단 크리스천이 되었으면 하나님이 기뻐하실 만한 삶을 살기 위해 지금껏 살아온 생활 방식, 곧 결혼 생활이나 일, 사회적인 입장 같은 것을 바꿀 필요는 없다고 권면했다. 17절에서 바울은 이렇게 말한다. "오직 주께서 각 사람에게 '나눠 주신' 대로 하나님이 각 사람을 '부르신' 그대로 행하라. 내가 모든 교회에서 이와 같이 명하노라."[1]

여기서 바울은 두 가지 종교적인 의미가 담긴 용어를 동원해서 통상적인 일을 설명한다. 사도는 다른 본문에서도 하나님이 백성들을 구원 관계 속으로 '부르시며' 영적인 은사를 '주셔서' 주님의 양들을 돌보는 한편, 크리스천의 공동체를 세워 가게 하신다고 여러 차례 강조했다(롬 12:3, 고후 10:13). 크리스천이라면 누구나 '주님이 나누어 주신 분수 그대로, 하나님이 부르신 처지 그대로' 살아가야 한다고 강조하는 대목에서도 그 두 단어를 사용했다. 그러나 이 경우에 바울은 교회 사역이 아니라 사회적이고 경제적인(이른바 세속적인) 일을 염두에 두고 하나님의 부르심과 위임을 말하고 있다.[2]

의미는 분명하다. 하나님이 크리스천들을 준비시켜서 그리스도의 몸을 세우게 하시는 것처럼 거룩한 백성들 모두에게 갖가지 달란트와 은사를 주셔서 인류 공동체를 건설하는 목표를 이루게 하셨다는 것이다.[3] 성경학자 앤서니 티슬턴(Anthony Thiselton)은 이 본문을 이렇게 풀이했다. "부르심과 섬김에 대한 바울의 개념은 '자율성'에 특별한 지위를 부여하던 세속적 모더니티와, 자기실현과 권력 관계를 앞세우던 대중적 포스트모더니티에서 완전히 벗어나 있다. … 그러기에 (바울서신의) 이 대목은 현대사회에서도 여전히 타당성을 갖는다.[4]

티슬턴의 이런 해석은 프롤로그에서 인용했던 로버트 벨라의 주장을 떠올리게 한다. 벨라는 일에 담긴 '소명'이라든지 '부르심'의 개념을 회복하며 개인의 자아실현이나 권력욕이나 "이익을 도모하는 수단이 아니라 모두의 유익에 기여하는 행위로 보아야 한다"[5]고 지적했다. 하지만 기억할 게 있다. 한쪽에서 명령하고 이편에서도 자신이 아니라 상대를 위해 그 일을 해낼 때에 비로소 소명이나 부르심이 될 수 있다는 점이다. 다른 이들을 섬기도록 하나님이 주신 과업으로 일을 새로이 정의하는 과정이 선행되지 않으면 일상적인 일은 소명이 될 수 없다. 이것이 바로 성경이 가르치는 노동관이다.

우리 교회만 하더라도 대학이나 경영대학원을 졸업하기가 무섭게 금융 서비스업계로 진출하는 젊은이들이 수두룩하다. 채용 과정에서 다른 업계나 직종의 경우를 훨씬 웃도는 엄청난 보너스와 성과급을 제시받으면, 십중팔구는 혹해서 그밖에 어떤 대안이 있는지 헤아릴 생각조차 하지 않고 지원하게 된다. 지난 수십 년 동안 이런 직업들은 비교할 수 없을 만큼 안정적인 지위와 수입을 보장해 왔다. 이런 기회가 눈앞에 있는데, 자신을 향한 하나님의 '부르심'이 무언지 객관적으로 검토하길 기대할 수 있겠는가?

물론, 더러는 금융 세일즈, 증권거래, 비공개 기업 투자, 공공재정과 관련된 분야의 일을 하면서 하나님과 이웃을 섬길 특별한 기회를 누린다고 느낄 수 있다. 하지만 월스트리트에서 몇 년을 지내보고 나서 다른 일에 능력과 열정을 투자하는 편이 낫겠다고 판단하는 이들도 있게 마련이다.

질 라말(Jill Lamar)도 그랬다. 메릴 린치(Merrill Lynch)에서 한동안 일한 끝에 변화의 길을 모색하기로 결심한 것이다. 책을 좋아하고 글 쓰는 재주도 남달랐던 터라 출판계에서 일자리를 찾았다. 수입과 지위, 모두 바닥부터 시작해야 했다. 꼭 금융 계통에서 계속 일해야 큰돈을 만질 기회가 오는 건 아니라는 데 스스로 동의하기까지 한바탕 씨름을 벌였다. 어떻게 하면 은사와 열정을 최대한 활용해서 주님과 세상을 섬길 것인가만 생각하려 무진 애를 썼다. 난데없는 결정에 주변은 물론이고 교회에서도 요란한 구설수에 올랐다.

크리스천이라면 세상에서 자신이 하는 일의 목적에 대해 이처럼 혁신적인 통찰을 가져야 한다. 하나님이 불러서 과업을 맡기셨다는 사실 자체가 힘을 주므로 자아를 실현하고 권력을 얻을 속셈으로 직업을 선택하거나 일을 대해서는 안 된다. 도리어 일을 하나님과 이웃을 섬기는 도구로 보아야 하며 그 목적에 따라 직장을 선택하고 업무에 임할 필요가 있다. 직업을 선택하기에 앞서 던져야 할 질문은 "무얼 해야 돈을 많이 벌고 출세할 수 있을까?"가 아니라 "지금 가진 능력과 기회를 가지고 어떻게 하면 하나님의 뜻과 이웃의 요구를 늘 의식하면서 최대한 다른 이들을 섬길 수 있을까?"이어야 한다.

라말은 이런 질문들을 심각하게 받아들였다. 출판계에서 새롭게 일하면서 자신에게 편집과 신인 작가 발굴 쪽에 뛰어난 재주가 있다는 걸 깨달았다. 세상에 읽을 만한 책을 내놓으려는 열정이 갈수록 커졌다. 개중에는 성경적인 세계관을 반영하는 작품들도 있었지만 그렇지 않은 사례도 드물지 않았다. 라말은 탁월해지기 위해 끊임없이 노력했다. 그리고 마침내 반즈앤노블(Barnes & Noble)사가 추진하는 역량 있는 신인작가 발굴 프로그램(Discover Great New Writers)의 책임자가 되었다. 라말은 이 사업을 통해 신인 작가들에게 더 많은 독자들과 만나는 소중한 기회를 줄 수 있었다.

앞에서 소개한 두 가지 질문 가운데 직관에 어긋나는 게 있음을 감지했는가? 실력을 갈고 닦아서 해당 분야의 일인자가 되고자 하는 동기를 지속적으로 불어넣어 주는 건 후자다. 제 잇속을 채우고 높아지는 데 초점을 맞추면 어쩔 수 없이 일은 뒷전이고 자신을 앞세우게 된다. 왕성한 의욕은 과욕으로 변하고, 강력한 추진력은 탈진으로 이어지며, 자족하는 마음가짐은 자기혐오의 감정이 된다. 그러나 일의 목적을 자신을 넘어선 무언가를 섬기고 높이는 데 둔다면 달란트와 포부, 직업적인 열정을 효율적으로 사용할 더 확고한 이유가 생기게 마련이며 세상적인 기준에서도 장기적인 성공을 거둘 수 있을 것이다.

## 아무리 작은 일도 자녀를 돌보시는 하나님의 도구이다

마르틴 루터는 고린도전서 7장의 가르침을 누구보다 확고하게 파악했던 인물이다. 루터는 본문에 등장하는 '부르심'이란 단어를 '직업'을 의미하는 독일어 베루프(Beruf)로 번역해서 소명에 관한 전통적인 시각을 견지하던 중세교회에 격렬한 논쟁을 불러일으켰다.[6]

당시 중세교회는 교회가 지상에 실현된 하나님 나라라는 의식을 가지고 있었으므로[7], 교회를 위해 교회 안에서 행하는 직무이어야만 하나님을 위한 일의 요건을 갖출 수 있었다. 그렇다면 오로지 수도사와 신부, 또는 수녀가 되지 않고는 부름을 받아 주님을 섬길 길이 없다는 결론에 이른다. 흔히 그걸 '신령한 직분'(spiritual estate)이라고 불렀으며 그밖에 다른 이들이 하는 일반적이고 세속적인 노동은 천박하지만 불가피한 일로 보았다. 고대 그리스인들이 육체노동을 대하는 태도와 별 차이가 없는 관념이었다.[8]

루터는 논문(To the Christian Nobility of the German Nation)까지 써 가며 그런 사고방식을 강력하게 공격했다.

> 교황, 주교, 신부, 수도사들을 '신령한 직분'으로 칭하면서 왕족, 귀족, 장인, 농부들을 '세속의 직분'이라고 부르는 건 모두 지어낸 소리(허구)다. 철저한 기만이요 위선이 아닐 수 없다. 그러므로 누구도 거기에 주눅들 이유가 없다. 크리스천이라면 누구나 진정으로 신령한 직분을 가졌으며 직무의 종류가 다르다는 것 말고는 아무런 차이가 없기 때문이다. … 사도 베드로의 말처럼 세례와 함께 제사장으로 드려졌기 때문이다. "너희는 … 왕 같은 제사장들이요, 거룩한 나라요"(벧전 2:9). 묵시록은 이렇게 가르친다. "피로 사서 … 나라와 제사장들을 삼으셨으니 그들이 땅에서 왕 노릇 하리로다"(계 5:9-10).[9]

여기서 루터는 "하나님이 크리스천들을 너나없이 동등하게 일로 부르셨다"고 주장한다. 그리고 시편 147편 주석에서 그 까닭을 설명한다. 먼저 "그가 네 문빗장을 견고히 하시고"[10] 성을 지켜 주신다고 약속하는 13절을 살핀다. 그리곤 하나님이 어떻게 성읍의 안정과 안녕을 보장하는 문빗장을 단단히 걸어 잠그시는지 묻고 스스로 답을 내놓는다.

> 본문에 등장하는 '빗장'이라는 표현은 대장장이가 만드는 쇠막대기로만이 아니라 … 선량한 정부, 잘 정비된 도시의 법률들, 정연한 질서 … 그리고 지혜로운 통치자처럼 백성들을 보호하는 데 도움이 되는 모든 요소를 아

우르는 말로 이해해야 한다.[11]

하나님은 어떻게 성읍을 안전하게 지키시는가? 법을 만드는 의원들, 경찰관들, 정부에서 일하는 관리들과 정치가들을 통해서가 아니겠는가? 그러므로 주님은 친히 부르신 이들의 노동을 도구 삼아 시민들의 필요를 채우신다.

루터는 자신이 정리한 「대요리문답」(*Large Catechism*)에서 하나님께 '일용할 양식'을 구하는 주기도문의 간구를 언급하며 이렇게 말했다. "'일용할 양식'을 달라고 기도하는 순간, 그걸 먹고 즐기는 데 이바지하는 모든 것들을 한꺼번에 구하는 셈이다. … 마음을 활짝 열고 사고의 지평을 넓혀서 쌀뒤주와 솥단지에 국한되지 말고 일용할 양식과 온갖 자양분을 생산하고, 가공하고, 눈앞에 가져다주는 너른 들판과 논밭, 그리고 온 나라에 이르게 해야 한다."[12]

그렇다면 오늘날 하나님은 어떻게 "살아 있는 피조물의 온갖 소원을 만족스럽게 이루어"(시 145:16) 주시는가? 농부와 빵 굽는 기술자, 구멍가게 주인과 웹사이트 프로그래머, 트럭 운전기사를 포함해서 식탁에 음식이 도착할 때까지 힘을 보태는 이들 모두를 통해서가 아니겠는가? 루터는 이렇게 말한다. "굳이 인간이 쟁기질을 하고 씨앗을 뿌리지 않아도 하나님은 쉬 낟알과 과일을 주실 수 있지만 그러고 싶어 하지 않으신다."[13]

하나님이 그런 방식으로 역사하시는 까닭을 금방 알아들을 수 있도록 루터는 예를 들어 설명했다. 아버지 어머니는 자녀들의 소원을 무엇이든 다 들어주길 원하지만 한편으로는 부지런하고 성실하며 책임질 줄 아는 인간으로 성장하길 기대한다. 그래서 아들딸들에게 일을 시킨다. 직접 하면 더 잘할 수 있지만 자식들이 성숙해지도록 돕는 쪽을 택한다. 부지런하고 성실해야 해낼 수 있는 일을 맡겨서 평생에 긴요한 자질을 심어주려는 뜻이다. 루터는 똑같은 이유에서 하나님도 거룩한 자녀들이 행하는 일을 통해 역사하신다고 결론짓는다.

> 하나님을 좇기 위해 우리가 하는(밭에서, 정원에서, 시내에서, 집에서, 전쟁터에서, 정부에서, 아니면 다른 어느 곳에선가) 일은 하나같이 어린아이가 하는 짓 같아서 밭에서, 집에서, 그밖에 어디서든 선물을 주고 싶어 하시는 주님이 친히 하는 일이 아니고 무엇이겠는가? 말하자면 그 모두가 하나님의 가면인 셈이어서 주님은 뒤에 숨은 채로 사실상 모든 일을 다 하신다.[14]

시편 147편 14절 주석에서 루터는 질문을 계속한다. 하나님은 어떻게 "어깨를 마주대고 사는 이들 사이에 평화를 가져오시는가?" 답변의 맥락은 한결같다. 일상적으로 교류하는 가운데 정직하고 성실하게 행동하며 시민 생활에 적극적으로 참여하는 선량한 이웃들을 통해서다.[15] 심지어 결혼한 이들의 성적인 관계까지도 루터는 같은 패턴으로 설명했다. 하나님은 번잡한 과정을 거치지 않고 직접 자녀를 주실 수도 있었다. "주님은 남자와 여자 없이도 자녀를 갖게 하실 능력을 가지셨지만 그러길 원치 않으신다. 대신에 남녀가 연합하게 하셨다. 마치 인간의 공로인 것처럼 보이지만, 주님이 가면을 쓰고 하신 일이다."[16]

루터가 하나님이 주신 소명의 참뜻을 인식하는 방식도 다르지 않다. 밭을 갈거나 땅을 파는 소소한 일거리조차도 하나님이 자녀들을 돌보기 위해 사용하시는 '가면들'이다. 투표를 하거나, 공직을 맡거나, 아빠엄마가 되는 것처럼 기본 중의 기본이라고 할 만한 사회적 역할이나 책무도 마찬가지다. 어느 것 하나 예외 없이 하나님의 부르심이며 주님이 인류에게 선물을 나눠 주시는 수단이다. 소박하고 초라하기 그지없는 시골 농장의 소녀라 할지라도 하나님의 부르심에 부응하고 있다는 점에서는 차이가 없다. 루터가 설파하다시피, "하나님은 소젖 짜는 여자아이의 일을 통해 친히 우유를 내고 계신다."[17]

## 복음은 일의 가치를 새롭게 조명한다

루터는 모든 일을 하나님이 주신 소명으로 받아들이는 놀라운 개념 말고도 이 주제를 정리하는 데 크나큰 기여를 했다. 오직 믿음으로만 구원을 얻는다는 칭의 교리(프로테스탄트 종교 개혁가들의 으뜸가는 신학적 토대다)야말로 크리스천의 노동관 형성에 한층 더 깊은 영향을 주었다. 세속적인 노동을 하찮게 여기는 반면 종교적인 일들을 높이 떠받드는 중세적인 옛 관념은 구원 자체에 대한 오해에서 비롯된 면이 있었다. 리 하디는 이렇게 적었다. "루터가 활동하던 시대에는 수도사들이 서원을 하고 세상과 격리된 가혹한 삶을 살기로 작정하기만 하면 하나님의 특별한 사랑을 받고 영원한 구원을 보장받을 수 있다고 생각했다."[18]

그러나 루터는 신앙적인 의식과 규범에 철저하게 순종하고 열심히 사역한다 해도 자신의 삶은 주님이 요구하시는 의로움의 기준에 턱없이 모자라는 현실에서 벗어날 수 없음을 깨달았다. 그리고 마침내 성경에서 제힘으로 이룬 선한 공로와 상관없이 그리스도를 믿는 믿음을 통해 은혜로 의롭다 하심을 받는다는 저 유명한 깨달음을 얻는다.

루터는 오랜 세월, '하나님의 의'라는 말을 붙들고 씨름했다. "수도사로서 한 점 부끄러움 없이 살아왔음에도 불구하고 하나님 앞에서 여전히 죄인이라는 느낌을 떨쳐버리지 못한 채 한없이 불안한 마음으로 지냈다. 보상이 될 만한 행위(종교적 노력)를 해서 주님의 마음을 누그러뜨린다는 얘길 도무지 믿을 수가 없었다. 사납고 쓰라린 심정을 주체하지 못하고 분통을 터트렸다." 그러다가 바울이 '믿음으로 말미암아' 구원과 하나님의 의가 나타난다고 가르치는 로마서 1장 16-17절 말씀을 깊이 묵상하게 되었다. 당시 심경을 루터는 이렇게 전한다.

> 비로소 '하나님의 의'란, 의인은 주님의 선물, 다시 말해 믿음으로 산다는 뜻이란 사실에 눈을 뜨기 시작했다. … 거듭나서 열린 문을 통해 낙원에 들어갔음을 여기서 절감한 것이다. 성경 전체가 전혀 다른 얼굴로 다가왔다.[19]

마지막 문장에서 보듯, 저마다의 노력을 통해서가 아니라 오직 은혜로 구원을 받는다는 진리를 깨닫는 순간, 일의 의미를 바라보는 시각을 포함해서 성경의 가르침 전체를 다시 돌아보게 되었다. 루터는 특히 두 가지 점에 주목했다. 우선, 종교적인 행위가 하나님 앞에서 특별한 지위를 차지하는 결정적 요소라면 교회에서 목회하는 교직자들과 그밖의 일을 하는 이들 사이에 늘 근본적인 차이가 존재한다고 봐야 한다. 그러나 종교적인 행위가 하나님의 사랑을 얻는 데 터럭만큼도 영향을 주지 않는다면 다른 노동보다 조금도 우월할 게 없다.

순전히 은혜를 통해 구원을 받는다는 복음은 일에 관해 또 다른 통찰을 준다. 옛 수도사들은 종교적인 행위로 구속을 받으려 애썼던 반면, 대다수 현대인들은 직업적인 성공에서 구원(자존감과 자부심)을 찾으려 한다. 그러다 보니 오로지 높은 보수와 지위를 보장하는 자리에 연연하며 비뚤어진 방식으로 그런 일들을 '섬기게' 되었다. 그러나 복음은 일에 기대어 자신을 입증하고 정체성을 지키라는 압력에서 해방시켜 준다. 이미 인정받고 안전해졌으므로 달리 애쓸 이유가 없기 때문이다. 아울러 단순노동을 우습게 여기는 태도와 고상해 보이는 일거리를 부러워하는 마음가짐에서 벗어나게 한다. 이제 일은 종류와 상관없이 인류를 값없이 구하신 하나님과 더 나아가 이웃을 사랑하는 수단이 된 까닭이다.

그러기에 루터는 크리스천들에 관해 당당히 말할 수 있었다. "비록 세속적으로 보일지라도 그들의 일은 하나님을 향한 예배이며 주님을 기쁘시게 하는 순종이다."[20] 다른 한편으로는 이렇게 고백하기도 했다. "믿음으로 예수 안에서 온갖 선한 것들을 넘치도록 가졌으니, 그리스도가 나를 위해 자신을 주신 것처럼 대가를 바라지 않고, 온전하고 뜨거운 마음으로 즐거이 주님을 좇아 이웃에게 나를 주지 못할 이유가 무어란 말인가?"[21]

남들이 애쓰고 수고해서 얻으려는 것들(구원, 자부심, 선한 양심, 평안 따위의)을 크리스천들은 이미 그리스도 안에서 소유하고 있으므로 이제는 그저 하나님과 이웃을 사랑하기 위해 일하면 그만이다. 즐거이 감당하는 희생이자 자유가 보장된 제한이다.

아이러니한 얘기지만, 성경의 원리를 제대로 깨달은 크리스천이야말로 그리스도를 모르는 이들이 하는 일의 진가를 누구보다 정확하게 알아보는 사람이 되어야 한다는 뜻이다. 오직 은혜로 구원을 받았을 뿐, 본질적으로 믿지 않는 이들과 비교해서 더 나은 아버지나 어머니, 더 나은 예술가나 비즈니스맨이 아니라는 점을 잘 알고 있기 때문이다. 복음으로 단련된 눈을 가지면, 친히 지으시고 부르신 인간들을 통해 하나님이 행하시는 일들(소젖을 짜는 지극히 단순한 행위에서부터 더할 나위 없이 고상한 예술적, 또는 역사적 업적에 이르기까지 모든 일)에서 비롯된 영광에 휩싸인 세계가 보이게 마련이다.

## 일은 이웃을 사랑하는 수단이다

이처럼 혁명적인 노동관은 모든 일에 공통적으로 적용되는 고상한 의미, 다시 말해서 이웃을 사랑하고 섬김으로써 하나님께 영광을 돌린다는 목적을 부여한다.

작가 도로시 세이어즈는 제2차 세계대전이라는 암흑기를 거치면서 이루 헤아릴 수 없이 많은 영국인들이 우연히 일과 관련해 이런 부류의 시각을 갖게 되었다고 말한다.

일을 돈벌이 수단으로 보는 사고방식은 인간의 내면에 너무도 깊이 각인되어 있어서 우리가 하는 일, 그 자체에 관해 생각하는 게 얼마나 혁명적인 변화인지 상상조차 하지 못한다. …[22] … 일을 설명하는 원리, 곧 하나님의 창조와 사람에 깃든 주님의 형상과 긴밀하게 연관된 일에 대한 기독교 교리가 분명히 존재한다고 믿는다. … 그러므로 본질적인 (오늘날의) 이단은 … 일을 사회에 봉사하는 가운데 표출되는 인간의 창조 에너지가 아니라 돈을 벌고 여가를 얻기 위한 도구로만 인식한다.[23]

이어서 작가는 그런 인식이 결과적으로 어떤 사태를 불러오는지 이야기한다. "의사는 고통을 덜어 주기 위해서가 아니라 먹고살기 위해 진료를 한다. 환자가 낫는 건 그 과정에서 벌어지는 일일 따름이다. 변호사 역시 정의를 실현하려는 열정이 있어서가 아니라, 생활을 뒷받침하는 직업이 법을 다루는 일이기 때문이다." 그러나 전쟁 기간 동안 수많은 이들이 군에 들어가 복무하게 되면서 변화가 찾아왔다. 일에서 신선하고도 놀라운 만족감을 누렸던 것이다. "병영 생활에서 그토록 자주 행복하고 만족스러운 감정을 느꼈던 이유는 난생처음 돈을 벌기 위해서가 아니라 무언가를 해내기 위해 일하고 있음을 자각한 덕분이었다."[24]

세이어즈는 스스로 하는 일이 나라를 지키는 데 한몫 거든다는 점을 너나없이 잘 알고 있었던 전시 영국의 상황을 소개한다. 반면, 작가 레스터 데코스터(Lester DeKoster)는 탁월한 역량을 유감없이 발휘하며 일이 시간과 장소를 초월해 인간 삶에 얼마나 필수불가결한 요소인지를 선명하게 보여 준다.

> 일은 저마다 남들에게 쓸모 있는 존재가 되게 하며 … 다른 이들 또한 이편에 유용해지게 만드는 틀이다. 우리는 심고 (일을 통해) 하나님은 그걸 키워서 인류를 하나가 되게 하신다. …
> 지금 느긋이 앉아 있는 의자를 생각해 보라. 혼자 힘으로 만들 수 있겠는가? … 한번 대답해 보라. 어떻게 목재를 얻겠는가? 숲에 가서 나무를 잘라올 참인가? 그러자면 먼저 필요한 연장들을 만들어야 한다. 자른 나무를 실어올 적당한 차량도 준비해야 한다. 통나무를 켤 제재소와 이리저리 운반할 길도 건설해야 한다. 한마디로 평생, 아니 죽었다 깨나도 의자 하나 만들지 못한다. … 일주일에 40시간이 아니라 140시간씩 일한다손 치더라도 혼자 힘으로는 지금 누리고 사는 상품이나 서비스 가운데 지극히 일부분조차 해결하지 못한다. (우리들의) 급여로 살 수 있는 게 그걸 버는 시간에 스스로 만들 수 있는 것보다 훨씬 많다. 일은 특정한 작업에 쏟아부은 노력보다 월등히 큰 결과를 낳는다.
> 모두가 당장 일을 그만둔다고 상상해 보라. 어떤 사태가 벌어지겠는가? 문명화된 삶은 한순간에 무너져 내릴 것이다. 찬장에서 음식이 사라지고 주유기에 기름이 떨어질 것이다. 순찰을 도는 경찰관의 모습을 거리에서 더 이상 찾아볼 수 없고, 화재는 저절로 꺼질 때까지 수그러들지 않을 것이다. 통신과 대중교통이 끊어지고 각종 공공서비스도 먹통이 될 것이다. 살아남은 이들은 불가에 옹송그리고 둘러앉았다가 동굴에 들어가 잠을 청할 테

고 짐승 가죽을 벗겨 옷을 삼을 것이다. 야생과 문명을 가르는 요소는 그저 '일'뿐이다."[25]

주차 위반 딱지를 끊든, 소프트웨어를 만들든, 책을 쓰든 제 일을 열심히 하는 것만큼 이웃을 사랑하기에 좋은 방법은 없다. 다만 노련하고 능숙하게 하는 게 중요하다.

## 달란트를 능숙하게 사용하며 일해야 한다

일을 통해 이웃을 사랑하는 주요한 방법 가운데 하나는 '능숙한 사역'이다. 하나님이 일을 주신 목적이 인간 공동체를 섬기게 하는 데 있다면, 그 뜻을 받드는 으뜸가는 길은 주어진 과업을 끝낼 뿐만 아니라 제대로 해내는 것이다. 도로시 세이어즈는 이렇게 썼다.

> 교회가 총명한 목수를 대하는 걸 보면, 보통은 취하도록 술을 들이키지 말고, 여유 시간에 망나니짓을 하지 않으며, 주일마다 꼬박꼬박 예배에 출석하라고 타이르는 게 고작이다. 하지만 교회가 해 주어야 할 얘기는 따로 있다. 신앙을 좇아 살려면 무엇보다 훌륭한 테이블을 만드는 게 우선이라고 가르쳐야 한다.[26]

극적인 본보기를 한 토막 소개하고 싶다. 1989년 2월 24일, 뉴질랜드로 가는 유나이티드에어라인 항공기가 호놀룰루공항을 이륙했다. 그런데 이 보잉747기가 2만2천 피트 상공에 이르렀을 즈음, 화물칸 앞문이 뜯겨 나가면서 항공기 옆구리에 커다란 구멍이 났다. 순식간에 승객 아홉 명이 허공으로 빨려나가 목숨을 잃었다. 흩날리는 파편에 손상을 입은 오른쪽 엔진 두 개가 멈춰 버렸다. 착륙이 가능한 지점까지 도달하려면 2백 킬로미터 남짓 더 날아가야 했다. 기장 데이비드 크로닌(David Cronin)은 온갖 지혜와 38년에 걸친 비행 경험을 마지막 한 방울까지 다 짜냈다.

> 고장 난 두 엔진만큼의 추진력을 메우기 위해 손으로 조종간을 단단히 붙잡고 발로는 수평을 유지하도록 방향타를 통제해 가며 안간힘을 썼다. 그러나 무엇보다 골치 아픈 건 얼마나 빨리 날아가야 할지 결정하는 일이었다.
> 동체의 구멍이 맹렬한 앞바람에 더 크게 벌어지는 걸 막으려면 실속에 가깝도록 속도를 늦춰야 했다. 뚫린 자리가 거대한 기체의 공기역학을 바꿔 놓았으므로 통상적인 실속 데이터에 기대기는 어려웠다. 조종사는 변수를 감안해 가며 최선의 판단을 내려야 했다. 게다가 장거리 비행에 맞춰 30만 파운드의 연료까지 싣고 이륙한 터라 그대로 착륙했다가는 기체 하중에 랜딩기어가 박살날 게 뻔했다.
> 그런데 엎친 데 덮친 격으로 새로운 문제가 생겼다. 비행기의 속도를 낮추는 데 쓰는 윙 플랩이 말을 듣지 않았다. … 통상적인 착륙 속도가 시속 270킬로미터인데 비해 310킬로미터로 내려앉아야 할 판이었다. 보잉사가 추천하는 최고 하중은 56만4천 파운드였지만 사고기의 무게는 61만이 넘

었다. 그럼에도 불구하고 크로닌 기장은 승무원들의 기억에 길이 남을 만큼 매끄럽게 항공기를 착륙시켜 승객들의 열렬한 환호를 받았다. 항공 전문가들은 그날 착륙에 '기적적'이라는 수식어를 붙였다.

끔찍한 사고가 일어난 지 며칠 뒤, 어느 기자가 크로닌에게 화물칸 문짝이 날아가는 순간, 가장 먼저 무슨 생각이 들더냐고 물었다. 기장은 말했다. "승객들을 위해 잠깐 기도하고 곧바로 일에 집중했습니다."[27]

루터교회 지도자이자 비즈니스맨인 윌리엄 딜(William Diehl)은 이 감동적인 예화를 들려주며 핵심을 짚는다. "평신도들이 스스로 하는 일에서 의미를 찾지 못한다면, 주일 아침에 하는 일과 주중에 하는 일을 연결시키지 못한 채 일종의 이중생활을 이어 가는 비극을 면치 못할 것이다. 그런 이들이 알아야 할 점이 있다. 일상생활 중에 하는 바로 그 활동들이 곧 영적인 일이며 멀리 떨어져 계시는 게 아니라 이 땅에 살아 움직이시는 하나님과 이어 준다는 사실이다. 그러한 영성은… '일이 곧 기도'라고 속삭일 것이다."[28]

그렇다면 주일에 하는 일과 나머지 평일에 하는 일들을 어떻게 연결지을 것인가? 어떻게 '세상에서 하나님과 더불어' 움직일 것인가? 딜은 일을 통해 하나님을 섬기고 있음을 확인하는 방법으로 저마다 제 일을 능숙하게 해내는 걸 첫 손에 꼽았다.

유나이티드에어라인 811편이 곤경에 빠졌을 당시, 크로닌은 승객들한테 꼭 필요한 대단한 은사, 즉 오랜 경험과 뛰어난 판단력을 갖추고 있었다.

재난을 코앞에 둔 이들에게는 기장이 동료들과 얼마나 사이좋게 지내는지, 또는 어떻게 다른 이들과 신앙을 나누는지 따위는 중요치 않았다. … 결정적인 문제는 파일럿으로서 심각하게 타격을 입은 기체를 안전하게 조종할 만큼 탁월한 능력을 갖췄는가 하는 것뿐이었다. … 일을 하면서 다양한 경로로 하나님과 접촉하게 된다. 그러나 하나님이 현재 진행중인 창조 과정에 동참하는 게 크리스천의 사명이라고 할 때, 그 사역을 떠받치는 기반은 '능숙함'이 되어야 한다. 각자 가진 달란트를 최대한 노련하고 능숙하게 사용해야 한다는 뜻이다.

능숙함은 가장 기초가 되는 자질이다. 그러다 보면 부와 명예가 따라오기도 하지만 그게 최종 목표는 아니다.[29]

'능숙한 솜씨는 곧 사랑의 표현'이라는 원리를 적용한 사례는 이루 헤아릴 수 없이 많다. 일의 이런 속성을 파악한 이들도 여전히 성공하고 싶어 하지만 일중독에 빠지거나 기대했던 결과를 얻지 못했다는 이유로 낙담하거나 좌절하지 않는다. 그게 사실임을 믿는다면 다수에게 혜택이 돌아가는 일과 더 많은 보수를 얻을 수 있는 일 사이에서 어느 한 쪽을 선택해야 할 경우, 의당 보수는 줄어들지라도 더 많은 이들에게 유익을 끼치는 쪽을 골라야 한다. 해당 분야에 탁월한 능력을 발휘할 수 있다면 더 말할 것도 없다. 남을 돕는 일이 아니더라도 모든 노동은 본질적으로 이웃을 사랑하는 행위다. 크리스천은 굳이 직접 목회를 하거나 비영리 자선단체에 들어가지 않더라도 스스로 하는 일을 통해 이웃을 사랑할 수 있다.

특히, 이 원리는 세상 기준에서 신나거나 큰돈이 들어오거나 누구나 선망하는 직업이나 직장이 아닐지라도 일 그 자체에서 만족을 얻을 수 있는 더할 나위 없이 좋은 통로가 된다. 루터의 말처럼, 비록 모든 노동이 객관적으로는 다른 이들에게 두루 소중하지만, 자신의 일을 의식적으로 하나님이 이웃을 사랑하라고 주신 소명으로 보고 이해하지 않으면, 주관적으로는 만족을 얻을 수 없을 것이다.

장 칼뱅은 "부르심에 순종하도록 주어진 세상의 그 어떤 일도 너무 지저분하고 천해서 빛이 나지 않는다는 평가를 받지 않으며 하나님의 눈에는 한없이 소중하게 비쳐질 것"[30]이라고 했다. 이 종교개혁가가 '그를 통해 부르심에 순종하도록'이란 표현을 사용했다는 점에 주목하라.

칼뱅은 한 사람 한 사람에게 부여된 일을 의식적으로 하나님의 부르심이자 선물로 보고 있다. 그런 관념을 갖는다면, 정원을 가꾸는 것처럼 아주 흔한 작업이든, 아니면 은행의 국제 거래 업무처럼 지극히 희귀한 일이든 관계없이, 모든 노동을 통해 하나님의 영광이 환하게 빛나는 걸 분명히 확인할 수 있을 것이다.

〈불의 전차〉 (Chariot of Fire)에서 주인공 에릭 리델(Eric Liddlell)의 아버지는 선교사답게 아들을 타이른다. "완벽하게 해내기만 한다면, 감자 껍질 벗기는 일로도 주님께 영광을 돌릴 수 있단다!"

하루하루 하는 일은 무엇이 됐든지 간에 결국 친히 부르시고 준비시켜 주신 하나님을 예배하는 행위다. 존 콜트레인(John Coltrane)은 명반으로 꼽히는 〈지극한 사랑〉(A Love Supreme)에 붙인 멋진 해설에서 이렇게 말한다.

이 앨범은 주님께 드리는 소박한 제물이다. 마음으로든, 입술로든 우리가 하는 일을 통해 "하나님 감사합니다"라고 말씀드리려는 몸짓이다. 주님, 선한 수고를 아끼지 않는 이들을 두루 도우시며 힘을 주소서!

part 2

# 일,
# 끝없이 추락하다

chapter **5**

**아무리 일해도**
**열매가 없다**

# 밤낮없이 매달려도
# 입에 풀칠하기조차
# 버겁다

> 또 여자에게 이르시되 내가 네게 임신하는 고통을 크게 더하리니 네가 수고하고 자식을 낳을 것이며 너는 남편을 원하고 남편은 너를 다스릴 것이니라 하시고 아담에게 이르시되 네가 네 아내의 말을 듣고 내가 네게 먹지 말라 한 나무의 열매를 먹었은즉 땅은 너로 말미암아 저주를 받고 너는 네 평생에 수고하여야 그 소산을 먹으리라. 땅이 네게 가시덤불과 엉겅퀴를 낼 것이라. 네가 먹을 것은 밭의 채소인즉 네가 흙으로 돌아갈 때까지 얼굴에 땀을 흘려야 먹을 것을 먹으리니 네가 그것에서 취함을 입었음이라. 너는 흙이니 흙으로 돌아갈 것이니라 하시니라(창 3:16-19).

하나님이 얼마나 완벽하게 일을 설계하셨는지 보여 주는 성경의 다채로운 시각과 설명들을 살펴보았다. 하지만 현실에서 체감하는 상황과는 판이하게 다르다. 알다시피, 이 세상은 깨지고 망가진 세계다. 질병과 죽음, 불의와 이기심, 자연재해와 혼돈이 판친다. 시간의 역사가 시작된 이래 어쩌다 이렇게 됐는지, 그러면 어찌해야 하는지를 설명하려는 시도가 수없이 많았다. 성경이 제시하는 해석의 핵심은 '죄', 곧 인류가 창조주에게 반역했고 결국 하나님으로부터 멀어졌다는 개념이다. 아담과 하와가 죄에 빠진(이어서 온 인류를 오염시킨) 타락 사건은 지금까지 두고두고 재앙이 되었다.

세상의 구조 전체가 완전히 어그러졌지만 '일'만큼 속속들이 그 파장에 노출된 영역도 없을 것이다. 성경 기록에 따르면, 하나님은 일을 축복하셔서 한 사람 한 사람이 가진 은사와 자원이 온전한 세상에서 영광스럽게 쓰이도록 하셨지만 인간의 타락과 더불어 저주가 임했다. 이제 일은 하나님의 손에 의해 돌아가는 세상에 여전히 존재하지만 죄로 크게 오염된 상태다. 따라서 어떻게 죄가 일을 뒤틀어 놓았는지 알아야 그 파장에 대처하고 거기서 부분적으로나마 창조주께서 설계해 두신 만족을 되찾을 수 있다.

창세기 2장 17절에서, 하나님은 아담과 하와를 에덴동산에 두시면서, 주님의 말씀을 거역하고 특별히 정하신 나무의 열매를 먹는 날에는 '반드시 죽을 것'이라고 말씀하셨다. 어째서 그 나무가 그토록 중요했던 걸까? 어쩌면 나무 자체는 별 의미가 없었을지 모른다. 나무나 열매에 무슨 신비하거나 비범한 힘이 있었던 건 아니란 뜻이다. 그건 그저 시험이었다. 창조주는 아담과 하와에게 이르셨다. "이해가 되지 않는 것이 있더라도 너희는 내 명령을 지켜야 한다. 너희가 날 믿고 사랑한다면 순종해야 한다."

사실 이 부분에는 자자손손 간직하도록 성경을 통해 이스라엘 백성에게 주신 온갖 계명들의 정수가 담겨 있었다.[1] 인류가 자발적으로 하나님과의 관계를 삶의 가장 소중한 자산으로 삼으며, 상대가 주님이시기에 이것저것 따지지 않고 말씀에 순종할 절호의 기회이기도 했다. 명령에 거역하는 순간, 아담과 하와는 교묘한 거짓말로 불순종을 부추긴 뱀의 말대로 하나님처럼 되었다. 스스로 하나님을 대신하게 되었다는 뜻이다. 어떻게 살아야 할지, 무얼 하는 게 옳고 그른지 직접 결정할 권리를 거머쥐었다. 이런 식으로 하나님처럼 된 건 인류에게 참혹한 재난이었다. 물에서 쓰도록 만들어진 배가 그 설계에서 벗어나면 망가지고 쓸모가 없어지듯,

인류는 제힘으로 권위의 근원이 되기로 작정하자마자 참 길에서 벗어나고 말았다.

사람은 하나님을 알고 섬기며 사랑하는 걸 으뜸으로 삼고 살도록 지음받았으며 거기에 충실해야만 비로소 탈 없이 잘 지낼 수 있다. 그러나 자신을 위해 사는 쪽을 택하면 모든 게 뒷걸음질 치게 된다. 역사상 최고의 사건으로 꼽아야 할 이 전환점 이후로 인류는 우주의 결, 자신의 기원과 목적을 거스르며 살게 되었다.[2] 바울이 로마서 8장에서 지적했듯, 세상은 지금 온통 '허무에 굴복'한 상태다. 시인 예이츠(W. B. Yeats)는 이렇게 읊었다.

> 만물이 허물어져 간다. 중심을 잡을 수가 없다. 온 천지에 종잡을 수 없는 난장판이 펼쳐질 따름이다.[3]

창조주는 아담과 하와에게 나무 열매를 따 먹으면 죽게 된다고 엄하게 단속하셨다. 여기에 등장하는 죽음이 즉각적이고 물리적인 종말을 가리킨다고 믿는 성경 독자들은 죄를 지은 두 주인공이 당장 숨이 끊어져 바닥에 쓰러지지 않는 걸 몹시 의아해한다. 사태는 그렇게 돌아가지 않았다. 하지만 적절한 때가 되면 반드시 일어날 일이다. 육신의 죽음은 인생의 모든 국면에 스며든 포괄적인 죽음과 부패의 한 단면에 지나지 않는다. 이제는 매사가 설계대로 돌아가지 않게 되었다. 죄는 영과 육, 사회, 문화, 심리를 비롯해 모든 분야에 걸쳐 일시적이고 또한 영구적인 분열을 일으켰다.

크리스천들은 세상을 '세속적인' 구역과 '신성한' 공간으로 나누어 마치 죄가 세상에 속한 것들에만 영향을 미쳤다고 생각하는 성향이 있다. 그러나 실제로는 영과 육, 개인과 사회, 기도와 노동, 일시적인 것과 영원한 것을 가리지 않고 구석구석, 세포 하나하나에까지 그늘을 드리웠음을 잊지 말아야 한다. 예이츠는 '만물이 허물어져' 가는데, 그게 모두 인간이 저지른 죄의 소산이라고 지적했다.

## 죄는 삶 전체에 배어들어 있다

계속해서 창세기 3장을 읽어 보면, 하나님을 거역하는 죄를 짓기가 무섭게 아담과 하와의 내면에 수치심과 죄책감, 깨어지는 아픔이 찾아 들었음을 알 수 있다. 창조주의 설계를 거스르는 행위는 필연적으로 고통을 불러왔다. 아담과 하와는 "눈이 밝아져 자기들이 벗은 줄을" 알았다(창 3:7). "두 사람이 벌거벗었으나 부끄러워하지 아니하니라"고 한 2장 25절에 정면으로 배치되는 모습이다. 구약학자 데이비드 앳킨슨(David Atkinson)은 수치심을 가리켜, "존재의 중심에서 자신을 향해 갖는 불편한 감정"[4]이라고 했다. 무언가 잘못되었다는 사실은 알지만 인정은 고사하고 제대로 분별하지도 못한다. 중심에 도사린 깊고 깊은 불안감은 죄책감이라든지 자신을 입증하고자 하는 갈망, 반항, 매사에 독립성을 내세우려는 태도 , 다른 이들을 기쁘게 하려고 맹종하는 자세 따위의 옷을 입고 수시로 고개를 쳐든다. 어디에 고장이 났는지, 그리고 그로 인해 어떤 결과가 생겼는지 정확하게 알고 있지만 진정한 원인이 무언지에까지는 생각이 미치지 못한다.

현대 서구문화는 죄에 관해 성경이 가르치는 원리를 되짚어 볼 생각조차 않으면서 그 불안의 실체를 규명하는 데만 안간힘을 쓰고 있다. 심리학자들은 유년기의 경험이 쓸데없는 수치심이나 사랑받지 못하고 있다는 감정을 빚어낸다고 해석한다. 갖가지 즐길 거리들은 잠시나마 불편한 감정에서 벗어나도록 도와준다. 선행은 스스로 착한 사람이란 정체성을 갖게 한다. 하지만 성경은 하나님으로부터의 분리를 본질적인 요인으로 지목한다.

불안의 또 다른 징후는 타인에 대한 불신과 두려움이다. "이에 그들의 눈이 밝아져 자기들이 벗은 줄을 알고 무화과나무 잎을 엮어 치마로 삼았더라"(창 3:7)라는 구절은 인간이 옷의 필요성을 인식하는 대목이다. 이 구절은 성에 대한 새로운 형태의 억압이라는 식의 해석을 훌쩍 뛰어넘는 심오한 의미를 내포하고 있다. 둘의 행동에선 비방어적인 관계에서 벗어나려는 욕구가 엿보인다. 아담과 하와는 제각기 남들에게 알려지지 않도록, 다시 말해 시선을 차단하는 벽을 만들고 그 뒤에 숨으려고 다급하게 발버둥 쳤다. 하지만 예나 지금이나 불신과 두려움이 지배하는 관계는 대립과 분노를 자극할 따름이다.

창세기 3장 10-13절에 기록된 매력적인 인터뷰에서 하나님은 두 사람에게 어찌 된 일이냐고 물으신다. 아담은 열매를 따 먹었다는 실체적 진실을 통째로 부정하면서 내면의 비참한 감정과 수치심을 하소연했다. 하나님의 두 번째 질문은 너무도 통렬해서 핑계 댈 도리가 없었으므로 살짝 방향을 틀어 하와에게 책임을 떠넘긴다. 여자는 다시 뱀 탓을 한다. 둘의 적대감과 분노는 다른 피조물뿐만 아니라 창조주까지 겨냥한다. 아담은 비난의 화살을 주께 돌렸다. "하나님이 주셔서 나와 함께 있게 하신 여자 그가 그 나무 열매를 내게 주므로 내가 먹었나이다"(창 3:12). 어느 창세기 주석가는 이렇게 썼다. "창세기 3장 8절에는 죄의 심각성에 대한 자각이 부족하고 윤리 의식이 희미할 뿐만 아니라 자기중심적인 가치관을 하나님 중심의 가치 기준보다 앞세우는 모습이 선명하게 드러난다. … 죄를 분별하지 못하게 가리는 어두움이 힘을 쓰기 시작하고 있다. … 타락하는 순간부터 인류는 도덕적 분열증에 시달려 왔다. 죄를 부정하지도 못하고 그 본질을 있는 그대로 파악할 줄도 모르게 된 것이다."[5]

창세기 3장은 죄가 인간 본성과 삶 전체에 샅샅이 배어드는 과정을 보여 준다. 당장 성, 남녀 관계, 사랑, 결혼 같은 영역부터 왜곡되기 시작했다. 하나님은 차갑게 식은 목소리로 죄가 남편과 아내의 관계에 어떠한 영향을 끼쳤는지 말씀하신다. 죄를 범한 탓에 여자는 "남편을 원하고 남편은 너를 다스릴 것"(16절)이라고 하신 하나님 말씀의 정확한 의미를 두고 논의가 분분하다. 그러나 적어도 남녀 사이에 오해와 좌절, 심각한 갈등과 불행이 있다는 점만큼은 모두 동의한다.[6]

물리적인 세계의 조밀한 구조 또한 풀어지기 시작해서 온갖 질병과 노쇠, 자연재해와 죽음이 뿌리를 내렸다(창 3:17-19). 철학자 알 월터스는 이렇게 정리한다.

아담과 하와가 죄에 빠진 건 개인적인 불순종 행위 수준에 그치지 않으며 피조 세계 전반에 재앙이나 다름없는 사건이라는 게 성경의 분명한 가르침이다. … 죄의 파장은 피조물 전체에 두루 미친다. 원론적으로 그 무엇도 타락의 영향에 잠식되는 걸 피할 수 없다. 국가나 가족 같은 사회구조는 물론이고 예술이나 기술 같은 문화적인 추구, 성과 식생활 같은 신체적인 기능을 비롯해 세상에 속한 그 무엇을 살펴봐도, 창조주께서 친히 지으신 멋진 작품들이 이제는 주님을 거역하는 터전으로 전락하고 말았음을 볼 수 있다. 그런 뜻에서 바울은 '피조물도 썩어짐의 종살이'를 하고 있다고 했다.[7]

창세기 3장은 풍부한 신학적 원리들을 내러티브의 틀에 담아낸 고대 문서다. 그럼에도 오늘의 현실에 뜻 깊고 실제적인 삶의 지침을 주고 있다. 본문은 단도직입적으로 아픈 곳을 찌른다. 마치 "사랑과 일이라는 인생의 두 가지 커다란 책무를 다하는 게 극심하게 힘든가? 이것이 그 이유다"라고 묻는 듯하다. 하나님은 사랑과 결혼의 아픔과 일의 수고로움을 이 구절과 긴밀하게 연결시키신다. 이제 출산과 경작은 고통스러운 노동이라 불리게 되었다. 신학자 W. R. 포레스터는 "영어의 'labor'(분만-노동)이나 'travail'(산통-노고)에서 보는 것처럼, 임신과 일을 똑같은 단어로 설명하는 언어권이 적지 않다"[8]고 지적한다.

기업들은 팀을 꾸리고 몇 달, 심지어 몇 년씩 맹렬하게 작업한 끝에 새로운 제품이나 사업을 '낳아서' 시장에 내놓지만 얼마 못 가 사라지기 십상이다. 축구계의 스타들 가운데는 부상으로 평생 고생하는 예가 허다하다. 스티브 잡스처럼 똑똑한 기업인들도 회사가 어려워지면 당장에 쫓

겨난다(잡스처럼 다시 모셔 가는 경우는 거의 없다). 잡초나 컴퓨터 바이러스, 부패 스캔들은 좀처럼 사라지지 않는다. 원자의 속성을 파헤친 연구는 원자폭탄이 태어나는 배경이 되었다. 다시 말해서, 땀 흘려 일해도 손에 들어오는 게 없기 일쑤고, 설령 열매가 있다손 치더라도 고통스러우며 더러는 목숨을 앗아 가기도 한다.

## 아무리 땀 흘려도 가시덤불과 엉겅퀴가 있다

죄는 개인적이고 사사로운 인생뿐만 아니라 공적이고 사회적인 삶, 특히 일에도 엄청난 영향을 미쳤다. 창세기 1-2장에서 살펴본 것처럼, 하나님은 일을 하도록 인간을 지으셨지만, 죄에 오염된 노동은 '고통스러운 수고'(창 3:17)에 지나지 않는다. 일 자체는 저주가 아니지만 총체적으로 죄의 저주 아래 놓인 인생의 일부가 되고 말았다. 낟알을 얻으려 땀 흘려 땅을 일궈도 '가시덤불과 엉겅퀴'가 돋기 일쑤다(창 3:18). 정원을 가꾸는 게 인간의 온갖 노동과 문화를 세우는 작업을 대표한다는 사실을 감안하면, 본문에 나타난 하나님의 선언은 사람이 하는 모든 일과 수고가 결실을 맺지 못하고 종종 물거품이 되고 말리라는 의미를 담고 있다고 봐야 한다. "타락한 세상에서 일에게 닥친 저주 가운데 하나는 열매를 맺지 못하는 사례가 수두룩하다는 점이다."[9]

일을 하고도 결실을 얻지 못한다는 말은 무얼 의미하는가? 무슨 일이든 커다란 포부를 품고 시작하지만 성취하는 건 그 그림에 훨씬 미치지 못한다는 뜻이다. 능력이 부족해서일 수도 있고 주변 환경의 저항을 받아서일 수도 있다. 노동 체험에는 고통과 갈등, 시기와 피로, 목표 가운데 상당 부분은 이뤄지지 않을 가능성 따위가 다 포함된다. 가령, 이러저러한 일을 하고 이만저만한 솜씨와 실력을 발휘해 보겠다는 포부를 품지만 마음껏 뜻을 펼 기회를 얻지 못하거나 설령 그런 환경이 조성된다 하더라도 원하는 수준에 이를 수 없을지 모른다. 함께 어울려 작업하는 이들과 갈등이라도 생길라치면 자신감이 추락하고 생산성도 떨어진다.

자신이 하는 일의 수준에 만족하는 상황이라 할지라도 결과 때문에 쓰라린 실망을 맛볼 수 있다. 여러 변수가 작용해서 프로젝트를 통해 끌어낸 진정한 성과가 희석되는 사태가 오기도 한다. 탁월한 경작 기법을 마스터해도 가뭄이나 홍수, 전쟁이 닥쳐서 수확이 불가능해지기도 한다. 가수가 되고도 자신을 홍보하는 재주가 없어서, 또는 무자비한 경쟁자가 앞길을 막아서는 바람에 뛰어난 음악적 기량에도 불구하고 입에 풀칠하기조차 버거워지기도 한다. 가수를 그만둬야 할 수도 있다.

더러는 조직에 의미 있는 기여를 하든지 특정 분야의 전문가로 탁월해지겠다는 열망을 품기도 한다. 인간 사회를 한 차원 끌어올리거나 문화 전반에 지워지지 않는 발자국을 남기기를 꿈꾸는 것이다. 하지만 대다수는 일생을 투자해도 목표 근처에도 다다르지 못한다. 멀리서 보기에 승승장구하는 것 같아도 실상을 들여다보면 야심을 이루기보다 좌절하는 경우가 압도적으로 더 많다. 백이면 백, 스스로 인정하는 것보다 더 자주 실망하고 낙담한다.

환자 보호에 새 역사를 쓰겠다는 야심을 품고 병원 행정팀에 들어

간다고 상상해 보라. 얼마 지나지 않아 의료진이 환자를 대하고 치료하는 방식에 몇 가지 뜻 깊은 변화를 일으키는 데 성공한다. 고객들의 초기 반응은 대단히 긍정적이다. 혈액 감염, 수술실 감염, 투약 실수처럼 환자에게 피해를 입히는 사고의 발생 빈도를 나타내는 핵심 지표들 또한 눈에 띄게 좋아졌다.

그러나 책임 의식을 높이기 위해 마련한 부서별 성적표라든지 '안전 점검표' 같은 장치들을 두고 의료진의 불만이 하늘을 찌른다. 압박이 너무 크고, 판단 기준이 불공정하며, 단순하고 우발적인 실수 탓에 경력에 흠집이 나게 됐다는 불평이다. 처음에는 의료진들을 만나 설명도 하고 설득도 하지만 차츰 방어적이 되기 시작한다. 그러던 어느 날, 직원 회의 자리에서 마침내 평정심을 잃어버리고 입으로는 인술 운운하면서 환자들을 으뜸으로 여길 줄 모르는 의료인들 천지라고 언성을 높인다. 다 틀린 말은 아닐지 모르지만 심각한 부작용이 일어난다. 자신을 빗대어 하는 소리냐며 분통을 터트리는 이들도 있다. 평소에 깊이 존경하던 이들마저 자리를 뜨자 사기가 뚝 떨어지고 풀이 꺾인다.

어찌 된 셈일까? 많은 일들이 벌어졌다. 뒤를 돌아보며 의료진의 우려를 예민하게 포착해서 더 조심스럽게 접근할 수도 있었다. 비판을 지나치게 개인적으로 받아들이지 않았더라면 공개 석상에서 지혜롭지 못한 얘길 내뱉지도 않았을 것이다. 어쩌다 보니 자신(또는 자신의 죄)이 문제의 빌미가 되었다. 심하게 말하자면 가시인 셈이다. 완고하기 그지없고 환자의 안전보다 경력에 오점이 남는 걸 더 염려하는 의료진도 적지 않았다. 결국 속을 들여다보면 불가피하고 사소한 인간의 실수가 누군가의 삶에 치명적인 타격을 입히거나 아예 그 삶을 끝장낼 수도 있는 인생의 비극적이고 부당해 보이는 면들이 의료 기관에도 존재한다. 그야말로 이런 상황에서 소외를 경험하면 가시덤불과 엉겅퀴가 돋아나기 시작한다. 물론 그 뿌리는 하나님과의 관계 상실에 닿아 있다. 이처럼 제아무리 시절이 좋아도 불리하게 작용되는 듯 보이는 시스템 속에서 일하기는 마찬가지다.

개인적으로 종종 내게 딱 들어맞는, 그래서 세상에서 가장 신나는 일을 한다고 생각한다. 하고 싶은 일을 하고 있다는 뜻이다. 줄곧 꿈꿔왔던 일들이 우리 교회를 통해 열매를 맺어 가는 게 보인다. 그럼에도 불구하고 엄청난 가시덤불과 엉겅퀴를 경험하고 있는 것 또한 부인할 수 없는 사실이다. 언젠가는 갑상선암에 걸린 게 밝혀져서 지극히 기본적인 부분을 제외하곤 사역 전체를 보류해야 했다. 아내 건강에 갑자기 문제가 생기는 바람에 여행 일정을 취소하는 건 물론이고 새로운 프로젝트를 추진하는 데 혼선을 겪었다.

한때는 교역자들이 불편한 심기를 내비치며 비전이 커서 내 지도력이나 자신들의 추진력으로는 감당하기 어렵다고 비판했다. 마음에 두고 있던 리더들은 일을 맡기려고 할 때마다 먼 데로 이사가기 일쑤였다. 장차 이루고자 하시는 일을 어렴풋이나마 보여 주신 하나님께 늘 감사하지만, 이처럼 불편한 상황이 닥치면 우주의 주인께서 맡겨 주신 조그만 땅뙈기에 가시덤불과 엉겅퀴가 맹렬하게 번져 나가는 걸 절감할 수밖에 없었다.

## 열매가 맺히지 않아도 받아들여야 한다

피터 셰퍼(Peter Shaffer)의 희곡 〈아마데우스〉(Amadeus)는 애쓰고도 열매를 얻지 못하는 현실과 그에 따른 깊은 좌절을 더할 나위 없이 생생하게 보여 준다.[10] 안토니오 살리에리(Antonio Salieri)는 여러 편의 오페라를 써서 크게 성공한 합스부르크가의 궁정 작곡가였다. 하지만 권력과 부를 거머쥐었음에도 불구하고 스스로 만든 작품에 탁월한 맛이 없다는 걸 누구보다 잘 알았다.

그러던 어느 날, 우연히 모차르트의 연주를 들었다. 자신의 처지가 단번에 선명하게 드러났다. 신동의 작품에 필생의 과제처럼 여겼던 아름다운 선율이 고스란히 살아 있음을 깨달았다. 그러나 동시에 자신은 그런 음악을 빚어낼 수 없다는 자각이 아프게 다가왔다. 모차르트가 쓴 악보를 보는 순간 마치 새장에 갇힌 느낌이 들었다. 그토록 갈망하는 영광에 직접 참여하지 못하고 창살을 통해 내다보며 속절없이 쳐다보아야 하는 기분이었다.

악보를 넘기며 살리에리는 생각한다. “음표 하나만 바꿔도 빛이 약해지겠어. 악절을 바꾸면 구조가 다 허물어지겠군. 이건… 하나님의 목소리, 바로 그거야! 난 지금 잉크 자국이 섬세하게 찍힌 새장의 창살 사이로 도저히 흉내 낼 수 없는 절대적인 아름다움을 지켜보고 있는 거야.”[11]

살리에리는 일과 관련해 존재적인 좌절감을 끌어안고 살아야 했다. 열심과 경험을 갖추기는 했지만 곡을 쓰는 능력은 스스로 원하는 수준에 이를 만큼 뛰어나지 못했다. 그러나 결과만을 두고 보면 직업적으로 성공해서 높은 지위에 올랐으며 재정적인 여유를 누렸다. 반면에 모차르트는 풍부한 재능을 타고 난 음악 신동이었음에도 세상의 외면과 궁핍한 살림 탓에 고통스러운 나날을 보냈다. 둘 다 일과 관련해 한편으로는 성공했지만 다른 한 쪽에서는 뼈저린 아픔을 맛봐야 했다.

성경이 창조와 타락에 관해 주는 가르침을 잘 이해하는 게 중요하다. 노동을 향한 하나님의 계획과 망가지고 깨어진 세상에서 일하는 데 따르는 문제들을 곰곰이 생각해 볼 필요가 있다. 경제공황과 두 차례에 걸친 세계대전을 겪은 내 부모와 조부모 세대는 무엇이 됐든 일자리가 있다는 데 감사했다. 덕분에 자신과 식구들이 먹고살 수 있었기 때문이다. 하지만 내 자식 세대의 구성원들은 전혀 다른 반응을 보인다. 성취감을 느낄 수 있어야 하고 열매가 풍성해야 하며 재능과 꿈에 맞아야 한다고 주장한다. 구글(Google)의 한 임원이 소개하는 자사 캐치프레이즈처럼 "세상을 깜짝 놀라게 할 만한 일을"[12] 하고 싶어 한다.

앤디 크라우치는 이렇게 말한다. "요즘 사람들은 적어도 자신감이 결여됐다는 소리는 듣지 않을 것이다. 세상을 바꾸는 이슈를 다룬 책들이 폭발적으로 쏟아져 나오는 세태는 현대인의 자아상을 정확히 보여 준다."[13] 이전 세대는 환경 탓에 성경이 창조에 관해 설명하는 내용보다 상대적으로 낮은 노동관을 가졌던 반면, 다음 세대는 타락에 관한 말씀이 주는 가르침에 비해 더 순진하고 이상적인 의식을 소유한 듯하다.

그렇다면 살리에리는 소명을 놓치고 만 것일까? 작곡가의 길을 버리고 좌절감을 안겨 주지 않을 다른 직업을 찾아야 했던 것일까? 요즘 젊은이들이라면 그렇게 충고할지 모르겠지만, 그건 명백히 잘못된 조언이다. 살리에리는 콘서트 작곡가로서 세상에 이바지하도록 부름받았다. 오늘날까지 전해지는 작품도 여럿 써냈다. 이건 살리에리만의 문제가 아니다. 직업을 선택하면서 품었던 큰 포부가 실현되지 않았다고 해서 분야를 잘못 선택했다든지, 그쪽으로 부르심을 받은 게 아니라든지, 죽는 날까지 절대로 실망하지 않을 완벽한 일거리를 찾는 데 온 힘을 기울여야 한다는 뜻은 아니다. 그건 아무에게도 보탬이 되지 못하는 쓸데없는 짓에 지나지 않는다. 정확하게 제자리에서 해야 할 일을 한다손 쳐도 일터에서 주기적으로 좌절을 경험하는 건 지극히 정상적인 현상이다.

그럼에도 불구하고, 살리에리의 문제 제기가 정당한지 되짚어 볼 필요가 있다. 탁월하고자 하는 욕구를 속속들이 채우는 일을 하고 싶어 하는 갈망은 정당한 것일까? 물론, 살리에리는 그렇게 생각했다. 지나간 세대에 속하는 이들의 눈에는 '욕심'으로 비치겠지만, 알다시피 요즘은 그 질문의 답을 좇아 새로운 소명을 찾는 이들이 허다하다.

우리 교회의 어느 젊은 여성은 대학을 졸업하자마자 월스트리트에 일자리를 얻었다. 공동체에서도 금융서비스 분야의 전문가들을 대상으로 하는 사역의 리더 역할을 했다. 사회적으로 출세하고 넉넉한 급여를 받았지만, 몇 년 동안 직장 생활을 한 뒤에 마침내 참으로 좋아하는 일을 끝까지 하려면 간호사를 천직으로 삼는 게 좋겠다는 결론을 내렸다. 결국 높은 연봉이 보장되는 직장을 제 발로 나와서 간호대학에 들어갔고 지금은 실습 중이다. 은퇴할 때까지 평균 서너 번은 직업을 바꾸는 현대사회에서는 결실을 극대화하기 위해 진로를 바꾸는 건 지극히 자연스러운 현상이다. 하나님은 우리에게 시킬 일을 바꾸실 수 있고 또 종종 그리하신다.

## 가시덤불이 생겨도 소망은 있다

행복해지려면 일이 필요하다. 피조물의 본성이 그러하기 때문이다. 하나님은 세상을 풍요롭게 하는 데 이바지하게 하려고 일을 주셨으므로 인간은 스스로 성취할 수 있는 세계를 잠깐이나마 내다볼 수 있었다. 하지만 곧 죄에 빠지면서 일 또한 심각한 손상을 입었다. 열매를 간절히 바라지만 성에 차도록 얻을 수 없으며 처절한 실패를 겪는 사례도 부지기수다. 수많은 현대인들이 이상주의와 냉소주의라는 두 극단에 치우치거나 심지어 수시로 양쪽을 오가기까지 하는 까닭이 여기에 있다.

이상주의는 속삭인다. “일을 통해 변화를 일으키고 영향을 끼치며 새로운 것들을 내놓으며 세상에 정의를 실현해야지!” 반면에 냉소주의는 비아냥거린다. “일한들 뭐가 변하겠어? 쓸데없는 희망을 품어선 안 돼. 그저 먹고살 수 있으면 그만이지. 너무 공을 들이지 말라고. 여건만 되면 당장이라도 집어치워!”

창세기 3장 18절은 땅에서 ‘가시덤불과 엉겅퀴’가 돋는다는 데서 그치지 않고 “네가 먹을 것은 밭의 채소인즉”이라고 말한다. 가시덤불과 먹을거리가 모두 예고된 셈이다. 본래 의도된 만큼은 아니지만 일은 여전히 얼마쯤 열매를 낳는다. 좌절과 성취를 두루 담고 있으며 아름다움과 천재성을 언뜻언뜻 드러내기도 한다. 아름다움과 천재성은 원래 노동의 지극히 통상적인 특징이었으며 궁극적으로는 하나님의 은혜에 힘입어 새 하늘과 새 땅에 들어가는 날 되찾을 것이다.

톨킨이 그려 낸 꿈과 열매에 얽힌 이야기, ‘니글의 이파리’는 그런 소망을 섬세하게 묘사하고 있다. 니글은 마지막 순간까지 매달려도 결코 빚어낼 수 없는 아름다운 나무를 마음에 담고 있었다. 그러기에 필생의 대작을 완성하지 못하고 떠나는 게 못내 아쉬워 눈물지으며 세상을 떠났다. 이 땅에선 아무도 그걸 보지 못했다. 그러나 니글이 하늘나라에 이르자 거기에 바로 그 나무가 서 있었다. 톨킨은 자신에게만이 아니라 독자들에게도 저마다 일에 대해 품고 있는 간절하고 원대한 염원이 하나님의 다스림을 받는 미래에 온전히 실현되리라는 메시지를 저만의 방식으로 들려준다.

니글의 나무가 영광스러운 빛을 잃지 않고 살아남았던 것처럼, 뭇 사람들이 살리에리의 음악을 듣고 각자 지금 하는 일의 열매를 맛볼 것이다. 과거의 낙원에서 그러했던 것처럼 미래의 천국에도 일이 존재할 게 틀림없다. 하나님 자신이 거기서 기쁨을 얻으셨기 때문이다. 하늘나라에서는 누구라도 다른 이들의 삶에 유익을 끼치며 무한한 기쁨과 만족을 얻는 건 물론이고 말할 수 없이 능숙한 솜씨로 그 작업을 해낼 것이다.

크리스천들은 친히 지으신 세상을 구원하시는 하나님의 역사에서 소망과 깊은 위안을 찾고, 온몸을 던져 일하며 열매를 구할 때마다 가시덤불이 자라나는 이 땅의 현실에 무릎 꿇지 않을 힘을 얻는다. 아울러 이생에서 하는 일이 궁극적이고 최종적인 노동의 실체가 아님을 알기에 또한 온전할 수도 없음을 받아들인다. 모든 사람이 죄를 범하였으므로 "하나님의 영광에 이르지 못하"(롬 3:23)는 처지에 놓이지 않았던가!

우리는 크리스마스를 맞을 때마다 깊은 속뜻을 헤아리지 못하면서도 그런 소망과 위안을 노래하며 되새긴다.

온 세상 죄를 사하러

주 예수 오셨네.

죄와 슬픔 몰아내고

다 구원하시네,

다 구원하시네,

다 구원, 구원 하시네![14]

chapter **6**

**일의 의미를
깨닫지 못하다**

# 그저 성공의
# 쳇바퀴를 따라
# 무작정 달리기만 한다

> 이러므로 내가 사는 것을 미워하였노니 이는 해 아래에서 하는 일이 내게 괴로움이요 모두 다 헛되어 바람을 잡으려는 것이기 때문이로다(전 2:17).

타락한 세상에서 하는 일은 열매를 거두지 못하기 일쑤일 뿐 아니라 의미를 찾지 못하는 경우도 흔하다. 그 또한 인간이 노동에서 실감하는 소외의 다른 측면이다. 숙성되지 않은 기술과 이룰 수 없는 염원 탓에 일터에서 좌절하는 이들이 있는가 하면, 포부를 품고 달려들어 성공을 거두고 나서도 만족감과 성취감을 느끼지 못하는 부류도 있다. 노동의 참뜻을 깊이 헤아릴 줄 모르는 인간의 모습을 더할 나위 없이 통렬하게 그려 낸 글은 구약성경 가운데 전도서라는 옛 문서에서 찾을 수 있다.

전도서의 화자를 히브리어로 '코헬레트'(Qoheleth)라고 부르는데, '스승'이나 '철학자' 정도로 풀이할 수 있다. 전도서가 말하는 일의 속성을 이해하자면, 우선 이 책의 문학적 장르와 논리를 전개하는 화법을 살펴볼 필요가 있다.

전도서를 읽는 독자라면 대부분 성경의 나머지 부분과 충돌하는 것처럼 보이는 내용에 적잖이 충격을 받는다. 다른 말씀들은 전반적으로 지혜롭고 의롭게 살라고 도전하지만, 전도서는 지나치게 의인이 되지도 말며 지나치게 악인이 되지도 말라고 경고하면서 중도를 걸으라고 권면한다. 지나치게 윤리적이지도 비도덕적이지도 말며, 과도하게 지혜롭지도 어리석지도 말라는 것이다(전 7:15-17). 이런 이야기들을 어떻게 해석해야 할 것인가?

구약학자 트렘퍼 롱맨(Tremper Longman)은 전도서가 쓰일 당시에 이른바 '허구적 자전'(fictional autobiography)[1]이라는 문학 형식이 있었음을 지적한다. 작가가 또 다른 가상 인물을 내세우고 삶의 여정을 설명하면서 그 사례에서 끄집어낸 보편적인 깨달음과 가르침으로 마무리하는 구조다. 실제로 전도서에서는 두 화자의 목소리를 분별해 낼 수 있다. 프롤로그에 등장하는 첫 번째 작가는 가상의 코헬레트를 소개하고, 마이크를 넘겨받은 두 번째 주인공은 해 아래서 만족과 의미를 찾으려 안간힘을 썼던 과정을 낱낱이 처음 인물에게 들려준다.

'해 아래에서'라는 표현은 철학자의 시각을 파악할 수 있는 결정적 단서다. 보통 더 위대하고 영원한 실존을 제쳐 두고 이 세상 자체만을 고려한 삶을 가리키는 말이기 때문이다. 철학자는 성공, 쾌락, 지식처럼 오로지 물질세계의 울타리 안에서 찾아낼 수 있는 요소들만을 토대로 의미 있는 삶을 살아보려고 발버둥 친다.[2]

에필로그에서 최초의 작가는 결국 자기 목소리를 되찾고 최종 평가를 내린다. 한없이 지혜롭고 부유하며 누구보다 은사가 많았음에도 불구하고 삶에서 만족을 얻지 못했던 인물을 내세워 염두에 두었던 주제를

극적으로 풀어내는 것이다.[3]

신약성경의 야고보서나 구약성경의 잠언 같은 책들은 이러저러하게 살라는 목회자의 조언을 듣는 느낌을 준다. 반면에 전도서를 읽노라면, 교수가 소크라테스 식의 까다로운 질문과 생소하고 기괴한 사례들을 동원해 가며 대화를 유도해서 스스로 진리를 발견하게 하려고 안간힘을 쓰는 철학 강의실에 앉아 있는 기분이 든다. 전도서의 철학자는 독자들을 밀어붙여서 인생의 토대를 살피게 하며 웬만하면 피하고 싶어 하는 기본적인 질문들을 쏟아 낸다. "삶의 의미를 찾았는가? 목숨을 걸 만큼 가치 있는 일이 있는가? 세상은 왜 이처럼 엉망으로 돌아가는가? 어떻게 그 난국을 이겨 낼 것인가?"

전도서의 작가는 철학자를 앞세워 읽는 이들을 몰아세워 가며 하나님의 초월적인 독특성과 필요성을 납득시키려 노력한다. 이곳 세상에 속한 그 무엇도 의미 있는 삶의 근거가 될 수 없다. 일과 성공, 사랑과 쾌락, 또는 지혜와 지식으로 삶의 이유를 삼는다면 존재가 불안정해지고 조그만 충격에도 쉬 부서질 것이다. 환경은 삶의 토대를 늘 위협하며 죽음은 필연적으로 저마다 소중히 여기는 자산들을 깡그리 휩쓸어 가기 때문이다. 전도서는 은혜로우신 하나님을 추상적으로 믿는 데 그치지 않고 실존적으로 의지하는 자세야말로 흔들림 없고 목적이 분명한 인생의 전제조건이라고 소리 높여 외친다.

자기 분야에서 성공 가도를 달리다가 우리 교회에 출석하기 시작한 이들이 다 그렇지만, 캐서린 알스도프 역시 세 가지를 정신없이 쫓아다녔었다. 대학에서 배우는 지식에서 인생의 의미를 찾으려 했고, 나중에는 즐거움과 모험을 추구했으며, 삼십 대에 들어선 뒤로는 절박하다 싶을 만큼 가진 걸 다 쏟아부으며 일과 직장을 통해 만족스럽고 성취하는 삶을 구현하려 했다. 노력한 보람이 있어서 차츰 열매를 거두기 시작했고 살림살이도 넉넉해졌지만 날이 갈수록 스트레스가 늘고 쓰라린 감정에 시달리기까지 했다. 특별히 애쓴 것도 없이 결실을 얻고 멋진 삶을 누리는 이들을 보면 억울하다는 생각이 절로 들었다.

아무리 실적을 쌓아도 양이 차지 않았다. 돈을 벌고 또 벌어도 만족스럽지 않았다. 스스로 이야기하듯, "하나같이 쓸데없는 짓이란 생각을 지울 수가 없었다. 그래서 책상에 머리를 박고 일에만 매달렸다." 마침내 알스도프는 그리스도의 복음을 떠올렸다. 세상의 뭇 철학들은 도움이 되지 않았다. 인생의 공허함을 절감한 끝에 하나님의 초월적인 독특성에 눈을 돌린 것이다.

## 인간이 하는 일은 모두 한계가 있다

"철학자는 한 칸 한 칸 자신만의 둥지를 만들어 간다." 전도서는 시쳇말로 세 가지 '인생 프로젝트'에서 이야기를 풀어 간다. '해 아래서' 삶의 의미를 찾아보려는 씨름인 셈이다. 첫 번째는 지식과 지혜를 통해 인생의 참뜻을 헤아려 보려는 탐색이다(전 1:12-18, 2:12-16). 두 번째는 즐거움을 기반으로 만족을 얻으려는 시도다(전 2:1-11).

철학자가 허무감을 몰아내기 위해 착수한 세 번째 프로젝트는 열심히 일해서 뚜렷한 성과를 올리려는 노력이었다(전 2:17-26). 지식과 즐거움이라는 카드가 수포로 돌아가자 이번에는 구체적인 목표를 성취하고 부와 권력을 키우는 데 뜻을 두고 살아보기로 작심한다. 그러나 결국 일 자체로는 의미 있는 삶을 살 수 없다고 판단하기에 이르렀다. “이러므로 내가 사는 것을 미워하였노니 이는 해 아래에서 하는 일이 내게 괴로움이요 모두 다 헛되어 바람을 잡으려는 것이기 때문이로다”(전 2:17). 어쩌다 이런 결론을 내린 것일까?

누구나 일을 하면서 영향을 미치고 싶어 한다. 스스로 이뤄 낸 성과를 개인적으로 인정받으려 하거나, 제 분야에 뚜렷한 발자취를 남기거나, 세상을 좀 더 살만한 곳으로 만드는 데 기여하길 바란다는 뜻이다. 부지런히 애써서 좀처럼 사라지지 않을 업적을 냈다는 의식만큼 가슴 벅찬 감정도 없을 것이다.

하지만 전도서의 철학자는 온갖 어려운 고비들을 넘어 소망하던 일을 남김없이 이뤄 낸 몇 안 되는 인물이 된다 할지라도, 영원히 값어치가 변하지 않는 열매는 애당초 존재하지 않기에 모두 헛수고라고 단언한다. 기가 막힐 노릇이다.

> 내가 해 아래에서 내가 한 모든 수고를 미워하였노니 이는 내 뒤를 이을 이에게 남겨 주게 됨이라. 그 사람이 지혜자일지 우매자일지야 누가 알랴마는 내가 해 아래에서 내 지혜를 다하여 수고한 모든 결과를 그가 다 관리하리니 이것도 헛되도다. 이러므로 내가 해 아래에서 한 모든 수고에 대하여 내가 내 마음에 실망하였도다(전 2:18-20).

고되게 일해서 대단한 결실을 얻었다손 치더라도 시점이 조금 빠르고 늦을 뿐, 언젠가는 퇴색해 역사 속으로 사라진다. 뒤를 이어 자리를 차지한 이들, 또는 명분과 조직을 물려받은 후임자들은 선배의 흔적을 모조리 지워 버릴지도 모른다. 물론, 오래도록 인류와 함께할 발명이나 혁신을 이뤄 내는 역사적 인물들이 있는 건 사실이지만 대단히 희귀하며 그렇게 유명한 이들마저도 "영원하도록 기억함을 얻지 못"(전 2:16)한다. '해 아래 있는' 존재와 업적은, 심지어 문명 그 자체까지도 끝내 잊히게 마련이며 그 영향력 또한 완전히 사라지는 법이다(전 1:3-11).

한마디로 말해, 일을 해서 큰 성공을 거두어도 '해 아래서' 사는 삶이란 전제가 사라지지 않는 한, 궁극적으로는 무의미하기 짝이 없다는 뜻이다.

## 소외와 단절, 고립을 부르는 일도 있다

해 아래에서 수고하는 일은 영속적이지 않아서 미래의 소망을 차단하는 탓에 하나같이 의미가 없다. 하나님으로부터 멀어지고 서로에게 소원해진 까닭에 노동은 현재의 기쁨도 앗아 간다.

다시 한 번, 〈아마데우스〉에 등장하는 안토니오 살리에리가 가엾다는 마음이 들지도 모르겠다. 명곡을 쓰고 싶은 소망이 간절하지만 재주가 포부에 미치지 못하는 사내다. 모차르트의 작품과 나란히 놓고 보면 범작에 불과하다는 게 여실히 드러난다. 남다른 영감을 주시길 하나님께 간구하지만 소용없다.

마침내 살리에리는 하나님을 원망하며 말한다. "지금부터 우리, 그러니까 당신과 저는 원수지간입니다. … 그토록 당신을 갈구했는데도 끝내 내 안에 들어와 주시지 않았고, 번번이 내 수고를 물거품으로 만들어 버렸습니다. … 당신은 편파적이고 부당하며 불친절합니다." 하나님을 향해 쓰라린 원한을 품은 사내는 주님이 악기로 사용하시는 모차르트를 파괴하는 데 온 힘을 기울인다.

정말 하나님은 부당하고 불친절하셨던 걸까? 그게 사실이라면 오로지 살리에리에게만 그러신 건 아닐 것이다. 단언컨대, 인류사를 통틀어 모차르트처럼 빛나는 재주를 선사받은 음악가는 채 한 줌도 안 된다. 살리에리의 반응이 유난히 음울하고 절박했던 건 음악을 통해 이름을 날리겠다는 소망에 인생 전체를 걸었던 탓이다. 그리곤 처음부터 그 짐을 하나님께 떠맡기려 했다.

> 아버지가 하나님께 사업이 번창하게 해 달라고 기원하는 사이에, 난 그맘때 사내아이가 드릴 수 있는 가장 오만한 기도를 은밀하게 드렸지. 주님, 위대한 작곡가로 만들어 주세요! 음악을 통해 당신의 영광을, 그리고 나 자신을 기리게 해 주세요! 사랑하는 주님, 세상에 모르는 사람이 없을 만큼 유명해지게 해 주세요! 영원히 사라지지 않는 존재가 되게 해 주세요! 죽은 뒤에라도 내가 쓴 작품이 두루 사랑을 받으며 다들 살리에리라는 이름을 입에 올리게 해 주세요![4]

'영원히 사라지지 않는'이란 말은 살리에리의 마음이 어떠했는지를 함축하는 표현이다. 타당한 포부는 부적절한 구원으로 변질되었다. 그러니 적잖은 성공을 거두고도 만족할 수가 없었다. 모차르트만큼 탁월하지 못하다는 사실 때문에 통상적인 실망을 넘어 소외와 쓰디쓴 아픔을 곱씹었다.

"사람이 해 아래에서 행하는 모든 수고와 마음에 애쓰는 것이 무슨 소득이 있으랴. 일평생에 근심하며 수고하는 것이 슬픔뿐이라. 그의 마음이 밤에도 쉬지 못하나니 이것도 헛되도다"(전 2:22-23). 살리에리는 괴로움과 고통이 너무 심해서 쉼을 누릴 수가 없었다. 일이 돌아가는 형편에 따라 심령이 큰 폭으로 요동치는 이들에게서 흔히 볼 수 있는 현상이다. 작가는 이처럼 가슴 저미는 장면을, 성실하게 일하신 뒤에 진정한 안식을 즐기셨던 하나님(창 2:2), 그리고 풍랑 속에서 곤히 주무셨던 구주의 모습(막 4:38)과 의도적으로, 또는 무의식적으로 대비시킨다.

일에서 그처럼 자주 소외를 경험하는 또 다른 이유는 불의와 비인격화라는 요소가 모든 사회 체제 안에 늘 도사리고 앉아 일의 본질을 왜곡하고 오염시키는 탓이다. 전도서 5장 8절에서, 코헬레트는 말한다. "너는 어느 지방에서든지 빈민을 학대하는 것과 정의와 공의를 짓밟는 것을 볼지라도 그것을 이상히 여기지 말라. 높은 자는 더 높은 자가 감찰하고 또 그들보다 더 높은 자들도 있음이니라." 구약 주석가 마이클 이튼(Michael A. Eaton)은 이 구절을 해석하면서 코헬레트는 "관료들이 지체와 핑계를 한없이 되풀이하는 데서 비롯된 좌절을 염두에 두고 있으며 … 정의는 계급 질서의 수레바퀴 틈에 끼어 실종되고 말았다"[5]고 했다.

코헬레트가 이 본문을 적었을 당시만 해도 관료주의가 판칠 만큼 규모가 큰 조직은 정부뿐이었지만, 지난 2백여 년 사이에 산업화가 급속히 진행되고 현대 기업들의 몸집이 그에 못지않게 불어났다. 칼 마르크스는 유럽의 산업사회가 전성기를 구가하던 19세기 초엽에 누구보다 먼저 '소외된 노동'을 이야기했다. "수많은 노동자들이 공장지대로 몰려든다. … 몸을 쇠약하게 하고 정신을 멍하게 만드는 일거리들을 맡아 일한다. … 결국 일이란 기껏해야 그저 먹고살기 위해 자아를 부정하는 암울한 틀에 지나지 않는다."[6]

물론, 오랜 세월에 걸쳐 대다수가 그저 살아남기 위해 등골이 휘는 중노동을 견뎌 온 게 사실이다. 그럼에도 불구하고, 적어도 조그만 농장과 상점들에선 누군가가 일해서 얻은 결과를 눈으로 직접 확인하는 게 가능했다. 그러나 공장에서는 노동자가 30초에 한 세트씩 너트 다섯 개를 죄어서 바퀴를 고정시키는 일을 몇 시간, 또는 며칠씩 계속 반복할 수도 있다.

스터즈 터클(Studs Terkel)은 「노동」(*Working*)이란 책을 쓰면서 수많은 노동자들을 인터뷰했다. 마이크란 남성은 강철 부품들을 시렁에 올리고 거기에 고정된 페인트 통에 담갔다가 다시 내려놓는 작업 담당이다. 하루 종일 다른 일은 하지 않는다. "사내는 말한다. '담갔다 꺼내고 담갔다 꺼내고 … 그 사이엔 아무 생각도 할 수가 없어요.' 생산직 노동자들의 전형적인 모습이다. 그러나 효율과 생산성을 높이기 위해 세분화하고 단순화한 사무직 근로자들의 형편도 크게 다르지 않다."[7]

산업 경제에서 지식 및 서비스 경제로 대전환이 일어나면서 상당수

근로자들의 일차적인 작업 환경은 상당히 개선됐다. 하지만 그만큼 많은 이들이 노동의 결과나 생산물로부터 소외되고 단절되는 저임금 서비스 분야에 묶인 것 또한 사실이다.[8] 노동력 착취 수준의 작업장뿐 아니라 종사자들에게 높은 임금을 주는 금융 같은 분야도 마찬가지다. 글로벌 기업들은 워낙 규모가 크고 체계가 복잡해서 고도의 전문직 종사자들조차 자신의 일이 어떤 결과를 가져오는지 파악하기 어렵다. 소도시 은행에서 주택자금이나 소기업 운영자금 융자를 담당하는 직원은 노동의 목적과 결과를 쉬 알 수 있다. 그러나 수천 건의 비우량 담보대출을 관리하고 엄청난 뭉칫돈을 만지는 은행원은 "무슨 일을 하고 계세요?"라는 질문에 답하기가 한결 어려울 것이다.

일은 인간을 고립시키기도 한다.

> 내가 또 다시 해 아래에서 헛된 것을 보았도다. 어떤 사람은 아들도 없고 형제도 없이 홀로 있으나 그의 모든 수고에는 끝이 없도다. 또 비록 그의 눈은 부요를 족하게 여기지 아니하면서 이르기를 내가 누구를 위하여는 이같이 수고하고 나를 위하여는 행복을 누리지 못하게 하는가 하여도 이것도 헛되어 불행한 노고로다(전 4:7-8).

일에 매달리다 보니 사내는 친구도 가족도 없이 외로운 신세가 됐다. 누구나 식구들과 벗들을 잊어 가면서까지 야심을 추구하고 있으면서도 그들을 위해 열심히 일한다고 착각할 수 있다. 일에는 만족과 희생을 유보하는 일종의 박탈이 포함되어 있다. 사내는 스스로 묻는다. "도대체

내가 누구 때문에 이 수고를 하는가?" 그리고 마침내 자신을 위해 일하는 건 헛되고 부질없는 짓임을 깨닫는다.

데렉 키드너는 여기에 한마디 덧붙인다. "외롭고 무의미한 일의 이 초상은 고되게 일해서 은총을 누리길 바라는 과욕을 눌러 준다."[9]

## 선택에 따르는 위험

전도서는 "사람이 먹고 마시며 수고하는 것보다 그의 마음을 더 기쁘게 하는 것은 없나니"(전 2:24)라고 가르친다. 직업이나 직장에 만족하지 못하는 이들이 헤아릴 수 없을 만큼 많은 데는 아이러니하게도 진로를 선택할 수 있는 여지가 지난 세대보다 현대인들에게 더 활짝 열려 있다는 점도 단단히 한몫했다.

데이비드 브룩스(David Brooks)는 최근 〈뉴욕타임스〉에 기고한 글에서 스탠포드 대학의 어느 교수가 재학생들과 갓 학업을 마친 졸업생들을 모아 놓고 이른바 명문대 출신자들이 금융과 컨설팅 분야로 집중되는 원인을 두고 토론을 벌인 사연을 소개했다. 한쪽에서는 자신이 택한 진로를 옹호한 반면, 다른 한편에서는 "똑똑하고 우수한 친구들일수록 사사로운 이익을 도모할 게 아니라, 가난과 싸우고 질병을 종식시키며 남들을 돕는 일에 나서야 하는 게 아니냐?"[10]며 불만스러워했다. 브룩스는 토론을 보면서 현실을 확연하게 이해할 수 있었지만 배경에 깔려 있는 '무언의 가정'에 적잖이 충격을 받았다고 고백했다.

학생들은 선택 가능한 진로를 편협한 시각으로 바라보는 듯했다. 천박하지만 부유한 투자은행 계열을 선호하는 부류가 있는 반면, 가난하지만 고상한 비영리단체들을 좋아하는 학생들도 있다. 한편에는 도깨비방망이처럼 목돈을 가져다주는 동시에 신나게 일할 수 있는 하이테크 벤처업계로 나가려는 친구들도 있었다. 그러나 목회자, 학자, 공무원을 비롯한 무수한 분야들에는 흥미가 없었다. 직접 물건을 생산하는 업체에서 일하는 데 관심을 갖는 경우는 더더욱 드물었다.

지역사회 봉사 활동은 도덕성이 자리잡을 마지막 지대가 돼 버렸다. 현대인들은 덕성이 무엇인지, 어떤 성품을 갖추어야 하는지, 탁월해지려면 어느 쪽으로 가야 하는지 설명하는 어휘들을 습득하지 못한 탓에 그나마 할 수 있는 얘기라곤 봉사 활동뿐이다. …

어느 분야에 뛰어들든지 탐욕과 좌절, 실패와 맞닥뜨리기 일쑤다. 우울증과 알코올중독, 불륜, 스스로의 어리석음과 방종 탓에 삶이 위협받는다. … 더 나아가 … 궁극적인 목적을 중심으로 인생이 돌아가고 있는가? 영웅적으로 자신을 희생할 수 있는가? 아니면 그저 성공의 쳇바퀴를 따라 달리기만 하는 삶인가? …

공동체를 섬기는 데 인생을 바칠 수도 있고 처음부터 끝까지 멍청하게 살 수도 있다. 월스트리트에 인생을 쏟아부을 수도 있고 영웅이 될 수도 있다. 양쪽의 차이를 파악하는 데는 엑셀 데이터보다 도스토예프스키의 작품과 직업관을 가르치는 서적들이 더 긴요하다.[11]

브룩스가 지적하는 첫 번째 문제는 저마다의 능력이나 달란트, 수

용력에 어울리느냐와 상관없이 지극히 빈약한 상상력을 동원해서 자아상을 북돋는 방법을 찾아내고 거기에 부합하는 일자리를 택한다는 점이다. 그런 기준에서 높은 점수를 받으려면 세 가지 범주에 속해야 한다. 벌이가 좋거나, 사회적인 필요에 직접 반응하거나, 근사하고 신나는 직업군이어야 한다는 뜻이다. 어떤 일이든 존엄성을 가졌다는 합의가 더 이상 가동되지 않으므로 스스로 하나님의 손과 손가락이 되어 인간 공동체를 섬긴다는 개념이 사라지고 극도로 제한된 범위 안에서 직업을 선택한다. 잘 맞지 않거나 너무 경쟁이 치열해서 대다수가 성공을 거두기 힘든 분야에서 일하는 청년들이 부지기수란 뜻이다. 일에 만족하거나 의미를 찾지 못하는 건 지극히 당연한 노릇이다.

도시 문화의 유동성과 공동체 붕괴가 미친 영향이 있겠지만, 뉴욕시의 젊은이들만 하더라도 천부적인 재능과 세계에 기여하려는 열정을 고려하기보다는 직업 선택 과정 자체를 정체성 형성에 도움을 주는 인자로 인식하는 듯하다. 어느 젊은이는 말한다. “경영 컨설팅 분야로 나가려고요. 거기엔 똑똑한 인재들이 많을 텐데, 그렇게 예리한 친구들과 어울리면 좋잖아요.” 또 다른 청년은 이렇게 고백한다. “학교에 남으면 5년 쯤 뒤에는 돈이 없어 쩔쩔매는 꼴을 하고 동창회에 나갈 것 같았어요. 그래서 로스쿨에 들어가기로 작정했죠.” 이전 세대들은 아무개의 아들이라든지, 시내의 이런저런 동네에 산다든지, 어느 교회나 클럽의 멤버라든지 하는 걸로 자신을 규정했지만 요즘 젊은이들은 직업이나 직장의 위상에서 정체성을 찾으려 한다.

그렇다면 성경은 직업 선택과 관련해 어떤 지혜를 주는가? 첫째로,

여럿 가운데 하나를 고르는 사치를 누리는 처지라면 잘할 수 있는 일에 뛰어들라고 가르친다. 달란트와 능력에 맞아야 한다. 그건 마치 잠재력의 씨앗이 가득 뿌려진 정원을 가꾸는 작업이나 매한가지다. 능숙하게 사역할 여지를 극대화하는 선택이기도 하다. 둘째로, 노동의 주목적이 세상을 섬기는 데 있으므로 이웃에게 유익을 끼칠 수 있는 쪽으로 나갈 필요가 있다. 일이나 조직이나 사업이 남들을 더 낫게 하는지 아니면 인성의 가장 나쁜 측면을 자극하는지 스스로 물어야 한다. 무 자르듯 똑 떨어진 답을 얻지 못할지도 모른다. 백이면 백, 사람마다 답이 다를 가능성이 크다.

기독교적인 직업관에 관한 글에서 존 번바움(John Bernbaum)과 사이먼 스티어(Simon Steer)는 콜로라도 주 애스펜(Aspen)에서 실내장식 회사를 운영하면서 엄청난 돈을 번 데비(Debbie)라는 여성을 본보기로 들었다. 사실, 인테리어디자인도 건축이나 미술처럼 인간의 행복을 증진시키는 데 긍정적으로 쓰일 수 있는 기술이다. 하지만 스스로 공동의 유익을 추구하는 방향에서 벗어난 방식으로 자원을 사용하고 있다고 판단한 데비는 과감하게 진로를 수정해서 교회에서 일하기 시작했으며 나중에는 미국의 상원의원이 되었다.

데비는 말했다.

> 특별히 부정직하거나 불법적인 부분이 있었던 건 아니었지만, 일거리를 몰아주는 중개인에게 매출의 30퍼센트를 수수료로 떼어 주는 형태로 사업을 꾸려 갔습니다. 1980년대 초반이었음에도 불구하고 12제곱미터짜리 방

한 칸을 장식하고 가구를 짜 넣는데 2만 달러 정도를 받았습니다. 언제부터인가 사람들에게 … 그토록 엄청난 돈을 들여 집안을 꾸미도록 부추기는 저의가 무엇인지 궁금해지기 시작하더군요. 그래서 결국 … 사업을 접기로 결정했습니다."[12]

인테리어디자인이라는 직종이나 커미션 형태의 보상 제도의 가치를 논하자는 게 아니다. 노동을 통해 세상을 섬기는 방법에 관해 개인적으로 명확한 기준을 가지고 일할 필요가 있음을 또렷이 보여 줄 따름이다.

비슷한 일을 하는 다른 디자이너는 인테리어 사업을 계속하면서 근사한 집을 만들어 고객을 돕는 데 집중하며 수수료 또한 아름다움의 가치를 표현하는 합법적인 방법으로 받아들일 수도 있다.

셋째로, 될 수 있는 대로 그저 가족과 인간 공동체, 그리고 자신만 생각할 게 아니라 활동하고 있는 분야의 유익도 도모해야 한다. 창세기 1장과 2장에 따르면, 하나님은 피조물을 가꾸실 뿐만 아니라 더 많은 경작자들을 키워 내셨다. 우리 역시 단순히 일하는 차원을 넘어 피조 세계를 보살피는 인류의 능력을 확대해 가는 데 노동의 목표를 두어야 한다. 지금 하는 일을 가능한 한 더 낫고, 더 깊고, 더 깔끔하고, 더 노련하며, 더 고상하게 처리하는 방식을 보여 주기 위해 자신을 갈고 닦는 데 힘을 쏟겠다는 건 꽤 훌륭한 목표다.

도로시 세이어스는 유명한 논문(Why Work?)에서 이 문제를 파고들었다. '공동의 유익'을 위해, 그리고 '다른 이들'을 위해(제4장에서 이미 살펴보았다) 일해야 한다는 것을 정확하게 인식하고 있었지만, 우리가 거기에 머물면 안 된다고 판단했다. 노동자들은 '일 자체에 기여해야'[13] 한다고 보았던 것이다.

> 오늘날, 누구나 공동체에 봉사할 의무가 있다는 선전 구호를 흔히 보지만 … 사실, 공동체를 섬기기 위해 일한다는 개념에는 역설이 내포되어 있다. 사회를 섬기는 걸 일차적인 목표로 삼는 건 일을 조작하는 행위라는 점이다. … 여기에는 … 그럴 만한 이유가 있다.
>
> 누군가를 섬긴다고 생각만 해도 바로 그 순간부터 다른 이들이 이편의 수고에 얼마간이라도 책임이 있다는 의식이 자리를 잡기 시작한다. 공동체에 요구할 몫이 있다는 관념을 갖게 된다는 듯이다. 보상을 홍정하고, 갈채에 눈길을 주며, 감사를 받지 못하면 불만이 싹튼다. 그러나 일 자체에 이바지한다는 의식을 가지면 다른 무언가를 구할 필요가 없음을 깨닫는다. 일이 줄 수 있는 대가는 완벽하게 정리된 모습을 볼 때 얻는 만족감뿐이다. 노동은 모든 걸 다 가져가고 아무것도 베풀어 주지 않는다. 따라서 일 자체를 위해 일하는 것이야말로 순전한 사랑에서 비롯된 노동이다.
>
> 공동체를 섬기는 참 길은 하나뿐이다. 진심으로 공동체에 공감하며 그 일부가 되어 일 그 자체에 기여해야 한다. … 그게 공동체를 섬기는 일이며 노동자의 비즈니스는 그 작업을 해내는 것이다.[14]

세이어의 지적은 백번 타당하지만 누구나 이해하는 듯 보이지는 않는다. 지금 하는 일이 각광을 받고 있으므로(다만 얼마 동안이라도) 당연히 공동체를 섬기고 있다고 여길지 모른다. 그러나 실상은 인정받는 도구로 사용하고 있을 뿐, 더 이상 공동체에 이바지하는 게 아닐 수도 있다. 반면에 일을 썩 잘 해내서 감사의 뜻을 전할 길이 없는 이들에게까지 하나님의 은혜로 도움을 줄 수 있다면, 또는 후배들이 그 작업을 더 잘 해내는 데 힘을 보탤 수 있다면 '일 자체에' 기여할 뿐만 아니라 참마음으로 이웃을 사랑하는 셈이다.

## 적게 가지고 편안하게 사는 것이

일의 무의미함을 설파하는 코헬레트의 이야기 한복판을 두 가닥 강렬한 빛줄기가 뚫고 지나간다. "자기 일에 즐거워하는 것보다 더 나은 것이 없음을 보았나니 이는 그것이 그의 몫이기 때문이라"(전 3:22). 그렇다. 일은 피할 수 없는 인간의 '몫'이며 거기서 얻는 만족이야말로 흡족한 삶의 필수 요건이다. 하지만 온갖 불리한 조건 속에서 어떻게 그런 충족감을 얻을 수 있을까? 해답은 전도서 3장 13절에 있다. "수고함으로 낙을 누리는 그것이 하나님의 선물인 줄도 또한 알았도다." 그렇다면 어떻게 이 선물을 지켜 나갈 것인가? 코헬레트는 슬그머니 힌트를 준다.

> 우매자는 팔짱을 끼고 있으면서 자기의 몸만 축내는도다. 두 손에 가득하고 수고하며 바람을 잡는 것보다 한 손에만 가득하고 평온함이 더 나으니라(전 4:5-6).

코헬레트는 두 가지 다른 길과 대조하면서 문자 그대로 '한 줌의 평안'을 선택하라고 권면한다. 그밖에 다른 한쪽에는 '바람을 잡는' 수고 끝에 얻은 '두 줌의 부'(6절 후반부)가 있고 또 다른 한편에는 아무런 노력도 기울이지 않는 어리석은 이들의 게으름이 빚어낸 '빈손'(5절)이 있다. 코헬레트는 타락한 세상을 사는 동안 일에서 얻는 만족은 하나님의 놀라운 선물임을 인정하면서 섬세한 균형을 통해 그 은혜를 추구해야 할 책임이 우리에게 있음을 강조한다. 고생스러운 노동 없이 누리는 평온은 만족을 주지 못한다. 평안이 없는 수고도 마찬가지다. 일과 평온은 둘 다 필요하다.

살면서 어떻게 그 둘 사이의 균형을 잡느냐 하는 문제는 성경이 다루는 주요 이슈 가운데 하나다. 우선, 돈과 권력을 우상으로 만드는 성향이 있음을 인식하고 되새겨야 한다고 지적한다. "내가 또 본즉 사람이 모든 수고와 모든 재주로 말미암아 이웃에게 시기를 받으니 이것도 헛되어 바람을 잡는 것이로다"고 한 전도서 4장 4절이 대표적이다. 둘째로, 돈을 덜 버는 한이 있더라도('적게 가지고 편안한 것') 관계를 정상적으로 유지해야 한다고 가르친다. 전도서 4장 8절을 보라. "어떤 사람은 아들도 없고 형제도 없이 홀로 있으나."

그러나 무엇보다도 전도서의 한계를 넘어선 무언가를 추구할 필요가 있다. 신약성경은 우리가 그토록 소망하는 평온의 궁극적인 근원이 예수님이라는 사실을 여실히 보여 준다. 십자가에서 인류의 짐을 대신 지셨으므로 참다운 안식을 주실 수 있는 분은 그리스도뿐이다(마 11:28-30). 예수님의 복음을 떠나서는 이웃을 섬기거나 일을 잘 해내는 데서 오는 기뽐을 누리기 위해서가 아니라 출세하고 이름을 낼 심산으로 수고를 거듭할 수밖에 없다.

chapter 7

# 탐욕의 수단으로 변질되다

고생해서
이만큼 일구었는데
이걸 포기할 수는 없어!

> 이에 그들이 동방으로 옮기다가 시날 평지를 만나 거기 거류하며 서로 말하되 자, 벽돌을 만들어 견고히 굽자 하고 이에 벽돌로 돌을 대신하며 역청으로 진흙을 대신하고 또 말하되 자, 성읍과 탑을 건설하여 그 탑 꼭대기를 하늘에 닿게 하여 우리 이름을 내고 온 지면에 흩어짐을 면하자 하였더니(창 11:2-4).

인간 마음에는 일과 거기에 따르는 이익들을 삶의 의미와 정체성을 세우는 바탕으로 삼으려는 강력한 성향이 있다. 그러한 점도 일에 열매가 없어지고 뜻이 퇴색되는 요인으로 작용한다. 그렇게 되면 일은 더 이상 칼뱅의 말처럼 창조 질서를 좇아 놀라운 역사를 빚어내고 세상에 드러내는 수단이라든지, 루터가 지적하듯 이웃의 기본적인 필요를 채우면서 하나님의 섭리를 나타내는 통로로 쓰일 수 없다.

대신, 이웃과 자신을 구별해서 온 땅에 부각시키고 스스로 특별한 존재임을 과시하는 방편이 될 따름이다. 권력과 안전을 보장하고 제힘으로 삶을 좌지우지하려는 기도에 지나지 않는다. "내가 또 본즉 사람이 모든 수고와 모든 재주로 말미암아 이웃에게 시기를 받으니 이것도 헛되어 바람을 잡는 것이로다"(전 4:4)는 코헬레트의 지적이 진실임을 절감할 때가 얼마나 많은지 모른다.

'선물로 받은 은사를 관리하는 행복한 작업'에서 '자존감의 허상을 세우는 신경증적인 반응'으로 일이 변질되는 과정을 창세기 1-11장만큼 또렷이 보여 주는 곳도 없다. 1-2장에서 일은 창조 세계와 창조주를 위해 피조물들을 가꿔 가는 즐거운 활동이었다. 그러나 창세기 4장에서 기술은 권력을 쌓는 도구가 되고, 11장에 이르면 마침내 바벨탑을 세우는 유명한 이야기가 등장한다.

탑을 세우는 데는 두 가지 명분이 있었다. 창세기 11장 3절에서 시날 평지에 이른 사람들은 말한다. "자, 벽돌을 만들어 견고히 굽자. … 벽돌로 돌을 대신하며…." 이들은 이전보다 훨씬 진보된 방식으로 벽돌을 구워 내는 신기술을 찾아냈다. 과거의 어떤 건축물보다 높은 구조물을 쌓아 올릴 수 있게 됐다는 뜻이다. 이들은 새로운 재주와 정보를 활용해서 대도시를 만들고 싶어 했다. 그날부터 지금까지 인류는 창의적인 최첨단 기법을 동원해서 꿈을 시험하고 실현하기에 더할 나위 없이 적합한 환경을 갖춘 도시를 건설하려 안간힘을 쓴다. 거기까지는 좋다.

그런데 도시를 구축하는 프로젝트에는 더 은밀하고 더 깊은 두 번째 의도가 숨어 있다. "자, 성읍과 탑을 건설하여 그 탑 꼭대기를 하늘에 닿게 하여 우리 이름을 내고 온 지면에 흩어짐을 면하자"(창 11:4)는 것이다. 탑을 짓는 이들이 무얼 위해 움직이는지, 오늘날 대다수 노동자들이 어떤 포부를 가지고 어디를 바라보며 일하는지 4절은 생생하게 보여 준다. 그날부터 지금까지, 노동의 동기는 바뀌지 않았다. 권력과 영예, 만사를 제 뜻대로 통제할 권한을 극대화하려는 의도가 분명하다. 하지만 이런 허세마저도 극도의 불안감을 선명하게 노출할 뿐이다. 인류는 업적을 남겨 '이름을 날릴' 심산으로 도시를 가꿨지만 이름이 결여되어 있다는 건 곧 스스로 자신이 누구인지 모르고 있음을 반증한다.

성경 언어로 '이름을 낸다'는 말은 정체성을 확립한다는 의미다. 하나님이 인류를 위해 인간 내면에서 이루신 역사에서 이름(본질과 안정, 가치와 독특성을 규정하는)을 얻든지(계 2:17), 아니면 제 능력에 기대어 이름을 내든지 양단간에 결정을 내려야 한다. 구약학자 데렉 키드너는 이렇게 적었다. "이 기사의 구성 요소들은 시간을 초월해 세상 사조의 특성을 투영하고 있다. 늘 그랬던 것처럼 이 프로젝트 역시 거대하다. 인간들은 궁극적인 업적을 이루기라도 한 것처럼 흥분해서 서로 떠들어 댄다. … 하지만 한데 모여 정체성을 보존하고 운명을 인위적으로 통제하려 애쓰면서 저도 모르게 불안감을 드러내는 게 고작이다."[1]

바벨 사람들은 두 가지 방식으로 자신들이 일에서 정체성을 얻으려 했던 것 같다. 첫째로, "그 탑 꼭대기를 하늘에 닿게 하여"라는 허풍스러운 언사는 일에다 하나님보다 나아지겠다는 영적 가치를 두고 있었음을 암시한다. 이는 노동이 낳은 열매에 기대어 건강과 안전을 확인하는 물질주의로 이어졌다. 둘째로, "온 지면에 흩어짐을 면하자"는 말에는 거대한 집단을 이뤄서 이름을 얻으려는 의도가 담겨 있다. 적어도 부분적으로는 도시의 크기와 축적한 부를 바탕으로 힘과 안정감을 얻었던 것이다. 전자는 개인적인 재능과 성취라는 우상에서 정체성을 끌어내는 반면, 후자는 인간 집단의 규모를 발판으로 삼는다. 여기서 우월의식, 제국주의, 식민주의를 비롯해 온갖 형태의 인종주의가 생겨난다.

단순한 이 기사의 마지막 장면에서, 하나님은 도시를 심판하러 내려오셨지만 그동안 보여 주신 징벌의 틀을 깨지 않으셨다. 특수 효과가 판치는 할리우드 영화였더라면 아마 벼락이 떨어지고 지진이 일어나 도시가 완전히 파괴되는 장면이 연출됐을 것이다. 그러나 하나님은 "언어를 혼잡하게 하여" 분열을 일으키고 서로 등을 돌린 채 흩어지게 만드셨다. 죄에는 반드시 대가가 따른다는 성경의 일관된 원칙을 여기서도 볼 수 있다.

죄에 물든 마음에서 비롯된 욕망들은 현실 세계에 긴장을 불러오고 결국 붕괴에 이르게 한다. 스스로 중요한 존재가 되려는 교만한 갈망은 필연적으로 경쟁과 분열, 갈등을 일으킬 수밖에 없다. 자신을 드러내는 데 집중하는 삶이 동료 인간들 사이에서 일치와 사랑을 빚어내기란 불가능한 노릇이다. 그런 마음가짐은 스스로 숭배의 대상이 되든지 집단을 우상으로 삼든지 둘 중 하나를 선택해야 하는 비참한 지경으로 몰아간다. 인류가 그토록 애타게 구하는 영광과 관계는 오로지 하나님 안에서만 공존할 수 있다.

바벨탑은 자신을 넘어 창조주 안에 토대를 두지 않는 한, 집단적인 (사회나 단체, 또는 운동의) 노력으로 무얼 만들든 제대로 작동되지 않는다는 사실을 통렬하게 보여 주는 사례다. 그분의 울타리 밖에 세워진 사회는 실망을 안겨 줄 수밖에 없는 대상을 우상으로 삼게 마련이다. 가족과 자신에서부터 국가적인 자부심과 부를 쌓아 가는 과정에 이르기까지 하나님이 아닌 것들에 이름을 부여하는 최종선, 또는 최고선(summum bonum)으로 받아들이게 된다는 뜻이다. 데렉 키드너의 표현을 빌자면, "반쯤 짓다가 무너져 버린 도시, 바벨은 인간의 그런 속성을 보여 주는 더할 나위 없이 적확한 기념비다."[2]

시날 평지에 모였던 이들은 세상에서 가장 높은 구조물을 건축하려 했다. 그로부터 수천 년의 세월이 흘렀지만, 인류가 벌이는 이런 기묘한 프로젝트는 도무지 사라질 기미가 없으며, 해마다 누군가 이름을 날리고 한동안 '세계 최고'의 지위를 유지할 만큼 치솟는 건물들의 이야기가 들리는 게 사실이다. 이는 경쟁을 추구하는 오만한 마음가짐이 인간의 모든 영역에서 노동을 지배하고 있다는 확연한 증거다. 물론, 혁신을 자극하고 효율을 높이는 긍정적인 측면이 있는 게 사실이지만 파괴적인 양상 또한 엄연하다.

「순전한 기독교」(*Mere Christianity*)에서 C. S. 루이스는 이렇게 말한다.

> 교만은 본래 경쟁적이라는 점을 분명히 해 두고 싶다. 본질적으로 경쟁을 추구한다는 말이다. … 교만은 무언가를 소유하는 것만 가지고는 기뻐하지 않으며, 옆 사람보다 더 많이 가져야 비로소 행복해한다. 흔히 부유하고 똑똑하고 잘생기면 콧대가 높아진다고 말하지만 실상은 다르다. 남보다 더 풍요롭고 더 명석하며 더 훤칠해 보이는 데서 뿌듯함을 느낄 따름이다.[3]

가진 솜씨를 발휘하며 인류를 섬기기 위해 멋진 신제품들(더 큰 집, 더 빠른 컴퓨터, 더 싼 항공권, 더 화려한 호텔)을 만들 수도 있고, 자신이나 스스로 몸담은 조직을 끌어올려 남들을 내려다볼 만큼 높은 지위에 올라갈 욕심으로 그리할 수도 있다는 점을 루이스는 강조한다. 후자를 택한다면 윤리적인 지름길을 택하고 방해가 되는 상대는 누구든 억압할 수밖에 없다.

또한 처음부터 끝까지 남을 유익하게 하겠다는 순수한 동기만 가지고 살아갈 수는 없다는 점을 짚고 넘어가려 한다. 한없이 다정하고 윤리적으로 훌륭한 이들도 이기적인 욕구나 두려움, 또는 영예를 얻고자 하는 갈구 앞에 쉬 무너진다. 인간과 세상이 망가지고 깨어졌음을 인정한다면 제힘으로 어찌할 수 없는 일들이 있다는 사실을 떠올리고 꾸준히 하나님께로 돌아가야 한다. 한쪽을 콕 찍어서 이웃을 섬길 뜻을 품고 일하는 '좋은 사람'으로 규정하고 다른 한편을 가리켜 자신의 능력을 과시하고 제 한 몸만 생각하는 '나쁜 인간'으로 단정하는 건 대단히 위험한 발상이다. 너나할 것 없이 모든 이들의 마음 깊은 곳에 이기적인 DNA와 경쟁을 추구하는 교만이 꿈틀거리고 있기 때문이다.

### 왕궁에 사는 특권

이기심과 권력, 그리고 소명이라는 주제를 담고 있는 사례는 구약성경 에스더서에서도 볼 수 있다. 유대인들이 페르시아 왕국 전역에 흩어져 살던 시절에 벌어졌던 사건이 상세히 기술된 책이다. 첫 장의 기록에 따르면, 페르시아의 아하수에로 왕은 매사에 불쾌하게 구는 오만한 왕후 와스디를 내쫓아 버렸다. 그리곤 신붓감을 두루 찾다가 에스더를 만났다. 왕은 이 유대인 처녀와 동침하고 기꺼워했다. 하루아침에 왕후가 된 에스더는 민족적인 정체성을 숨긴 채 대궐에 살게 되었다.

거의 모든 독자들이 이 도입부를 못마땅해한다. 페미니스트들은 에스더가 저항하지 않고 굴종했다는 데 분개한다. 스스로 유대인임을 밝히고 이방의 궁정에서도 당당함을 잃지 않았던 다니엘과 달리 혈통을 드러내지 않고 침묵한 걸 불만스러워하는 쪽도 있다. 전통적인 도덕관념을 가진 이들은 결혼식도 올리지 않고 남자와 잠자리를 같이 했다는 점을 문제 삼는다. 윤리적인 타협을 기반으로 권력의 핵심부에 들어갔다는 것이다. 자연히 궁금해질 수밖에 없다. 이처럼 도덕적으로, 문화적으로, 영적으로 애매모호한 상황에서도 하나님은 여전히 우리와 더불어, 그리고 우리를 통해 일하시는가? 에스더서의 대답은 "그렇다"이다.

에스더서 4장으로 들어서면(2장 전반부에도 어느 정도 전조가 보이지만) 하만이라는 고위관리가 유대인들이 왕국을 위험에 빠트릴 수 있다며 왕을 설득해서 특별 조서를 받아 내는 장면을 볼 수 있다. 정해진 기간 동안 누구든 이웃에 사는 유대인 가문을 습격해서 마음대로 도륙하고 재물을 약탈하도록 허용하는 칙령이었다.

에스더의 친척이자 유대인의 지도자인 모르드개는 궁궐에서 차지하는 지위를 활용해서 절체절명의 위기를 막아야 한다는 뜻을 황후에게 전한다. 엄청난 부탁이었다. 권력과 가까이 있지만 공적인 영역에 미칠 수 있는 영향력이 미미한 크리스천에게 개인적이고 문화적인 자산을 사용해 사회질서를 바로잡아 달라는 요청이 들어온 것이다. 에스더서 4장 14절에서 모르드개는 말한다. "네가 왕후의 자리를 얻은 것이 이 때를 위함이 아닌지 누가 알겠느냐?"

에스더서는 다니엘이나 요셉에 관한 성경의 기록과 비슷한 점이 많다. 셋 다 하나님을 믿는 이스라엘 백성이었다. 저마다 다원주의적이고 주님을 모르는 정치권과 문화권에서 공직을 맡았다. 선지자나 제사장, 장로, 교사는 아무도 없었다. 하나같이 자신이 속한 세속 사회에서 최고위 권력층에 진입했으며 하나님의 손에 잡혀 강력하게 쓰임받았다.

영국성공회 설교가인 딕 루카스(Dick Lucas)가 요셉의 삶을 중심으로 전한 메시지는 에스더의 이야기와 잘 들어맞는다. 루카스는 혹시 교회에 갔다가 테이블에서 「하나님이 사용하시는 남성」이라든지 「주께 쓰임받은 여성」 같은 제목이 붙은 책을 본다면 두말할 것도 없이 선교사나 교사, 목회자를 비롯해 영적 사역을 하는 전임자들과 관련된 내용이리라 지레짐작할 것이라고 말한다. 하지만 요셉의 기사에서 볼 수 있는 건 최고의 자리에 오른 공직자의 모습뿐임을 지적한다.

"장기적으로는 교사나 선교사가 되거나 성경공부를 인도하는 편이 여러 모로 훨씬 쉽다고 봅니다. 그런 일에는 화려한 후광 같은 게 따릅니다. 게다가 전문사역자들이 날마다 하는 일들은 회색 지대가 상대적으로 적어서 흑백을 가리기가 한결 낫습니다. 하나님이 꼭 목회를 원하시는 게 아니며 법률이나 의료, 경영, 예술 분야의 일을 맡기고 싶어 하신다는 사실을 크리스천들에게 납득시키는 게 힘겨울 때가 많습니다. 이것이 오늘을 사는 우리에게 가장 부족한 부분입니다."[4]

여기에 딱 들어맞는 예가 있다. 느부갓네살은 예루살렘을 철저히 파괴한 뒤에 유대인들을 포로로 끌어갔다. 성경 역사가 흘러서 한 시점에 이르자, 이스라엘 백성들은 고향으로 돌아가는 여정에 오른다. 그리고 망가진 인생과 도성, 그리고 민족을 재건하는 작업에 착수한다.

학자이자 작가인 레이 바키(Ray Bakke)는 독특한 주장을 내놓는다. 하나님은 어떻게 이스라엘 백성들을 회복시켜 고국으로 돌아가게 하셨는지 저마다 다른 입장에서 기록한 세 권의 책을 주셔서 얼마나 다양한 이들을 사용하시는지 한눈에 보여 주셨다는 것이다.[5] 우선, 에스라서는 목회자, 또는 말씀을 가르치는 교사에 관한 책이다. 유대인들은 성경을 익혀서 하나님이 주신 메시지를 토대로 삶의 틀을 다시 잡아야 했다. 두 번째는 느헤미야서로 탁월한 관리 능력을 발휘해서 예루살렘 성벽을 재건하고 안정을 되찾아서 경제활동과 시민 생활이 활발해지도록 이끌었던 도시 설계자요 개발 전문가의 이야기다.

마지막으로, 에스더서는 극심한 부정과 맞서는 시민 정부에서 영향력을 행사했던 여인에 대한 기록이다. 남성도 있고 여성도 있다. 평신도도 있고 목회자도 있다. 유대인과 전혀 다른 사고방식과 가치관을 가진 사회에 살면서 영적으로 성숙한 백성들을 길러 내기 위해 일했던 이들도 있고, 경제적으로 풍요를 누리고 더 나은 공공정책을 만들려고 분투했던 이들도 있다. 하나님은 이들 모두를 사용하셨다.

에스더와 자신은 다르다고 속단하지 말라. 몇 해 전에 어느 라틴아메리카 출신 목회자가 에스더서를 본문으로 전한 메시지가 기억난다. 나이든 교인들은 대부분 이민자들로 재물도 힘도 없었지만 젊은 세대 가운데는 대학을 마치고 전문직을 가진 이들이 많았다. 설교자는 그이들을 향해 실감하지 못할지 모르지만 분명히 '왕궁에' 살고 있다고 했다. 재정적으로든 문화적으로든 스스로 생각하는 것보다 더 많은 자산을 소유했다는 뜻이다.

이어서 더할 나위 없이 분명한 단어들을 동원해 가며 그처럼 소중한 자원을 활용해서 주위에 영향을 끼치기보다 제 둥지를 가꾸고 출세를 도모하는 데 자원을 소모하는 친구들이 얼마나 많은지 모른다고 꼬집었다. 누군가의 손길과 재능을 간절히 기다리는 가난한 이들이 사방에 널려 있음을 상기시켰다. 저마다 일하는 분야마다, 또는 관련 있는 영역마다 도려내야 할 썩은 자리가 허다하다고 했다. 그런 일에 뛰어들면 수입이 줄거나 출세의 사다리를 오르는 속도가 떨어질 수 있으며 경력에 치명적인 상처를 남길 갈등에 휘말릴지 모른다는 점을 부정하지 않았다. 대신, 그게 무슨 문제가 되겠느냐고 되물었다. 그저 궁궐에 들어가는 데 그칠 게 아니라 거기 머물며 온 힘을 다해 모든 규정들을 바꿔 놓으라고 했다. 섬기라는 것이다. 고귀한 자리에 오른 게 바로 그 일 때문인지 누가 알겠는가!

에스더 같은 입장으로 보이는 이들이 적지 않다. 고객들 가운데 상당 부분을 개인적으로 감춰 둔 투자은행의 부행장이 있다. 어쩌면 적극적으로 보고하지 않았을 따름인지도 모른다. 선발 규정을 어기고 선수를 뽑는 축구 감독이 있다. 뇌물을 받지는 않지만 동료들이 그런 짓을 하는 걸 못 본 척 외면하는 지방자치단체 공무원들이 있다. 더러 그렇게 타협한 덕에 승진하고 고위직을 차지했지만 탁하고 불투명한 양심을 가진 이들도 있다. 작든 크든, 규모와 상관없이 누구나 그런 처지가 될 수 있다. 비윤리적인 잘못을 저지를 수도 있고 이른바 '회색지대'를 선택할 수도 있다. 실제로는 개시도 하지 않았지만 이만저만하게 추진되었다고 클라이언트들에게 보고하라는 압력을 반복적으로 받을 수도 있다. 입을 열어야 할 때 침묵을 지킬 수도 있다. 권력을 손에 쥐었지만 양심이 편치 않을 수도 있다. 에스더의 양심이 깨끗했다고 생각하는가? 처음부터 끝까지 한 점 흠 없이 투명한 양심을 가진 이가 있기는 한가? 아직 늦지 않았다. 하나님은 자녀들에게 지금 어디에 있는지, 그리고 왜 거기에 있는지 되짚어 보라고, 왕궁에 있는 게 얼마나 중요한지 알아야 한다고 말씀하신다. 그러고 나서야 비로소 세상에 거룩한 뜻을 펼치시는 주님의 손에 쓰임을 받을 수 있다.

이름만 대면 누구나 다 알 만큼 큰 금융서비스 회사에서 프라이빗 에쿼티(경영진과 협상을 통해 지분을 인수하고 회사가 정상화된 뒤에 되팔아 차액을 챙기는 자금 - 옮긴이) 운용 업무를 담당하는 친구가 있다. 교회에서 '진실한 성품'에 관한 강좌를 열고 그이에게 강의를 부탁했다. 강단에 선 친구는 최근 팀 차원을 넘어 회사 전체에 막대한 이익을 남길 절호의 투자 기회를 두고 겪은 딜레마 이야기를 들려주었다.

마음에 걸리는 문제가 있다면, 사회에 긍정적인 기여를 하는 건 고사하고 적잖이 타격을 줄 만한 투자라는 점뿐이었다. 불법은 아니었고 회사에서 자체적으로 문제를 제기하지도 않았다. 기업과 직원들을 위해 최상의 가치를 창출해야 하는 의무와 인류를 풍요롭게 해야 한다는 신앙적인 헌신 사이를 오가며 갈등할 수밖에 없었다. 설령 투자를 거부한다 해도 경쟁 은행의 손에 넘기는 꼴이 될 뿐, 프로젝트 자체를 막을 길은 없었다. 투자에 동의하고 바람직하지 않다고 믿는 일에서 이익을 얻는 길을 택할 수도 있었다. 하지만 어떤 식으로든 신앙에 바탕을 두고 입장을 정리하며 신념에 따라 살고 싶었다. 그래서 거래를 거부하지는 않되, 투자로 얻는 수익에 대해서는 개인적으로 단 한 푼의 보너스도 받지 않겠노라고 팀 멤버들에게 통보했다.

덕분에 이유를 설명하고 인류를 풍요롭게 하시려는 하나님의 원대한 계획을 소개할 기회를 얻었다. 거래는 성사됐고 회사는 큰돈을 벌었다. 하지만 친구에게는 어떤 유익이 있었을까? 진정으로 자신을 희생하고 태도와 입장을 분명히 한 덕에 동료들에게 왕궁에서 살아가는 또 다른 길이 있다는 본보기를 선명하게 보여 줄 수 있었다.

### 왕궁에 사는 데 따르는 위험

에스더의 염려는 대단히 현실적이었다. 모르드개는 엄청난 위험을 감수하길 요구했다. 당시의 시대적, 공간적 분위기를 고려할 때, 군주의 총애를 잃는 건 단순히 일자리에서 밀려나는 차원을 넘어 목숨이 오가는 심각한 사태였다. 에스더는 누구든 부름을 받지 않은 상태에서 왕에게 나가는 건 중대 범죄가 될 수 있다고 대답했다. "왕의 신하들과 왕의 각 지방 백성이 다 알거니와 남녀를 막론하고 부름을 받지 아니하고 안뜰에 들어가서 왕에게 나가면 오직 죽이는 법이요 … 이제 내가 부름을 입어 왕에게 나가지 못한 지가 이미 삼십 일이라"(에 4:11). 지난번 왕후가 지나치게 방자하다는 이유로 폐위됐던 사실을 에스더는 그 누구보다 잘 기억하고 있었다. 위태롭기 짝이 없는 결단을 요구하다니, 모르드개는 왕후가 모든 걸 잃어버릴 수 있다는 사실을 모르는 게 아닐까?

모르드개는 알고도 남는다는 반응을 보인다. 그리고는 수사학적으로든, 서술적으로든, 신학적으로든 정점이라 할 만한 대목으로 치닫는다. "너는 왕궁에 있으니 모든 유다인 중에 홀로 목숨을 건지리라 생각하지 말라. 이때에 네가 만일 잠잠하여 말이 없으면 유다인은 다른 데로 말미암아 놓임과 구원을 얻으려니와 너와 네 아버지 집은 멸망하리라. 네가 왕후의 자리를 얻은 것이 이때를 위함이 아닌지 누가 알겠느냐"(에 4:13-14).

한마디로 에스더가 궁궐 생활을 잃어버릴 각오를 하면 모든 걸 상실할지 모르지만, 대궐의 삶을 잃어버릴 위험을 무릅쓰지 않는다면 어김없이 모든 걸 다 빼앗길 것이라는 경고다. 이렇게 곤혹스러운 이야기가 또 있을까? 유대인들이 살해되면 에스더 역시 들켜서 목숨을 잃을 것이다. 반면에 이스라엘 백성들이 죽음을 모면한다면 에스더는 반역자 취급을 받을 것이다.

모르드개는 희망의 메시지로 말을 맺는다. "네가 왕후의 자리를 얻은 것이 이때를 위함이 아닌지 누가 알겠느냐?"(14절) 이는 오늘을 사는 이들에게도 동일하게 적용될 수 있는 한마디다.

사실상 모르드개는 소명이라는 개념에 호소하는 셈이다. 앞에서 소개한 라틴아메리카 출신 목회자도 매한가지다. "수중에 넣은 영향력과 자격증, 돈을 풀어 남들을 섬기지 않는다면, 왕궁은 곧 감옥이 될 겁니다. 여러분은 이미 이름을 얻었습니다. 받은 게 거의 없다고 생각한다면 늘 더 많은 걸 갈구하는 탓이 아닌지 돌아봐야 합니다. 이제 하나님은 가진 걸 활용하라고 명령하십니다. 왕궁에서 차지하는 지위에서 정체성을 찾고, 수시로 변하는 요소들을 통제할 수단을 지녔다는 사실에서 안정감을 얻고, 일정한 세계까지 미치는 힘을 가졌다는 데서 존재 의미를 구하는 건 지극히 자연스러운 일입니다. 하지만 왕궁에서 확보한 자리를 이웃을 위해 기꺼이 내던질 각오를 하지 않는다면, 결국 대궐이 여러분을 소유할 것입니다."

어떻게 하면 궁전에 속한 요소를 버리고도 새로이 이름을 얻을 수 있을 것이다. 힌트는 본문에 기록된 모르드개의 답변에 있다. "네가 왕후의 자리를 얻은 것이 이때를 위함이 아닌지 누가 알겠느냐?" '얻다'에 해당하는 히브리어는 수동형이다. 그러므로 본문은 "이처럼 왕후의 자리를 얻게 하신 것이 바로 이런 일 때문인지를 누가 알겠느냐?"로 푸는 게 정확한 번역이다. 모르드개는 에스더에게 은혜가 아니고서는 그 자리에 오를 수 없었음을 강조한다. 열심히 가꾸거나 노력해서 미모를 이룩한 게 아니며 스스로 기회를 개척한 것도 아니었다. 그저 하나님께 받았을 따름이다.

자신의 경우는 어떠한지 묵상해 본 적이 있는가? 현재 직장에서 차지하는 지위나 위치가 은혜의 소산이라는 얘길 들으면 펄쩍 뛰면서 아무개 학교에 들어가려고 얼마나 열심히 공부했고, 학생 때는 물론이고 신입사원 시절에는 누구보다 열심히 노력했으며, 동기들보다 얼마나 뛰어난 성과를 올렸는지 따위를 침이 마르도록 나열할지도 모르겠다. 하지만 값을 치르지 않고 얻은 달란트를 가지고 공부했다. 제힘으로 열지 않은 기회의 문들을 통과했다. 열쇠를 쓴 게 아니라 그저 활짝 열린 틈으로 지나간 게 전부였다. 그러므로 지금 가진 건 하나같이 은혜의 소산이며, 우리 각자에게는 그렇게 수중에 들어온 힘을 마치 제 능력을 사용하듯 활용하여 세상을 섬길 자유가 있다.

## 왕궁에서 위대한 임금님과 더불어

에스더는 답을 내놓기 시작한다. 1-2장서 보았던, 남보다 유리한 조건과 위치를 마음껏 향유하며 세월을 보내던 아름답고 얌전한 왕비의 면모는 온 데 간 데 없다. 누굴 호령하거나 위엄을 세워 본 적이라고는 단 한 번도 없던 여인이 명령을 쏟아 낸다. 왕후는 모르드개에게 메시지를 보낸다. "당신은 가서 수산에 있는 유다인을 다 모으고 나를 위하여 금식하되 밤낮 삼 일을 먹지도 말고 마시지도 마소서. 나도 나의 시녀와 더불어 이렇게 금식한 후에 규례를 어기고 왕에게 나아가리니 죽으면 죽으리이다"(에 4:16).

이후로 벌어진 일들은 성경을 통틀어 몰입도가 가장 높은 내러티브 가운데 하나다. 몇 차례 '우연'(물론 정말 그런 것도 아니었고 에스더 자신의 용기가 주원인도 아니었다)이 되풀이된 끝에 왕의 마음을 돌리고 하만의 증오와 속셈을 폭로했으며 원수를 처단하고 유대인들을 구해 냈다.

하지만 여기서 설명을 마무리하는 건 바람직하지 않다. 에스더의 이야기를 듣고 감동을 받는 데 그칠 우려가 있다. 용감한 유대인 왕비에게 눈길을 줄 뿐, 스스로의 지위나 지적, 사회적, 재정적 자산을 새로운 관점에서 바라보는 수준까지는 이르지 못할 수도 있다. 자신이 가진 영향력을 출세의 수단으로 보는 대신 뭇 사람들을 섬기는 데 쓸 수도 있다. 예전보다 더 큰 위험을 감수하며 정의를 실현하기 위해 노력할 수도 있다. 또는 신앙에 관해 침묵으로 일관해 왔던 걸 뉘우치고 입을 열어 무얼 믿으며 따르는지 알리기로 작정할 수도 있다. 하나같이 크리스천이라면 반드시 가져야 할 선하고 올바른 마음가짐이다.

하지만 그것만으로는 아직 부족하다. 일단, 결단이 오래 가지 않는다. 근사한 본보기를 보고 감명받는 정도라면, 그러니까 에스더처럼 되고 싶다든지, 라틴아메리카 출신 목회자가 제시하는 모습을 닮아 가야겠다는 마음이 든 정도라면 원초적인 동기가 죄책감에 있을 가능성이 크다. 이기적인 삶에 대한 죄책감, 엘리트 의식을 가졌던 것에 대한 죄책감, 더 나아가 감사할 줄 모르는 자세에 대한 죄책감이 자극을 주었을 수도 있다. 물론 그런 죄의식은 좋은 출발점이 되기도 한다. 그러나 동기가 그뿐이라면 얼마 지나지 않아 추진력이 떨어지게 마련이다. 새로운 방식으로 살아간다는 건 그만큼 고단한 일이기 때문이다.

또는 마음에 찔림을 받은 나머지 행동이 과해질 수 있다. 오래도록 신앙을 감추고 살던 이들이 과거를 벌충하기라도 하려는 듯 애쓰다가 몹시 요상한 꼴이 되는 사례를 자주 본다. 십중팔구는 좌우를 분간하지 않고 노골적으로 신앙을 고백하고 소개하는 원리주의자들이 된다. '은밀히 행하는' 크리스천이 되고 싶지 않은 것이다. 하지만 진정으로 왕궁을 떠났다고 보기는 어렵다. '더 나은' 신앙 행위에서 정체성을 찾으려 하기 때문이다. 참다운 변화가 없으며 또 다른 형태로 자기 의를 드러내는 게 고작이다.

그렇다면 어떻게 해야 왕궁에 머물면서도 성실하게, 더 나아가 위대하게 살 수 있을까? 에스더를 본보기로만이 아니라 이정표로 받아들일 필요가 있다. 알다시피, 하나님이 인간을 지으시고, 인류가 누리는 모든 혜택을 주셨으며, 지금도 매 순간 삶을 지속할 수 있게 뒷받침해 주시므로 무엇 하나 주님의 은택이 아닌 게 없다.

그럼에도 불구하고 우리는 모든 게 자신의 소유인 양, 소견에 옳은 대로 쓰면서 제 이름을 내는 데 골몰한다. 스스로 크리스천이라고 생각지 않는 이들마저도 이런 형편들을 돌아보며 그림이 잘못됐다는 걸 단박에 알아차린다. 누가 보더라도 하나님과의 관계를 망가뜨리고 있음에 틀림없기 때문이다. 세계의 다양한 종교들은 교리와 해석에서 현격한 차이를 보이지만, 신과 인간 사이에 커다란 간격, 또는 틈이 있다는 점에 관해서는 한 목소리를 내고 있다. 다양한 종교들은 저마다 희생이나 제의, 인식의 전환이나 윤리적인 수행을 통해 벌어진 틈새를 메워야 한다고 가르친다. 하지만 어떤 식으로든 하나님과 인간 사이의 간격을 이어 주는 교량이 필요하다. 어떻게 하면 그 다리를 찾을 수 있을까?

성경이 제시하는 답이 바로 이 이야기에 들어 있다. 에스더는 중재자가 되어 백성들의 목숨을 구했다. 사형선고를 받은 이스라엘 민족 틈에 끼어 저주의 그늘 아래로 들어갔다. 왕후는 죽음을 각오했다. "죽으면 죽으리이다." 백성들과 하나가 되었으므로 아무도 감히 나서지 못할 권력의 보좌 앞에 나가 중재할 수 있었으며, 왕의 총애를 입은 덕에 그 혜택이 백성들에게까지 미쳤다. 하나가 되어 중재함으로써 뭇 백성을 구원한다는 말을 들으면 떠오르는 이가 있지 않은가?

영원한 궁전에서 한없는 아름다움과 영광에 둘러싸여 사셨지만 그 모두를 버려둔 채 자원해서 세상에 오신 하나님의 아들, 바로 예수 그리스도시다. 빌립보서 2장은 '아버지와 동등하시지만 그걸 당연하게 여기지 않으시고 자신을 비워 사람과 같이 되셨으며 인간의 저주를 대신 지셨을 뿐만 아니라, 목숨을 거는 정도가 아니라 아예 생명으로 대가를 치르신 분'이라고 예수님을 소개한다. 그리스도는 "죽으면 죽으리이다"라고 말씀하신 게 아니라 "죽어야 할 때가 차면 반드시 죽을 것이다"라고 약속하셨다. 그리고 십자가에서 돌아가심으로써 인류의 죄를 대속하셨고 지금은 우주의 보좌 앞에 서 계신다. 누구든지 예수님을 믿으면 주님이 먼저 누리신 은총을 덧입을 수 있다. 그리스도는 영원한 중재자시다.

에스더를 단순한 본보기가 아니라 그리스도를 가리키는 화살표로 본다면, 그리고 예수님을 표본이 되는 스승이 아니라 한 사람 한 사람을 위해 개인적으로 그런 일을 행하신 구세주로 인식한다면 저마다 자신이 주께 얼마나 소중한 존재인지 알게 될 것이다. 이러한 사실들을 깊이 묵상하면 정체성이 달라진다. 스스로 억만금을 주고도 살 수 없는 참다운 가치를 지닌 인물임을 확신하기에 이른다. 아이러니하게도 얼마나 큰 사랑을 받고 있는지 깨닫는 순간, 일도 훨씬 덜 이기적인 성향을 갖게 된다. 영향력, 이력서, 거기서 얻는 이득을 포함해서 일하는 삶과 관련된 온갖 요소들을 있는 그대로 볼 수 있는 힘이 생긴다. 모험을 할 수도 있고, 소모해 버릴 수도 있고, 통째로 잃어버릴 수도 있다. 그만큼 자유로워진다.

주님은 은혜로우신 분이라는 막연한 계시에 기대어 왕후는 엄청난 역사를 일으켰다. 그에 비하면 오늘날 크리스천들은 아는 게 얼마나 많은가! 에스더로서는 하나님이 친히 세상에 오셔서 측량할 수 없을 만큼 더 큰 값을 치르시고 인류에게 한없이 큰 은총을 베푸시는 일을 자신이 했던 것보다 무한정 큰 규모로 행하실 줄은 짐작조차 할 수 없었다. 지금은 주님의 거룩한 은혜와 그분 앞에서 갖는 우리의 가치, 그리고 장래에 벌어질 놀라운 사건들에 대해 에스더와는 비교가 안 될 만큼 많은 정보를 가졌다.

예수 그리스도가 영원한 궁궐을 버리면서까지 행하신 일들을 제대로 헤아린다면, 그 궁전에서 제각기 차지하는 자리를 지키며 하나님과 이웃을 섬기기 시작할 것이다. 에스더서 주석을 쓴 케어런 잡스(Karen Jobes)는 에스더를 '왕후'로 부른 사례가 모두 14차례 있는데, 그 가운데 13번은 "죽으면 죽으리이다"라는 고백 이후에 등장한다고 말한다.[6]

에스더가 큰 사람이 된 건 스스로 이름을 떨치려 애쓴 결과가 아니었다. 우리도 마찬가지다. 주인공이 되려고 발버둥 칠 게 아니라 하나님을 향해 "내 뜻대로 하지 마시고, 아버지의 뜻대로 해 주십시오"라고 기도하셨던 분을 섬길 때 위대한 인물이 될 수 있다.

chapter **8**

**일이 인생의**
**전부가 되다**

# 인생이 통째로 일에 빨려 들어가 망가지다

너는 신상들을 부어 만들지 말지니라(출 34:17).

이편의 제안을 인수회사 이사회가 검토하는 동안, 데이비드는 사무실 구석에 틀어박혀 기다리며 생각했다. '나를 찾지 않고는 못 배길걸?' 승승장구 경력을 쌓으면서 협상 능력이 자연스럽게 몸에 밴 터였다. 지난 20년간 성장을 거듭해서 주목받는 하이테크 회사 몇 군데에서 CEO로 일해왔던 그에게 지난주는 큼지막한 열매를 수확하는 기간이었다. 근래 설립한 회사 한 곳이 전국적으로 잘 알려진 기업에 매각됐다는 애널리스트의 발표가 난 직후에 열린 만찬 자리에서 데이비드는 기쁨에 들떠 동료들에게 고래고래 소리를 질러댔었다. "그래, 이거야! 이보다 더 좋을 수는 없지! 더도 말고 이만큼만 하면 돼!"

하지만 지금은 얼른 빠져나가서 다음 기회를 찾을 시점이었다. 거래가 성사된 덕분에 목돈이 생겼지만(연봉의 세 배에 이르는 수십 억 원이 주머니에 들어왔다), 이쯤은 더 큰 일을 도모하기 위한 디딤돌에 지나지 않았다. 데

이비드는 맡은 일, 그러니까 첨단기술이 더 발전된 하이테크로 대체되기 직전에 회사를 팔아넘겨서 투자 수익을 극대화하는 작업을 적극적으로 해냈다.

머릿속에는 항상 큰돈을 좇을 생각뿐이었다. 아내는 바닷가에 집을 짓고 싶어 했지만 그는 호숫가가 더 좋았다. 새로 얻은 집을 말끔히 고쳐서 들어갔다. 아이들도 잘 자랐다. 양가 부모들에게도 시내에서 멀지 않은 깔끔한 주택가에 집 한 채씩을 마련해 주었다. 가족들을 잘 부양하고 있는 것 같아서 기분이 좋았다. 데이비드에게는 그게 대단히 중요했다.

어린 시절, 아버지가 일자리를 얻지 못해 쩔쩔매고 온 식구가 몇 푼 안 되는 생활비에 기대 힘겹게 지내는 걸 보면서 나중에 어른이 되면 저렇게 살지 말아야겠다고 수없이 다짐했다. 부모에게서는 특별히 물려받은 게 없었지만 결국 자수성가해서 제법 출세를 했다. 그게 이미 세상을 떠나고 없는 아버지를 빛내는 길이라고 믿었다. 자식들한테는 한 점 불편한 게 없도록 해 주고 싶었다. 하지만 어머니는 진즉부터 이야기했다. "얘야, 이만하면 되지 않았니? 얼마나 더 크고 나은 회사를 찾아야 직성이 풀리겠니? 그러고 나면 뭐가 남는데?"

그때, 문이 열리면서 거래 파트너로 함께 일했던 인수회사 이사가 들어왔다. 자리를 잡고 앉더니 용건을 꺼냈다. "여보게, 난 자네가 여기 남아서 계약 기간을 다 채우면 좋겠네. 회사에서도 당장 프로젝트를 맡아 주길 바라고. 우리가 그쪽 회사를 사들인 게 좋은 거래였다고 판단하는 이유 가운데 하나도 자네가 있다는 점이었어. 자네는 명석하고 훌륭한 리더일세. 조건을 잘 맞추고 조절해서 이 회사를 잘 키워 보세. 지금으로서는 자네를 놔줄 수 없네."

데이비드는 한 해 더 일하고 싶은 마음이 조금도 없었다. 계약 조건이야 어찌 됐든 챙길 돈을 챙겨서 얼른 떠날 심산이었다. 주도권을 쥔 건 이편이었다. 머물 의사가 없다는 뜻을 분명히 하면 인수회사 쪽에서도 무작정 붙잡을 수만은 없을 터였다. 일단 마음이 떠난 뒤에는 제대로 일을 해낼 수 없는 법이다. 그렇지 않은가?

뜻을 굽힐 계획이 눈곱만큼도 없음을 통보한 지 일주일 만에, 데이비드는 수익금을 받아 들고 나와서 곧바로 〈포춘〉(Fortune)지가 선정한 500대 기업에 드는 회사의 근사한 사무실로 출근했다.

요즘 사람들은 '아이돌'(idol)이란 단어를 들으면 연예계를 먼저 떠올릴 듯하다. 유명 연예인들이 '십대 아이돌'이란 꼬리표를 달고 다니고, 어떻게든 이름을 알리고 싶은 후보자들이 오디션 프로그램에 나와 차세대 '아이돌'이 되기 위해 경쟁하는 장면을 흔히 볼 수 있는 까닭이다. 더러는 오지의 원주민들이 신상이나 그림을 세워 놓고 엎드려 절하는 모습을 떠올릴지 모르겠다.

그런데 이 단어를 일과 연결 지어 생각하면, 일중독에 빠지거나 게걸스러운 탐욕에 젖어 성공과 재물을 극심하게 숭배하는 이를 가리키는 수사적 장치가 된다. '아이돌'이란 단어를 이런 의미로 쓰는 게 문제 될 건 없지만 성경이 가리키는 신앙의 핵심을 이루는 강력하고도 보편적인 개념을 가장 극명하게 보여 준다는 데 주목할 필요가 있다. 세상에 두루 알려진 도덕률로 더할 나위 없이 강력한 영향력을 가진 십계명은 우상숭배에 관해 하나님이 제시하시는 지침에서 출발한다. "너는 나 외에는 다른 신들을 네게 두지 말라"(출 20:3).

다른 신들을 섬긴다는 건 무슨 뜻인가? 십계명은 이렇게 설명한다. "너를 위하여 새긴 우상을 만들지 말고 또 위로 하늘에 있는 것이나 아래로 땅에 있는 것이나 땅 아래 물 속에 있는 것의 어떤 형상도 만들지 말며 그것들에게 절하지 말며 그것들을 섬기지 말라"(출 20:4-5).

피조물 가운데 무언가를 가져다가 '절하기' 시작하면, 다시 말해서 사랑하고 섬기며 참 하나님보다 더 큰 의미를 둔다면 결국 대체물이나 모조품을 예배하는 셈이 된다. 실질적으로 우상을 떠받드는 건 마음이므로, '모양을 본떠서' 만든다는 말을 꼭 물리적인 차원에 한정해서 해석할 이유가 없다. 도리어 영적이고 심리적인 과정으로 보아야 한다. 오로지 하나님만이 주실 수 있는 지배권과 안전, 의미와 만족, 아름다움 따위를 제공해 줄 다른 무언가의 형상을 만들고 신앙하는 태도를 가리킨다. '좋은 것'으로 '궁극적이고 영원한 대상'을 삼는다는 뜻이다.

하나님이 주신 삶의 지침 가운데 첫머리를 장식할 만큼, 우상을 숭배하지 말라는 성경의 명령이 중요하다는 사실은 다들 알고 있다. 마르틴 루터는 그 누구보다 이 계명의 영향력을 정확히 파악하고 있었다. 루터는 피조물 가운데 무언가가 단 한 분 하나님만이 주실 수 있는 것을 제공할 수 있다고 믿고 바라는 행위를 우상숭배라고 정의했다. 따라서 신앙이 없는 이들도 저마다의 삶을 뒷받침해 준다고 믿는 어떤 이데올로기나 능력 같은 것들을 '신'으로 모시고 숭배할 수 있다고 주장했다.

하나님을 믿지 않았던 프랑스 철학자 루크 페리(Luc Ferry) 역시 누구나 "자신감을 가지고 생을 마주하며 두려움 없이 죽음에 직면할 방도를 찾는다"고 했다. 인류는 너나없이 인생을 잘 꾸려 나가고 있다는 확신을 심어 줄 무언가를 갈구한다. 앞의 예화에서 소개했던 데이비드는 콕 집어 그런 표현을 쓰지는 않았지만, 재정적인 안정과 성공을 어린 시절의 고단한 기억에서 '구원해 줄' 길로 보고 추구했던 게 아닌가 싶다.[1] 이는 십계명의 첫 조항이 함축하고 있는 의미와 정확히 들어맞는다. 하나님은 "너는 나 외에는 다른 신들을 네게 두지 말라"고 말씀하신다. 인생은 하나님을 주인으로 삼거나 아니면 다른 무엇에게 그 자리를 내주거나 둘 중 하나라는 점을 알아야 한다. 누구에게나 '구원'을 찾는 대상, 곧 신이 있다. 주님은 그 밖의 여지를 남겨 두지 않으셨다.

루터는 신구약 성경의 우상숭배 개념이 얼마나 조화롭게 맞물려 있는지 꿰뚫고 있었다. 구약성경은 상당한 지면을 할애해서 우상숭배 문제를 다룬다. 반면에 신약성경, 그중에서도 특히 바울서신은 그리스도와 하나가 되고 믿음으로 의로워지는 진리(스스로의 노력이 아니라 하나님의 은혜로 구원을 받는다는 사상)를 설파하는 데 집중한다. 루터는 우상을 세우는 마음가짐과 제 공로로 구원을 얻으려 애쓰는 자세가 본질적으로 하나임을 깨달았다. 루터는 한 논문(《Treatise Concerning Good Works》)에서 이렇게 밝혔다.

> 첫 번째 계명은 '너는 다른 신들을 두지 말라'고 명령한다. '오직 나만이 하나님이므로 너희는 온전히 나만을 확신하고, 의지하며, 믿으라'는 뜻이다. … 하나님과 … 그분의 사랑과 은혜, 선의를 항상 신뢰하지 않으며 주님의 은총을 다른 무언가나 자신에게서 찾는 이들은 하나같이 이 계명을 지키

지 않고 우상을 숭배하는 것이다. … 하나님이 우리를 너그러이 대하시며 기뻐하신다는 사실을 믿지 않는다면, 또는 건방지게도 다만 제가 하는 일을 통해, 또는 그로 인해 주님을 기쁘시게 하길 기대한다면 그건 처음부터 끝까지 기만이며 겉으로 주님을 경배하는 듯해도 속으로는 자신으로 거짓 신을 삼고 있는 것이다.[2]

루터는 여기서 하나님이 그리스도를 통해 우리를 있는 그대로 받아들여 주신다는 진리를 믿지 못하고 스스로 합리화하거나 의로움을 입증하려 한다면 우상숭배의 죄를 범하는 것이라고 주장한다. 종교인들은 윤리적 덕성이나 예배 행위, 사역 따위에서 '사랑과 은혜, 선의'를 구하는 반면, 세상 사람들은 권력을 손에 넣거나 큰 기쁨을 누리는 데서 찾으려 한다. 그러나 어느 쪽이든 기본적으로 내면에서 벌어지는 일들이라는 점에서는 차이가 없다. 저마다의 방식으로 거짓 신에게 마음을 주고 있는 것이다.

아테네에 들어간 바울은 "그 성에 우상이 가득한 것을"(행 17:16) 보았다. 여기서 사도는 사실상 물리적인 대상들을 이야기한다. 그러나 오늘날은 어떠한가? 우상숭배의 성경적인 정의에 비추어 세상을 보면 온 도시와 모든 이들의 마음에 우상들이 가득함을 알 수 있다. 문자 그대로 어디에나 우상이 판치고 있다.

우상은 침투력뿐 아니라 파괴력 또한 막강하다. 십계명이 우상숭배 금지 규정에서 시작하는 까닭이 어디에 있다고 보는가? 루터의 주장의 따르면, 첫 번째 계명만 잘 지키면 나머지 계명들을 어길 일이 없기 때문이다. 예를 들어, 업무상 거래를 하면서 조금만 속임수를 쓰면 한 점 숨기는 것 없이 투명하게 상대할 때보다 훨씬 유리하겠다는 판단이 들었다 치자. 그래서 협상 테이블에 앉아 거짓말을 하거나 불편한 진실을 애매한 말로 가린다면, 그건 하나님께 순종하거나 마주한 '이웃'의 유익을 앞세우기보다 스스로 성공하는 걸 더 중요하게 여기기 때문이다. 그러므로 거짓말하는 죄의 밑바닥에는 우상숭배라는 더 교묘하고 근원적인 악이 깔려 있는 법이다. 올바르지 않은 일(몰인정한 행동, 부정직한 말, 깨트려 버린 약속, 자기중심적인 태도)들은 어김없이 마음 속 깊은 데 자리 잡은 확신에서 비롯된다. 하나님의 사랑보다 더 결정적으로 삶의 행복과 의미를 좌우하는 요소가 따로 있을 것이라는 믿음이다.

우상숭배는 마음을 지배하는 힘이 있으므로 행동 또한 통제한다. 스물두 살 청년 앤드류(Andrew)는 직장을 나와 빈털터리로 지낸다. 창고에서 상자를 나르는 일을 계속하다가는 평생 그 모양 그 꼴로(기껏해야 푼돈이나 벌고, 남들이 다 피하는 일을 하고, 친구들 사이에서 '괜찮은 놈'이란 평판을 잃어버리고, 나중에는 여자 친구까지 놓칠지 모르는) 살게 될 것만 같아 두려웠기 때문이다. 야구를 하고 싶었다. 한두 해 된 꿈이 아니었다. 야구를 잘해서 특기생으로 대학에 들어가기만 하면 삶이 술술 잘 풀려 나갈 것 같았다. 이처럼 우상을 발판으로 소망을 품으면 늘 자신에게 속삭일 수밖에 없다. "이러저러한 것만 손에 넣으면 만사에 자리가 잡힐 거야. 그때쯤에는 정말 값진 인생이란 생각이 들겠지."

무언가가 '구원'이 된다면 어떻게 해서든 붙잡아야 한다. 여기엔 타협의 여지가 없다. 그걸 빼앗길 것만 같은 환경이 되면 주체할 수 없을 만큼 겁이 나서 옴짝달싹하지 못한다. 무언가, 또는 누군가가 낚아채 가기라도 하면, 깊은 절망감에 사로잡힌 채, 분노와 괴로움에 몸부림친다.

## 문화적이고 집합적인 우상

지금까지 한 사람 한 사람의 삶을 뒤틀리게 만드는 개인적인 우상들을 다루었다. 인류에게는 지위와 권력, 인정과 성취, 로맨스와 성적인 쾌락, 풍요와 위안에 끌리는 '원초적 본능'이 있다. 개인적인 우상들은 노동을 비롯한 인간의 행동을 광범위하게 자극하고 빚어낸다. 위안과 쾌락의 우상은 충실하고 생산적인 직장 생활을 꾸려 나가기에 부족함이 없을 만큼 열심히 일하는 걸 거의 불가능하게 만든다. 반면에 권력과 인정의 우상은 업무에 지나치게 매달리거나 무자비하고 균형을 잃은 방식으로 작업하도록 이끌어 간다. 지배의 우상에 사로잡힌 이들은 강박적이다시피 걱정이 많고, 신뢰가 부족하며, 사소한 것까지 시시콜콜 간섭하는 태도 따위의 심각한 양상을 보인다. 대개 자신의 우상은 전혀 보지 못하지만 남들이 어떤 우상을 섬기는지, 그리고 그 '가짜' 신들이 어떻게 근심과 분노, 낙담에 빠지게 몰아가는지는 금방 알아본다. 따라서 개인적인 우상은 파악하기가 어렵지 않다.

그러나 개인적으로뿐만 아니라 집합적으로도 우상은 죄와 문제가 싹트는 온상이 된다. 누군가 우상을 만들고 섬기면 심리적으로 왜곡이 일어나고 골치 아픈 사태들이 벌어진다. 이와 달리 가족과 집단, 국가가 우상을 세우고 예배하면 사회문화적인 난제가 꼬리를 물게 된다.[3] 문화적, 또는 '집합적인' 우상이란 개념을 이해하려면, 우선 문화에 관해 제3장에서보다 훨씬 더 정밀하게 설명할 필요가 있다. 컬럼비아대학의 앤드류 델반코(Andrew Delbanco) 교수는 이렇게 말한다.

> 나는 문화라는 말을 무의미한 세상에서 살아간다는 우울한 의혹을 지워버리려 애쓰는 이야기와 상징이라는 의미로 사용할 것이다. … 그러므로 미국에서 어떤 희망의 역사를 쓰든지 끈덕지게 소망에 따라붙는 이 동반자, 다시 말해서 무언가를 얻고 소비하는 일이라는 게 죄다 죽음을 기다리는 사이에 꼼지락거리는 몸짓에 지나지 않는다는 음침한 의혹을 위한 여지를 비워 놓아야 한다.
>
> 모든 문화는 '세상의 사소한 관심사에 매이기보다 더 광대한 삶에 속해 있다는 존재감'을 통해 윌리엄 제임스(William James)가 '이상적 힘'(ideal power)이라고 부르는 것과 접촉할 필요성을 가지고 있다.[4]

어떤 문화든, "살면서 무얼 이루고자 하는가? 인생에서 무얼 얻고 또 소모하며 또 어디를 바라보고 사는가?"와 같은 전도서의 질문들에 대한 답변들이 한 묶음씩 내포되어 있다. 이처럼 거대한 물음에 답하지 않고는 세상을 살며 이런저런 결정을 내리는 게 불가능하다. 모든 문화의 밑바탕에는 이런 질문들에 어떻게 대답하느냐를 두고 구성원들끼리 합의한 정신이 깔려 있다. 개개인이 이렇게 무언가를 목표로 두고 살아야 하는 존재인 것처럼 사회도 마찬가지다. 달리 표현하자면, 인간 사회는 예외 없이 그 구성원들 앞에 삶의 의미를 줄 수 있을 법한 사상이나 가치를 내놓게 마련이다.

프리드리히 니체(Friedrich Nietzsche)는 어느 사회든 거기에 속한 이들에게 '이상'을 제시한다는 주장에 공감한다.[5] 고대 문화들은 백성들에게 하나님(또는 신), 가족이나 부족, 또는 국가를 위해 살라고 요구했다. 현대사회들은 종교와 전통의 권위를 거부하고 그 빈자리를 이성과 개인의 자유로 채웠다.

니체는 주로 현대 문화를 파고들었지만, 사실상 모든 문화가(스스로 정의한 '세속' 문화까지도) 구성원들에게 고귀하고 의미 있는 인생을 사는 데 반드시 필요한 윤리적 절대기준과 초월적 가치를 내세운다고 주장했다. 그러나 성경적인 관점에서 보자면, 이러한 문화적 이상들은 영락없는 우상이다. 단순히 훌륭한 생각 정도로 추천하는 게 아니라 신성불가침한 사상으로 대접하며 열의와 열정을 가지고 권장하며 행복과 만족(세상적인 형태의 구원)을 준다고 홍보한다. 누구나 그 이상을 섬겨야 하고 만에 하나, 경멸했다가는 당장 배척을 당한다. 고대 문화는 그렇게 떠받드는 신을 받아들이지 않는 이는 누구든 가차 없이 추방해 버렸다. 반면에 오늘날 문화는 편협하게 생각되거나 평등이라든지 개인적인 자유의 적처럼 보이는 이들에게 혹독한 비판을 퍼붓는다.[6]

이처럼 문화마다 고유한 우상을 가지고 있다면 일하는 방식에는 어떤 영향을 미쳤을까? '좋은 것'으로 '궁극적이고 영원한 대상'을 삼는 게 우상이라는 점을 감안하면, 집합적 우상이란 '훌륭한' 문화 특성을 지나치게 강조하고 절대화하는 걸 가리킨다고 볼 수 있다. 문화들이 제각기 초점을 맞추는 강조점들은 일에 유익을 끼치기도 하지만 동시에 치명적인 왜곡을 일으킬 수도 있다는 사실을 인정해야 한다. 유익한 측면을 확장하고 과도하거나 왜곡된 면을 보완하자면 직업, 또는 산업 속에 뿌리를 내리고 영향을 미치는 우상의 형태를 분간해 내야 한다.

그렇다면 세상에는 어떤 집합적이고 문화적인 우상들이 있는가? 신념이나 사상을 말하다 보면 어쩔 수 없이 보편화시킬 수밖에 없는 한계가 있다. 이를 전제로, 지금부터 역사적으로 서방세계를 지배했던 세 가지 문화(전통, 현대, 포스트모던)를 훑어보려고 한다. 어느 분야에서 일하든 이들이 뒤섞인 문화적 우상들과 마주치는 걸 피할 수 없다. 주류를 이루는 제도와 기관들의 설립자와 영웅들, 리더와 개혁자들에게 대단히 다양한 형태로 자자손손 대를 이어 영향을 미쳐 왔기 때문이다.

### 전통문화의 우상들

방금 말했듯이, 과거와 현재의 전통문화들은 주로 전승과 종교를 통해 체득하는 윤리적 절대 기준이 존재한다는 관념을 가지고 세상을 이해한다. 지혜는 부모나 제사장, 통치자처럼 권위를 가진 인물들의 입을 거쳐 한 세대에서 다음 세대로 전수된다. 이러한 문화들은 구성원들에게 공동체 안에서 아들과 딸로서, 아버지와 어머니로서, 부족원과 국민으로서 저마다 맡은 역할과 의무를 받아들이고 성실하게 완수하면 의미 있는 삶을 살 수 있다고 가르친다. 자연히 가족과 인종, 국가라는 개념이 위태로우리만치 중요해진다.

이는 가문의 이름을 더럽혔다는 지적을 받는 식구를 다른 가족이 살해하는 이른바 명예살인의 사상적 근거가 된다. 이처럼 가족의 가치를 높이 떠받들다 보니 전통문화가 지배적인 사회에서는 학대받는 여성이나 자녀들을 지원하고 보호하려는 움직임이 약할 수밖에 없다. 제2차 세계대전 당시, 일본군이 연합국 포로들을 경멸했던 까닭도 납득할 수 있다. 나라보다 제 한 목숨을 아끼느라 죽기까지 싸우지 않았으니 그런 대접을 받아 마땅하다고 여겼던 것이다. 현대 서구사회 시민들로서는 이 모두가 도무지 이해할 수 없는 관습처럼 보일 것이다.

그럼에도 불구하고 서구사회는 인종, 또는 인종차별이라는 우상과 아직까지도 치열한 싸움을 계속하고 있다. 미국 신학자 라인홀드 니버는 남이야 어찌 되든 자신의 종족이나 국가의 이해를 앞세우는 성향은 죄에 물든 인간의 마음에서 비롯된 '우주적 불안정'(cosmic insecurity)에 뿌리가 있다고 보았다.[7] 불안한 탓에 인종이란 이슈를 택해서 스스로의 가치를 확인하고 강화하려 한다는 것이다. 지극히 도덕군자 같은 용어를 구사하며 자신이 속한 문화와 다른 문화 사이의 차이를 부각시킨다. 다른 인종을 낮춰 보아야 자신이 우월하다는 의식을 가질 수 있기 때문이다. 결국 국가안보라든지 문화적, 인종적 순수성을 부르짖으며 군국주의와 지역차별, 또는 소수자의 어려움에 냉담한 행태들을 정당화하는 게 얼마든지 가능해진다.

상대적으로 전통성이 강한 지역과 문화에서 벌어지는 우상숭배는 적잖이 일에도 영향을 준다. 인종의 우상이 지배한다는 건 수많은 일거리들이 문화적으로나 인종적으로 다른 배경을 가진 이들과 사상의 진입을 허용하지 않는다는 뜻이 될 수도 있다. 이는 회사의 경쟁력은 물론 공동체의 건강에도 손상을 입힌다. 국수주의의 우상은 기업가들을 군국주의 프로그램으로 끌어들인다. 당시에는 애국적인 결단으로 비쳐질지 모르겠지만 궁극적으로는 평판을 쑥대밭으로 만들었다는 사실을 뒤늦게 깨닫고 후회할 것이다.

전통문화는 사회적인 안정과 공익을 우상으로 삼고 개인의 권익을 뒷전으로 친다. 이러한 성향은 비즈니스 관행에도 파장을 미친다. 아직도 전통문화의 그늘이 널리 드리워 있는 일본에서는 노동자가 더 많은 급여를 바라고 이 직장 저 직장 옮겨 다닌다든지, 기업이 수익 구조를 지키기 위해 근로자들을 정리하는 걸 정당한 행위로 받아들이지 않는다. 2000년대로 접어들기 전까지 일본인들의 이상은 '평생 고용'이었다. 일단 직장에 들어가면 거기서 평생을 보내고 퇴직하기를 기대할 수 있었다. 전통문화 속에서는 이윤을 추구하려는 동기와 구성원들에게 일자리를 보장해야 한다는 사회적 의무가 반드시 붙어 다녔다. 노동자들 또한 급여보다 고용된 회사의 지위와 명성에 더 신경을 썼다.

물론 충성과 사회적 안정을 강조하는 가치관에도 유익한 일면이 있다. 반면에 툭하면 '서구문화권의 근로자들처럼 임금 인상과 복지 확대만을 요구한다는 비판'이 나오는 데서 보듯, 노동자들이 착취당하는 사태를 불러오는 것 또한 엄연한 사실이다. 뿐만 아니라, 불황기에는 경제적으로 재앙에 가까운 난국을 초래하기도 한다. 〈뉴욕타임스〉는 "일본, 평생 고용을 보장하는 이상 탓에 값비싼 대가를 치르다"라는 기사를 실었다. 1992년 경기 침체기를 맞은 미국의 회사들은 인력을 감축해서 단기간 안에 재정적인 건전성을 회복했으며 그 덕분에 장기적으로는 더 많은 이들에게 일자리를 제공할 수 있었다고 설명했다. 반면에 일본인들이 품었던 이상은 기업들을 완전히 파산시켰으며 국민들의 삶에 더 심각한 손상을 입혔다. 전통문화의 영향으로 정리해고라는 매정한 조처를 취하는 걸 몹시 부담스러워했기 때문이다.[8]

## 현대 문화의 우상들

지금으로부터 대략 5백여 년 전에 서구사회에 엄청난 변화의 바람이 불었다. 과학이 발전하고 계몽주의라는 철학 사조가 힘을 얻으면서 현대사회는 종교니, 부족이니, 전통이니 하는 우상들을 끌어내리는 대신 이성과 경험, 개인의 자유 따위를 세계관 전반을 지배할 궁극적 가치로 떠받들기 시작했다.

'이성'이라는 현대적 가치에는 몇 가지 요소들이 포함되어 있다. 우선, '과학과 기술의 중단 없는 전진을 통해 구현되는' 진보라는 이상이다. 현대인들은 "과학과 기술이 발달할수록 행복한 시대가 가까워지며 역사와 정치가 올바른 궤도를 찾게 될 것"[9]이라는 신념을 받아들였다. 흔히들 과학만이 단순한 추측이나 감정이 아니라 증거를 바탕으로 결과를 끌어내는 철저하고도 실증적인 방법이라고 말한다. 아울러 현대적인 세계관으로 보자면 모든 현상은 자연적이므로 반드시 물리적인 원인이 있게 마련이다.

이러한 관점은 대중적인 차원에서 여전히 막대한 문화적 권위를 지니고 있다. 대다수 현대인들은 객관적이고 반박할 수 없는 '과학적 증거'가 없이는 공개석상에서 의견을 내놓지 않는다. 충분한 시간만 주면 과학이 그동안 제기된 모든 질문에 답안을 내놓고 온갖 문제들 또한 해결할 수 있으리라는 게 현대인들의 지배적인 견해다.[10] 과학적 방법론들은 물리학과 사회학을 넘어 마케팅, 정치, 연예오락 분야까지 파고들었다. 현대 문화는 고대의 지혜나 종교적인 권위자들의 계시 따위에는 눈길을 주지 않는다. 예외가 있다면 개인적으로 '심령의 위안'이 필요할 때뿐이다. 풍요로운 사회를 건설하기 위해서는 오로지 과학적인 방법으로 찾아낸 인간의 이성이 필요할 따름이다.

인간 이성에 대한 이처럼 절대적인 새 소망은 개인의 자유를 절대화하는 흐름과도 긴밀한 관계가 있다. 현대사회는 더 이상 세상을 모두가 반드시 따라야 할 진리가 결합된 도덕적 표준이 존재하는 공간으로 보지 않는다. 도리어 저마다 살고 싶은 삶을 선택할 개인의 권리보다 더 고귀한 기준은 없다고 주장한다. 도덕적으로 비난받아 마땅한 잘못이라고는 누군가가 만족스러운 인생을 살지 못하게 가로막는 행위가 전부다. 최종적인 권위를 갖는 도덕률이라든지 개인의 행복을 뛰어넘는 고상한 동기 따위는 어디에도 없다는 뜻이다.[11] 수많은 이들이 지적하는 것처럼, 이런 사고방식은 '선택'과 감정을 신성하고 거룩하게 여기게 만든다. 오늘날의 세계에서는 "개인이 우주의 중심이며 그 무엇과도 비할 수 없을 만큼 절대적인 존경의 대상"[12]이다. 다시 말해서, 인간이 스스로 하나님을 대신하게 되었다는 뜻이다.

현대 문화의 우상은 이 시대의 노동 형태에도 커다란 울림을 주었다. 전통사회에서는 저마다의 이해와 꿈을 접어두고 하나님이나 가족, 이웃 같은 더 고상한 동기를 좇아 헌신하는 데서 개인의 의미와 가치를 찾았다. 그러나 현대사회에서는 개인의 관심사와 욕구보다 더 큰 동기를 찾을 수 없는 경우가 허다하다.

이러한 변화는 인간의 삶에서 노동이 차지하는 역할도 크게 바꿔 놓았다. 일은 이제 자신을 규정하는 수단이 되었다. 전통문화는 누구에게나 자연이나 관습이 부여해 준 사회 계층이 있다고 보는 경향이 있었다. 가정마다 '고유한 지위'가 있다고 생각한 것이다. 그런 시각은 저마다의 달란트와 포부, 열매 맺는 인생을 가꾸기 위한 열심 따위에 큰 비중을 두지 않는다. 이와는 달리 현대사회는 자율적인 인간의 가치를 지나치게 크게 평가한다. 철학자 루크 페리는 현대사회에 새로이 등장한 개인주의가 일에 미치는 파장을 이렇게 분석했다.

> 귀족적인(전통적인) 세계관으로 보자면, 일이란 일종의 흠결이었다. 말 그대로 노예들에게나 적합한 굽실거리는 행위쯤으로 여겼던 것이다. 반면에 현대적인 시각으로는 자기실현의 무대, 즉 자신을 수양할 뿐만 아니라 완성하는 마당이 되었다. … 노동은 인간의 특징적인 활동으로 자리 잡았다. … 인간의 목표는 세상을 다시 빚어서 자신을 창출해 내는 데 있다.[13]

이렇게 개인주의라는 현대의 우상은 일을 '좋은 것'에서 일종의 '구원'으로까지 격상시킨다. 아울러 이성과 경험의 우상은 예전보다 생산성을 끌어올리라는 압박을 주어서 노동 강도를 높이게 만든다. 19세기 말, 프리데릭 테일러(Frederick Taylor)는 생산의 '합리화'를 골자로 하는 이른바 '과학적 관리'[14] 기법을 개발해 냈다. 작업 과정에 과학적인 방식을 엄격하게 적용해서 효율을 극대화시키겠다는 구상이었다.

테일러의 방식을 도입한 당시 공장의 노동자들은 맹렬한 거부반응을 보였다. 재량권과 주도권을 빼앗긴 탓에 인간으로서의 존엄성을 박탈당한 채 노예 신세로 내몰렸다는 느낌이 강했다. 테일러의 시스템은 과업을 단순하게 만들고, 표준화시키며, 최대한 획일화시키는 걸 높이 평가했다. 숱한 전문가들의 말마따나 기계나 다름없는 노동 방식이다.

테일러의 접근 방식을 앞장서 비판했던 피터 드러커(Peter Drucker)는 작업을 극단적으로 합리화하는 방식이야말로 인간을 기계의 톱니바퀴로 취급하는 행태라고 설파했다. "기계는 가능한 한 가장 단순한 단일 작업을 반복적으로 수행할 때 가장 잘 돌아간다. … 하지만 인간은 … 비할 데 없이 엉터리로 설계된 기계다. 서로 조합해 주어야 뛰어난 성능을 보이기 때문이다."[15]

현대의 우상들은 오늘날의 노동 현장에 긍정적인 영향을 미치고 있는가? 어느 정도까지는 그렇지만 궁극적으로는 부정적인 영향이라고 답할 수밖에 없다. 현대의 우상들은 예전의 문화에 존재했던 것과는 다른 몇 가지 부류의 일에 더 큰 존엄성을 부여한다. 성경이 노동에 향해 표현하는 깊은 존경에 가까운 듯 보이지만 어느 모로 보든 지나친 면이 있다. 현대인들은 과거에 비해 한결 유능하고 생산적이 되었지만 이러한 진보를 이루기 위해 너무도 큰 대가를 치렀다. 개인적으로 내 조부의 경험은 오늘날 선과 악이 뒤섞여 존재하는 노동의 세계를 단적으로 보여 주는 좋은 사례다.

1880년 전통적인 문화가 지배하는 이탈리아의 도공 집안에 태어난 할아버지는 부친(증조부)에게 가업을 잇지 않겠노라고 선언했다. 하지만 사회가 층층이 나뉘어 있으므로 다른 직업을 얻는 건 고사하고 옆 동네로 이사하기조차 불가능할 거란 대답이 돌아올 뿐이었다. 조부는 거기에 반발해서 1897년, 아메리카 대륙으로 이주했다. 고향에서는 꿈조차 꾸지 못했던 사회 이동이 가능할 만큼 미국은 무척 현대화된 사회였다. 조부는 뉴욕시 지하철에서 일하기 시작했다. 근로 조건은 가혹하기 짝이 없었다. 높은 생산성을 요구하면서 안전은 보장해 주지 않았다. 고향 마을에서라면 결코 있을 수 없는 상황이었다. 작업 현장에서 하마터면 다리 한 쪽을 잃을 뻔한 사고를 당한 뒤에 델라웨어 주 윌밍턴으로 이주했으며 제힘으로 푸줏간을 열었다. 그 또한 고향 마을에서는 있을 수 없는 일이었다. 할아버지는 마침내 새로운 나라에 자리를 잡았다. 현대 문화의 바람을 타고 자유를 얻었으며, 시련에 부딪혔고, 다시 일어섰다.

## 포스트모던 문화의 우상들

19세기 후반, 철학자 프리드리히 니체의 작품이 나오면서 서구사회 전반에 문화적 변환 움직임이 일기 시작했다.[16] 니체는 세계대전의 공포가 세계를 휩쓸기 훨씬 전부터 과학이 반드시 인류의 진보를 이끌어 낼 것이라는 사상(신흥종교의 사이비 신앙)은 우상에 지나지 않으며 현실적인 근거가 전혀 없다고 선언했다. 과학은 단지 대상이 무언지를 알려 줄 뿐, 어떻게 되어야 하는지에 대해서는 일언반구 말이 없다고도 했다. 인간은 친절하고 이타적인 자질을 갖추고 있지만 또한 잔인하고 폭력적이 될 수도 있다. 과학은 다만 권력을 수중에 넣은 이를 위해 봉사할 따름이다. 니체의 이론에 따르면, 과학이 어느 정도 더 나은 세계로 안내하리라고 생각하는 건 턱없는 확신에 불과하다. 오히려 무력 충돌이나 환경 파괴, 과학기술을 강력한 사회통제 수단으로 악용하는 독재자의 출현으로 암울한 미래가 펼쳐질 공산이 더 크다.

니체는 이성과 과학이라는 현대의 우상뿐만 아니라 개인의 권리와 자유라는 새로운 윤리도 두들겨 댔다. 특히 현대적 세계관이 가진 모순점들을 맹렬하게 공격했다. 우리 시대의 문화는 절대적인 도덕률이란 존재하지 않으며 너나없이 옳고 그름에 관한 기준을 스스로 잡으라고 주장하지만, 돌아서기가 무섭게 인권을 보장하고 인간의 자유와 존엄을 존중해야 한다고 가르친다. 하지만 니체는 묻는다. "어디에 기초를 두어야 하는가?" 절대적인 윤리 기준이 없다면 어떻게 개인은 독단적으로 그런 표준을 세우고 주장할 수 있는가? 인간도 곰팡이나 자갈과 마찬가지로 자연적인 공정의 산물이라면 모두가 평등하고 존엄하게 대접받아 마땅할 이유가 무어란 말인가?

몹시 심란하기는 하지만, 니체의 주장은 핵심을 짚고 있으며 19세기에 벌어진 갖가지 재난들과 잔혹 행위는 그 판단이 정확했음을 뒷받침하는 것처럼 보인다. 결과적으로, 서구사회에는 과학이니 진보니 인간의 자유니 하는 요소들에 대한 현대적 낙관주의의 해묵은 잔재와 더불어, 기독교를 비롯한 전통적인 세계관의 잠재적인 영향력이 선명하게 남아 있다. 그럼에도 불구하고, 이른바 '탈근대적 선회'라는 침투성 강한 변화의 움직임이 진행되어 왔다. 이러한 흐름은 일관성을 가진 일련의 사상 체계라기보다 일종의 분위기에 가깝다. 사회를 염두에 둔 일체의 가설과 계획을 냉소적인 시각으로 바라본다. 전통적인 관념은 물론이고 현대적이고 자유주의적인 개념에 대해서도 마찬가지다. 20세기 중반만 하더라도 영화나 소설들은 보건과 교육, 과학지식, 사회적 화합이 끊임없이 진보하는 인간 사회를 자주 그렸다. 그러나 오늘날에는 거의 모든 영화와 소설이 비관적인 쪽으로 흘러가며 갖가지 반이상향적인 결과들을 묘사한다.

문화에서 우상을 제거하려는 니체의 프로그램에도 불구하고, 포스트모던 사상은 현실 그 자체에서 우상을 빚어낸다고 꼬집는 목소리가 높다. 에드워드 닥스(Edward Docx)는 "포스트모더니즘은 죽었다"(Postmodernism Is Dead)라는 글에서 그 진수를 보여 준다. 닥스는 포스트모더니즘 이론가들의 말처럼 도덕적인 주장들이 정말 권력놀음에 지나지 않으며 한 인간이 사회 문화적으로 차지하는 위치의 산물에 불과하다면, 사회 현실을 비판한다는 게 불가능해진다고 지적했다. 아무도 부당한 점들을 개혁하거나 고발하는 프로그램을 조직하지 못하리라는 것이다. 포스트모더니즘은 현재의 실재를 소중히 떠받드는데, 그게 바로 절대적인 기준이 아니고 무어란 말인가![17]

니체와 포스트모더니즘의 열매들을 더할 나위 없이 탁월하게 비평했던 독일의 철학자 마르틴 하이데거는 현대인들을 '테크놀로지의 세계'로 부르면서 현대 문화의 우상들을 짚어 냈다. 루크 페리는 하이데거의 논지를 이렇게 설명한다.

> 다른 건 다 제쳐두고라도, 기술은 목적이 아니라 수단을 중요하게 여긴다. … 우리 시대의 경제는 초월적인 개념에서 영감을 얻기보다 … 다윈주의자들이 주장한 자연도태 이론에 따라 돌아간다. … (오늘날) 그 누구도 이처럼 차고 넘치는데다 아직도 분열을 계속하고 있는 진화의 욕구가 … 어김없이 더 나은 세상으로 이끌어 주리라고 장담할 수 없다. … 생명의 역사가 시작된 이래 처음으로, 특정한 생명종이 지구 전체를 파괴할 수 있는 도구를 갖게 되었지만, 이 생물들은 세상이 어디로 흘러가는지조차 알지 못하고 있다.[18]

하이데거와 닥스뿐만 아니라 자크 엘룰[19]을 비롯해 수많은 학자들은 과학기술과 불확실성, 시장이 포스트모더니즘 사회의 우상이 되었다고 말한다. 포스트모더니즘 사회에서는 아무도 인류의 보편적인 '목적'이나 목표 따위를 주장하거나 거기에 동조할 수 없으므로 가진 건 오로지 '수단'이나 기술뿐이다. 건전한 인생이나 바람직한 인간 사회에 도달하고자 하는 꿈이 없으므로 저마다 권력을 소유하려는 개인적인 경쟁만 남는다. 기술의 힘으로 할 수 있는 일이 있으면 무엇이든 하게 되어 있다. 과학의 앞길을 안내하고 한계를 지어 줄 더 고상한 이상이나 윤리적 가치가 설 자리가 없기 때문이다.

'탈근대적 전환'과 더불어 시작된 사회 분열의 결과는 그 자체로 학계에서 광범위한 논쟁을 불러일으키는 핫이슈가 되고 있다. 로버트 벨라와 앤드류 델반코는 응집력 있는 사회가 되려면 '자신'보다 더 크고 위대한 삶의 목표를 제공해야 한다고 입을 모은다. 델반코는 아이러니하게도 1960년대를 풍미했던 뉴레프트와 1980년대를 휩쓸었던 뉴라이트가 "나란히 손을 잡고 말초적인 만족을 바람직한 삶의 특질로 여기는 풍조를 만들어 냈으며 … 그 과정에서 눈물, 희생, 심지어 죽음 같은 공동 운명체적인 개념들을 잃어버리고 말았다"[20]고 꼬집었다.

수많은 학자들이 그러하듯 델반코 역시, 포스트모더니즘의 우상들은 한 사람 한 사람을 "언제라도 변할 수 있는 시장 상품에 맹목적으로 순응하는 광고 회사의 순진한 먹잇감"[21]으로 만들어 버릴 것이라고 진단한다. 허다한 작가들도 시장의 가치(소비 지상주의와 비용 대비 효과 같은)가 가족을 포함해 삶의 전 영역에 스며들었다고 확신한다. 이는 현대 자본주의가 더 이상 재화와 용역을 분배하는 유용한 수단에 그치지 않고 절대적인 신으로 군림하게 되었기 때문이다.[22] 미국처럼 자본주의가 성공적으로 뿌리를 내린 사회에서조차 문화적 모순을 인정하는 이들이 많다. 소비 지상주의가 자본주의의 모태가 되었던 자기통제와 책임이라는 미덕을 갉아먹는 성향이 있다는 것이다.[23]

이러한 시대적 분위기와 세계관의 전환은 오늘의 일에 어떤 영향을 미치는가? 헤지펀드업계에서 개척자적인 인물로 인정받는 80대 노인과 이야기를 나눈 적이 있다. 노인은 1950년대 후반부터 1960년대 말까지는 이른바 똑똑하고 '잘나간다는' 젊은이들은 대부분 교육과 과학 분야에 진출하기를 원했으며 금융서비스 쪽으로 눈을 돌리는 경우는 거의 없었다고 했다. 다음 세대를 가르치고 달 위에 인간을 올려놓으며 국제 기아 문제를 해결하는 데 관심을 두었다. 당시에는 얼마든지 그럴 수 있다는 목소리가 주류를 이루었다. 1980년대가 저물어 갈 무렵, 사회가 변해가는 기운이 감지됐다. 사회가 진보할 거란 낙관적인 시각이 줄어들고 진보가 무엇이냐를 두고도 의견이 갈렸다. 문화 전쟁을 거치면서 분열이 일어났으며 냉소주의가 확산됐다. 야심과 재주를 가진 이들은 경영이나 금융 쪽으로 진출하고 싶어 했다. 높은 연봉을 받는 직장을 가져야 만족스럽고 자유로운 삶을 살 수 있다는 인식에서 비롯된 현상이었다. '건전하지 않은 발상'이라는 지적은 어김없는 진실이었다. 노인은 철학자와 전문가들의 분석에 공감하면서도 이데올로기의 흐름을 좇기보다 그 변화가 구체적으로 어떻게 젊은이들의 직업 선택에 영향을 주었는지 설명했다. 적잖은 세월을 살아왔으므로 노동의 관념이 현대적인 관점에서 탈근대적인 시각으로 넘어가는 추이를 개괄하기에는 부족함이 없었다.

2008년 경기후퇴와 그 후유증을 겪는 시기에 드러난 금융 회사들의 광범위한 기만과 사기, 또는 이기적 행태들은 포스트모더니즘의 '목적 없는 수단'이란 우상이 낳은 가장 확연한 성과라고 할 수 있다. 내오미 울프(Naomi Wolf)는 영국의 일간지 〈더 가디언〉(The Guardian)에 기고한 글에서 2012년 6월과 7월 동안 주요 신문의 헤드라인들을 열거했다.

"버클리스(Barclays Bank)를 비롯한 주요 은행 이율 담합."

"HSBC 은행 그룹에 10억 달러의 과징금, 2004년부터 2010년까지 자금

세탁을 방치한 혐의 - 돈 세탁을 적극적으로 막지 않는 것 자체가 엄청난 수익을 내는 사업."

"페레그린 캐피털(Peregrine Capital)에서 고객 돈 2억 1,500만 달러 '증발'. 자살을 기도한 설립자 형사 기소 방침."

"신용 등급이 똑같아도 흑인과 히스패닉 고객들의 비우량 담보대출에 백인보다 더 높은 이율을 적용한 혐의로 자동 기소됐던 웰스 파고(Wells Fargo), 과징금 1억 7,500만 달러 납부에 동의."

BOA(Bank of America)와 선트러스트(SunTrust)도 동일한 이유에서 벌금을 부과 받았다. 2008년의 경기침체는 두말할 것도 없이, 낮은 내재가치를 감추는 방식으로 그럴듯하게 포장해서 주택 담보대출을 판매해서 엄청난 이윤을 올린 은행들에서 비롯된 사태였다.

울프가 쓴 이 장황하면서도 서글픈 기사의 결론은 발문에서 찾을 수 있다. "미디어의 '미꾸라지 한 마리' 타령은 더 이상 통하지 않는다. 금융계의 구조적인 부패, 그리고 체계적인 결탁을 두 눈으로 똑똑히 확인했기 때문이다."[24]

정치적으로 자유주의적인 성향을 지닌 이들은 '목적 없는 수단'이란 포스트모더니즘의 우상이 비즈니스 세계를 장악했음을 금방 알아챘다. 하지만 그이들조차도 가족과 사회에서 맡은 역할이 아니라 소비자로서의 기능에서 자아감을 얻는 게 더 큰 문제임은 인식하지 못했다. 현대인들은 브랜드 선택을 통해 페르소나를 창출하고 스스로 온라인에 정체성을 구축하라는 속삭임을 끊임없이 들으며 산다.

이러한 현상은 특히 미디어, 연예, 마케팅 쪽에 짙은 그늘을 드리웠다. 상품이 주는 유익을 홍보하는 데서 소비자들에게 정체성을 세워 주고 질 높은 삶을 약속하는 라이프스토리를 전하는 방향으로 전반적인 흐름이 바뀌고 있다. 이에 대해 개인적으로는 마케팅과 광고 부문에서 활동하는 교회 식구들과 여러 차례 이야기를 나누었다. 예일대학 철학과 니콜라스 월터스토프(Nicholas Wolterstorff) 교수는 '행복한 삶'의 기준을 두고 현대 문화는 '잘 되어 가는 것'으로 정의하는 반면, 고대 문화는 성품과 용기, 겸손, 사랑, 정의 따위의 요소를 고루 갖추고 '잘 사는(경험적인 즐거움이 가득한) 것'으로 규정한다고 말한다.[25] 그러므로 마케팅과 홍보 일을 하는 이들로서는 상품이 멋지게 작동할 뿐만 아니라 행복을 가져다준다고 선전할 수밖에 없는 형편이다.

한번은 홍보 회사의 남녀 중역과 이야기를 나누었다. 둘 다 회사를 그만둘 생각을 하고 있었다. 여성이 일하는 회사는 주요 거래처가 딱 둘뿐이었는데 모두 화장품 업체였다. "클라이언트들은 광고에다 거짓 메시지를 실어 주길 바라요. 한마디로 '이걸 쓰면 결국 짝을 찾을 수 있으며 자신을 사랑하게 된다'는 거죠." 남성 임원은 스포츠카 회사의 홍보를 대행하는 회사에 근무하는데 늘 자동차를 섹스어필의 도구로 시장에 소개하라는 압박을 받고 있었다. 압력이 하루 이틀이 아니었다. 반대 입장을 분명히 한 탓에 두 임원은 거센 저항에 부딪혀야 했다. 남자의 경우는 성적인 이미지를 빼고 잘 달리는 명품임을 강조하는 쪽으로 메시지를 바꿨지만 회사와 클라이언트가 모두 만족할 만큼 정교하고 설득력 있는 기술을 동원한 덕에 자리를 지킬 수 있었다. 반면에 그러지 못했던 여성은 직장을 떠나 독립하는 길을 선택했다.

크리스천들 역시 광고하고 선전하면서 잠재 고객들에게 상품이 삶에 가치를 더해 주리라는 점을 잘 부각시켜야 한다는 점을 부정하지 않는다. 하지만 제품이 생명을 줄 수 있는 것처럼 알려야 한다는 뜻은 아니다. 그리스도를 좇는 이들은 인간의 행복을 더 본질적인 차원에서 바라보는 까닭에 현대 문화의 집합적인 우상들이 빚어내는 강력한 흐름을 거슬러 헤엄치기 일쑤다.

## 다시 일에서 소망을 찾다

지금까지 일이 어떻게 설계되었으며 어디서 어떻게 잘못되었는지 살펴보았다. 최상의 환경에서 원하는 일을 한다손 치더라도 훼손된 일의 속성은 어찌해 볼 수가 없다. "과연 일에 소망이 있는 걸까?"라든지 "어떻게 해야 뒤틀린 노동을 바로잡을 수 있을까?" 같은 질문을 피할 길이 없다. 어떻게 지난날의 문제점들을 돌아보며 하나님의 목적과 섭리를 깨달을 수 있을까? 그건 지극히 현실적인 목표인가, 아니면 내일 열리는 회의나 내년쯤 잡고 있는 이직 계획과 별 상관이 없는 '좋은 생각' 정도에 그치는 것일까?

한 가지 분명한 사실을 못 박아두는 데서부터 이 질문들에 답하기 시작하는 게 좋겠다. 바울은 역사가 종말을 맞는 "그리스도 예수의 날까지"(빌 1:6, 3:12) 아무것도 온전히 바로잡을 수 없다고 말한다. 그날이 오기 전에는 모든 피조물이 "함께 탄식하며" 썩어짐의 종살이하는 처지라는 것이다(롬 8:22). 그러므로 인간의 노동 역시, 하늘과 땅이 다시 하나가 되고 우리가 '진정한 나라'에 들어가고 나서야 비로소 바로 참모습을 찾게 된다. 지금 이 시점에서 온전히 회복된 일을 거론하는 건 더러는 순진하고 또 얼마쯤은 오만한 처사다.

하지만 속수무책은 아니다. '니글의 이파리'는 초월적인 소망을 사무치도록 절절하게 묘사한다. 창의적인 노력이 맺게 될 결실에 대한 비전은 한계가 여실한 이 세상에서 만족감을 느끼며 일하도록 장기간에 걸쳐 큰 도움을 줄 수 있다. 복음은 지금 이곳에서 영감을 잃지 않고, 현실을 직시하며, 충족감을 느끼며, 신실하게 일하는 힘의 원천이 된다. 어떻게 그럴 수 있을까?

첫째로, 복음은 일과 관련해서 맥락이 전혀 다른 대안을 내놓는다. 삶이 어떠해야 하는지, 무엇이 인간을 풍요롭게 하는지 설명하는 세계관이나 내러티브가 이끌어 가는 방안이므로 한결 생생할 수밖에 없다.

둘째로, 복음은 하나님의 사랑 안에서 주님의 파트너가 되어 세상을 돌본다는 새롭고 풍성한 노동관을 제공한다. 이러한 성경의 개념은 단순한 일에서부터 가장 복잡한 일에 이르기까지, 그리스도를 알든 모르든 다른 이들의 수고에 감사하는 마음을 갖게 한다. 그러므로 성경이 노동에 관해 가르치는 신학 원리를 정확하게 깨달은 크리스천들은 모든 이들이 하는 일을 소중히 여기고 기꺼이 참여할 뿐만 아니라 예수님을 따르는 제자로서 다르게 일할 방법을 찾는다.

셋째로, 복음은 인간의 마음과 관련한 지혜로운 조언뿐만 아니라

현명한 결정을 내리는 데 필요한 온갖 건강한 지침들을 통해 대단히 새롭고도 민감한 윤리 기준을 선사한다.

마지막으로, 복음은 일을 하는 동기를 백팔십도 바꿔 놓을 뿐 아니라 상황이 좋든 나쁘든 늘 함께하는 신선하고 강인한 힘으로 심령을 가득 채워 준다.[26]

신앙과 일을 통합하게 돕는 책과 프로그램들 가운데 대다수는 이런 요소들 가운데 한두 가지에만 초점을 맞추는 경향이 있다. 예를 들어, 첫 번째만 강조하는 경우, 학문적인 쪽으로 방향을 설정하고 신학적인 원리들을 예술과 행정, 경제를 비롯한 모든 영역에 적용해야 할 '기독교적 접근법'으로 삼으려 든다. 반면, 두 번째에 전적으로 집중하는 이들은 일이라는 주제를 다루면서 성경적인 세계관을 지나치게 강조하면 자칫 승리주의에 빠져서 하나님의 광범위한 섭리를 알아보지 못하게 될지도 모른다고 걱정한다.

개중에는 인격적이고 경험적인 접근 방식을 택하는 이들도 있다. 새로운 방식으로 그리스도를 만나게 이끌고 복음으로 변화된 심령에서 나오는 내적인 능력을 강조하는 것이다. 그러나 한편에서는 내면의 변화에만 신경을 쓰는 마음가짐은 개인의 평화와 성공에 비중을 두면서 사회정의를 강조하는 복음의 다른 측면, 다시 말해서 일을 통해 이웃을 섬기는 역할을 소홀히 하는 쪽으로 흐르기 십상이라고 비판한다.

하지만 어느 부문을 강조하고 어떤 점을 염려하든지 다 적절하며 타당하다. 하나하나가 상호보완적이며 대단히 실천적이라는 점은 이 책 말미에서 다시 짚고 넘어갈 작정이다. 성경의 노동관이 문화와 사회적인 배경, 직업의 종류를 초월해서 참으로 강력한 설득력을 지니고 실질적인 도움을 주는 건 그 가르침이 지극히 풍성하고 다차원적인 까닭이다.

part 3

# 일과 영성,
## 복음의 날개를 달다

chapter **9**

**복음의 관점으로**
**일을 이해하다**

# 회사 신우회에 참석하는 선에서 만족하지 말라

그런즉 너희가 먹든지 마시든지 무엇을 하든지 다 하나님의 영광을 위하여 하라(고전 10:31).

스토리라인에 비추어 보지 않으면 무엇도 이해하기 어렵다. 2001년에 벌어진 911사태 이후에도 사건을 설명할 때마다 너나없이 내러티브 구조를 동원했다. "미국이 세계에서 패권주의를 추구한 결과"라는 이들이 있는가 하면, 다른 한쪽에서는 "선량하고 자유로운 국가라는 이유로 증오심을 품고 덤벼드는 수많은 악당들이 있다"고 주장했다. 어느 쪽 이야기를 믿느냐에 따라 이편, 또는 저편에 붙게 되며 반응(감정과 행동 모두) 또한 판이하게 달라진다.

스토리의 필요성을 부각시키는 대표적인 사례는 철학자 알라스데어 매킨타이어(Alasdair MacIntyre)의 책 「덕을 좇아서」(*After Virtue*)에서 찾을 수 있다. "흔히 보는 야생 오리의 학명은 '히스트리오니쿠스(histrionicus) 히스트리오니쿠스 히스트리오니쿠스입니다." 지은이는 어느 날 버스 정류장에 서 있는데 낯모르는 젊은이가 다가와서 이렇게 속삭인다고 상상해 보길 주문한다. 문장은 알아들을지 모르지만 청년의 행동을 이해할 수는 없다. 그게 무슨 소릴까? 수수께끼를 풀 유일한 방법은 벌어진 사건과 아귀가 들어맞는 이야기를 찾아보는 것이다. 젊은이는 정신 질환을 앓고 있을지 모른다. 그럼 설명이 된다. 또는, 어저께 누군가가 청년에게 다가와서 야생 오리의 라틴어 학명을 물었는데 하필 성과 나이, 키와 전반적인 외모가 당신과 비슷해서 착각을 일으켰다면 어떨까? 그것도 조리가 선다. 아니면, "접선 장소에 나왔다가 자신을 알리는 암호를 엉뚱한 상대에게 말한" 외국 스파이일지도 모른다. 첫 번째 이야기는 슬프고, 두 번째는 우스꽝스러우며, 세 번째는 드라마틱하다. 그러나 매킨타이어의 논지는 스토리를 모르고는 사건의 의미를 알 수 없으며 당연히 젊은이에게 대꾸할 길을 찾지도 못한다는 것이다.[1]

단순한 실수에 지나지 않는 사건에 경찰관을 부른다면 몹시 난감한 형국에 몰린다. 특수 훈련을 받은 암살범에게 싸움을 거는 경우에는 더 심각한 결과가 생긴다. 그러나 어떤 경우든 스토리를 잘못 이해하면 엉뚱한 반응이 나오게 마련이다. 세상의 스토리를 엉뚱하게 파악하면, 예를 들어 여기서 사는 삶이 하나님을 사랑하기보다 자기실현과 자기만족을 얻기 위한 과정으로 받아들인다면 일하는 방식을 비롯한 모든 영역에서 엇나간 반응을 보일 수밖에 없다.

## 스토리와 세계관

스토리를 구성하는 요소에는 어떤 것들이 있을까? 내러티브 구조를 학문적으로 근사하게 분석할 수도 있겠지만 여기서는 아주 단순한 방법으로 설명하려고 한다. 무언가가 삶의 균형을 깨트릴 때 스토리는 시작된다.[2] 적대적인 상대가 균형과 평정을 회복하려 안간힘을 쓰는 주인공을 가로막고 저항하면서 스토리 전개, 또는 플롯은 점점 탄탄해져 간다. 그러다가 갈등 끝에 균형을 되찾거나 반대로 영영 회복에 실패하는 쪽으로 결론이 나면서 이야기는 마무리된다.

스토리가 스토리답게 되려면 인생이 예상대로 흘러가지 않게 만드는 문제가 있어야 한다. "빨간 모자 아가씨는 할머니에게 음식을 가져다 드리고 둘이 함께 맛있게 먹었다"라고 말한다면, 깔끔한 문장일지언정 플롯이 없는 까닭에 스토리가 되기는 어렵다.[3] 스토리에는 '반드시 바로잡혀야 할 일'이란 개념과 그 가능성이 있어야 한다. 그렇다면, "빨간 모자 아가씨가 할머니 댁에 있었지만, 늑대가 쳐들어와서 그 둘을 잡아먹었다"는 어떨까? 극적인 요소가 훨씬 강해졌지만 여전히 부족하다. 스토리에는 삶이 어떻게 흘러가야 마땅한지에 대한 해설과 어쩌다가 균형을 잃게 되었는지에 관한 설명, 그리고 어떻게 다시 삶을 바로잡을 것인지 기술하는 해법이 제시되어야 한다.

스토리의 의미가 여기에 있다. 수많은 스토리들이 오락의 수준을 벗어나지 못하는 반면, 내러티브는 사고방식을 규정하는 기본적인 요소인지라 삶을 이해하고 살아가는 방식 자체를 좌우한다. '벨탠샤우

웅'(Weltanschauung)에서 파생된 세계관(worldview)이란 말은 현실을 해석하는 토대가 되는 포괄적인 시각을 뜻한다. 하지만 몇 가지 철학적으로 중요한 항목들만을 가리키는 건 아니다. 본질적으로 거대 서사, 즉 ⓐ 세상에서 살아가는 인간의 삶이 어떠해야 하고, ⓑ 무엇 때문에 균형을 잃어버렸으며, ⓒ 그걸 다시 바로잡으려면 어떻게 해야 하는가에 대한 근본적인 스토리다.[4] 이렇게 커다란 질문들에 대한 기본적인 답변을 가지고 있지 않으면 그 누구도 이 세상에서 제대로 살아갈 수 없다. 그리고 거기에 대답하려면 세상을 설명하는 스토리, 곧 모든 사물에 관한 내러티브, 한마디로 세계관을 채택해야 한다.

세상이 심각하리만치 부조리하다는 데는 누구나 공감한다. 세계는 고사하고 자신의 삶이나마 정상적으로 작동된다고 주장할 수 있는 이는 아무도 없다. 인류 내면에 무언가 문제가 있다. 행복이니 만족이니 하는 것들도 그야말로 잠깐일 뿐, 영원한 건 전혀 없어 보인다. 인간들 사이에도 이상이 있다. 세상에 빈곤과 전쟁, 고통과 부정이 가득하다. 무언가가 온 천지의 질서를 망가뜨리고 있는 것 같다. 그게 무얼까? 누구 탓을 해야 하는가? 해결책은 어디에 있는가? 이런 질문들에 답하기 시작하면 이내 스스로 살아 내야 할 스토리에 이르게 된다. 인간은 세상에 균형을 되찾아 주겠다고 약속하는 내러티브를 좇으며 연습하게 되어 있다.

매킨타이어는 인간의 행동이란 '몸으로 구현해 내는 내러티브'라고 주장한다. 저마다 삶의 의미를 주는 정신세계의 이야기를 살아 내고 있다.[5] 환경을 지키는 따위의 대의를 실현하려는 대의라든지, 불리한 사회적 신분과 기대를 딛고 일어서서 성공하려는 갈망과 씨름하는 이야기일지 모른다. 또는 한 가정을 억압받는 상황에서 끌어내 새로운 나라에서 새로운 인생을 살게 하는 자유와 평등에 관한 내용일 수도 있다. 아니면, 남들의 편견에 저항해서 저만의 성적, 문화적, 정치적 정체성을 구축해 가는 사연일지도 모른다. 어느 경우든, 모두가 한마음으로 동참한다면 세상은 더 나은 곳이 될 거라고 굳게 믿는 커다란 이야기 속으로 자신을 끌고 들어간다. 하나같이 자유롭고 진보적인 사고방식을 가지고 폭압적인 전통에 맞선다면 세상이 획기적으로 개선되리라고 생각할 수도 있다. 이미 검증된 윤리적인 절대기준을 지켜 나가면 세계의 형편이 눈에 띄게 좋아지리라고 기대할지 모른다. 어떤 생각을 하든, 저마다 자신을 주인공, 즉 우주가 마땅히 가야 할 길을 따르도록 힘을 보태는 선량한 인간으로 여긴다.

그럼에도 불구하고 세계관은 사사롭거나 독특하지 않다. 사실, 어느 집단이나 문화든 저마다 선호하는 세상의 스토리(거대한 질문들에 대한 합리적인 해석으로 널리 인정받는 답변들이 포함된)와 그 드라마를 한껏 고조시키는 우상들이 있다. 레슬리 스티븐슨(Leslie Stevenson)의 대표적인 저서 「인간의 본질에 관한 일곱 가지 이론」(*Seven Theories of Human Nature*)은 인류 사회 전반에 영향을 주었던 걸출한 사상가들이 주창한 인간 본질을 바라보는 유력한 시각들을 열거한다.

플라톤은 주로 육신과 그 연약함이 문제의 근원이라고 판단했다. 마르크스는 불공정한 경제구조를 들었다. 프로이트는 인간의 내면에서 벌어지는 욕구와 양심 사이의 무의식적인 갈등을 지적했다. 사르트르는 객관적인 가치는 존재하지 않으므로 어디에도 구속받을 이유가 없다는 사실을 깨닫지 못하는 게 핵심이라고 했다. 스키너(B. F. Skinner)는 애초부터 인간은 전적으로 환경의 지배를 받게 마련임을 자각하지 못하는 점을 거론했다. 반면에 콘래드 로렌츠(Konrad Lorenz)는 진화 과정에서 필연적으로 발생하는 태생적인 공격성 탓이라고 했다.[6] 하나하나가 인류 사회에 어떤 이상이 있으며 어떻게 대처할 수 있는지를 다루는 완벽한 스토리들이다.

현실을 바라보는 이런 시각들은 대단히 강력한 힘을 가지고 있어서 탐구하고 일하는 분야를 포함해 사회 전반에 파장을 미친다. 이런 관점들 가운데 어느 하나라도 문화적인 상상력을 장악하면 삶을 사는 방식을 큰 폭으로 좌우한다. 세계관을 수용하지 않는 이들조차도 그 영향권에서 벗어날 수 없다.

매일 일하는 현장은 개인적이고 사회적인 내러티브를 몸으로 살아내야 하는 주요한 지점 가운데 하나다. 세계관은 역사와 명분, 추구하는 목표와 더불어 주인공과 한 무리의 적수라는 맥락 속으로 일을 끌어들여서 고도의 노동 전략을 만들어 낸다. 하루하루 저마다 나누는 대화와 결정들을 빚어 가는 것이다.

'들어가기 전에'에서 읽은 것처럼, 캐서린 알스도프는 기술의 능력이 세상을 더 낫게 바꾼다는 강렬하고도 낙관적인 복음을 전하는 실리콘밸리의 지배적인 메시지와는 다른 스토리(복음)를 받아들였다. 제8장에서 소개한 홍보 담당 임원들은 자기과시와 성적인 쾌락, 풍요가 삶의 의미이며 적자생존을 생활 방식으로 여기는 스토리 한복판에서 일했다. 그러나 복음은 하나님과 이웃을 사랑하는 데 삶의 의미가 있으며 그 작동 원리는 섬김이 되어야 한다고 가르친다. 처음에는 그런 차이점들이 뜬구름 잡는 듯 추상적으로 들리겠지만, 적어도 두 임원이 광고업체에서 일하며 메시지를 가다듬을 때는 지극히 실제적인 지침으로 작용했다.

### 복음과 그 밖에 세계관들

어떤 세계관이든 다음 세 가지 질문과 거기에 대한 답변으로 구성된다는 사실은 이미 이야기한 바 있다.

1. 상황이 어떻게 흘러가야 마땅한가?
2. 오늘과 같은 상태를 불러온 문제점은 주로 어떤 것들인가?
3. 해결책은 무엇이며 어떻게 그 해법을 실현할 수 있는가?

인간의 본질을 다룬 스티븐슨의 책에는 기독교를 '이론들' 가운데 하나로 다루지만 나머지 가설들과 어떻게 다른지 차근차근 짚어 가며 설명한다. 지은이는 말한다. "하나님이 교제하기 위해 인간을 만드셨다면, 그리고 인간이 주님을 외면하고 거룩한 관계를 깨트렸다면, 오로지 하나님만이 인간을 용서하고 관계를 회복시킬 수 있다."[7] 달리 말하자면, 성경적인 세계관은 독특하게도 인류의 본질과 문제, 구원을 관계적으로 이해한다. 인간은 하나님과 교제하도록 지음받았음에도 불구하고 주님을 거역하는 죄를 지어 그 관계를 망가뜨렸다. 그러므로 구원과 은혜를 통해 옛 관계로 돌아가야 한다는 것이다.

플라톤과 마르크스, 프로이트는 창조 세계의 일부를 핵심적인 문제로, 또 다른 일부를 주요한 해결 방법으로 보았다. 스토리마다 한정된 요소들이 주인공과 적수의 역할을 한다. 마르크시즘은 경제적인 생산수단을 백성들과 나누지 않으려는 탐욕스러운 자본가들로부터 모든 문제가 시작된다고 가정하고, 전체주의적인 국가를 해법으로 제시한다. 이에 반해, 프로이트는 쾌락을 추구하는 내면 깊숙한 곳의 욕구를 억압하는 데서 온갖 왜곡이 비롯된다고 판단한다. 교회 같은 윤리적 '문지기'(gatekeeper)들이 욕망을 억누르는 악역을 담당한다고 손가락질하면서 '억압되지 않은 개인의 자유'를 해결책으로 내놓는다. 그리스철학과 플라톤의 영향을 받은 세계관을 가진 이들도 적지 않다. 이들은 이기적이고 훈련되지 않은 무리들이 전통적인 윤리 가치와 책임에 순응하지 않으려 하는 게 문제의 근원이라고 생각하며 신앙과 도덕, 사회적인 덕성을 '진작'시키는 게 대안이라고 믿는다.

철학자 알 월터스(Al Wolters)는 이렇게 적었다.

> 죄라는 이질적인 해악이 침투했다고 보지 않고, 늘 하나님의 선한 창조 세계의 일면만 지목하고 구별하는 건 대단히 위험하다. 그런 오류는 창조 세계 자체가 애초부터 선-악으로 갈라진 구조를 가졌다는 인식을 심어 준다. … 선한 창조 세계 가운데 무언가를 악(의 근원)으로 인정한다. 역사적으로 몸과 격정(플라톤과 상당수 그리스철학)이라든지, 자연과 분리된 문화(루소와 낭만주의), 사회와 가정의 권위적인 인물들(정신역학과 심리학), 경제적인 권력

(마르크스), 기술과 경영(하이데거와 실존주의자들) 따위의 다양한 요소들을 그 '무언가'로 꼽아 왔다. … 내가 말할 수 있는 게 있다면, 성경은 특이하게도 창조 세계의 일부를 문제의 뿌리가 되는 악으로 규정하거나, 아니면 해법으로 우상화하는 태도를 모두 배격한다는 점이다. 그밖에 다른 종교와 철학, 세계관들은 하나같이 어떤 식으로든 창조 질서를 지키지 못하고 분리하는 우상숭배의 함정에 빠진다. 이는 크리스천들에게도 늘 존재하는 위험이다.[8]

기독교 신앙이 얼마나 독특한지 새삼 놀랍다. 오직 크리스천의 세계관만이 세상의 일부나 특정 집단이 아니라 죄(하나님과의 관계를 잃어버린 상태) 자체를 문제로 여기며, 하나님의 은혜(그리스도의 사역을 통해 회복된 하나님과의 관계)를 해결책으로 삼는다. 죄는 온 천하를 총체적으로 감염시켰으므로 세상은 영웅과 악당으로 구분 지을 수 없다(그렇게 한다면 인간은 분명 전자가 아니라 후자 쪽에 들어갈 수밖에 없다). 복음을 제대로 깨닫지 못하면 순진하게 유토피아를 꿈꾸든지, 냉소적이 되어 환멸에 빠진다. 이도저도 못하는 혼란스러운 상황을 설명하기 위해 그만큼 악하지 않은 무언가를 악마로 몰아가거나, 충분한 능력을 갖지 못한 무언가를 우상으로 만들 것이다. 결국 다른 세계관들이 벌이고 있는 씨름의 실체가 바로 이것이다.

크리스천의 스토리라인은 우주의 이치를 정확하게 꿰뚫어 보도록 매끄럽게 이끌 뿐만 아니라 다른 세계관에서 넘어온 게 분명한 스토리들에 깔려 있는 진리를 알아보게 도와준다. 크리스천의 스토리라인, 또는 세계관은 창조(계획), 타락(문제), 구원과 회복(해결책)으로 압축할 수 있다.

**온 세상은 선하다.** 하나님은 만물을 선하게 만드셨다. 본질적으로 악한 부분은 없다. 그 무엇도 애초부터 악을 머금고 있었던 건 아니다. 「반지의 제왕」(*Lord of the Ring*) 3부작에서 악의 정점에 선 존재를 설명하면서 톨킨이 썼던 표현을 빌자면, 태초에는 "사우론(Sauron)조차도 그렇지는 않았다." 선하고 아름다운 '창조의 속성'은 어디서나 찾을 수 있다.

**온 세상은 죄에 빠져 있다.** 이편이 저쪽보다 덜하거나 더하달 게 없다. 예를 들어, 감정과 열정은 믿을 수 없고 이성은 신뢰가 간다? 육신은 나쁘고 영혼은 선하다? 하루하루 먹고사는 일상 세계는 세속적이고 영적인 영역은 선하다? 어느 것도 참말이 아니다. 하지만 기독교 세계관을 제외한 그 밖에 스토리라인들은 무언가를 악당, 심하게는 악마로 만들어 죄의 역할을 대체하기 위해 이런 식의 논리들을 채택하고 있다.

**온 세상은 구원을 받고 회복될 것이다.** 예수님은 영혼과 육신, 이성과 감정, 인간과 자연을 모두 구속하신다. 구제 불능이란 딱지를 붙일 수 있는 자리는 세상 어디에도 없다.

"창조주께서는 만물을 선하게 지으셨지만 죄악으로 말미암아 망가지고 말았다. 그러나 하나님은 예수 그리스도를 통해 자신을 내주는 엄청난 값을 치르고 세상을 구원하셨으며 언젠가 다시 임하셔서 모든 피조물을 새롭게 하시고, 온갖 고통과 죽음을 끝내시며, 절대적인 평안과 정의와 기쁨을 온 땅위에 영원토록 회복시키실 것"이라는 복음은 한 점 거짓이 없는 스토리다. 복음적인 세계관에 담긴 광대한 의미(하나님의 성품, 물질세계의 선함, 인간의 가치, 인류를 포함한 만물의 타락, 사랑과 은혜의 무한한 가치, 정의와 진리의 중요성, 구속의 소망)는 사방팔방, 구석구석에 빠짐없이 빛을 비추지만 그중에서도 일이라는 영역에 큰 영향을 준다.

빌 커츠(Bill Kurtz)라는 친구는 교육 행정가로 첫발을 디뎠을 때부터 복음의 스토리라인(세상은 어떻게 돌아가야 하고, 어떻게 정상 궤도에서 벗어나게 되었으며, 어떤 소망이 기다리는지를 설명하는)이 빈민가에 있는 학교에서 학생들을 가르치는 일에 더 큰 비전을 품도록 이끄는 걸 실감했다. 아이들 하나하나가 깨지고 다친 사연, 예를 들어 집안의 시끄러운 문제들, 제대로 먹지도 자지도 못하는 생활, 주먹패가 판치는 거리와 아무데서나 쉽게 구할 수 있는 마약 따위에 얽힌 사연 등을 가진 탓에 교내에 반역과 절망의 문화가 점점 더 깊이 뿌리를 내리고 있었다. 학교를 대하는 학생들의 마음가짐은 시종일관 "지겹다"는 것이었다. 빌은 복음의 스토리가 주는 소망을 학교 현장에 끌어들이고 싶었다.

오늘날 도시 교육 분야에는 궁극적인 목표가 어떻게 되어야 하고, 현재 어떤 문제가 있으며, 변화를 이끌어 내기 위해 무엇이 필요한지를 두고 여러 상충되는 스토리라인들이 있다. 사실, 교육 자체를 빈곤과 구조적인 불의를 해결하는 구원자로 보는 시각이 많다. 그래서 지속적으로 학생들을 분석해서 이런저런 정책들을 교육 현장에 적용한다. 복음이 눈앞에 펼쳐진 학교의 문제와 소망을 더 포괄적으로 볼 수 있게 한다는 사실을 깨달은 빌은 최선의 정책을 폈지만 그걸 우상화하지는 않았다.

복음에 학교 공동체의 틀을 잡아 주는 힘이 있음을 인정하고 줄곧 전인적 접근 방식을 고수해 오던 빌은 2004년, 덴버에 다양한 학생들을 키워 내는 고등공민학교를 설립했다. 그리고 한 번에 한 걸음씩 서로 신뢰하고 의지하며 성공의 열매를 나누는 문화를 만들어 나갔다. 매일아침, 학생들은 교사와 함께 회의를 연다. 한 주간을 돌아보며 상을 주기도 하고, 서로를 잘 섬기며 학교에서 가르치는 가치를 멋지게 살아 내자는 구호를 외치거나 희망을 주는 사연들을 나누며 공동체 전체가 성공을 자축하는 모임이다. 물론 다치고 깨진 이야기도 나온다. 공동체의 가치관에 따라 살지 못한 점에 대해서는 학생들 앞에서 공개적으로 사과한다. 서로 책임을 묻고 학교의 핵심 가치들을 더 잘 구현해 가도록 돕자는 취지다. 학생이든 교사든, 지각을 하면 나머지 공동체 식구들에게 공개적으로 유감의 뜻을 밝힌다.

저마다 처지와 조건이 다 다르지만 서로 보살펴서 아무도 구덩이에 빠져 실종되지 않는 환경을 만들기 위해 안간힘을 썼다. 물론, 훌륭한 교사들이 곳곳에서 핵심적인 역할들을 잘 감당해준 덕이기도 하지만, 학교가 성공적으로 자리를 잡을 수 있었던 요인은 이러한 문화와 졸업생 가운데 단 한 사람도 낙오하지 않고 4년제 대학에 들어간다는 단 한 가지 목표를 식구들이 공유한 것에 있었다는 게 빌의 판단이다. 성과는 놀라웠다. 과정을 마친 학생들은 말 그대로 백 퍼센트 4년제 대학에 들어갔다. 첫 번째 학교의 성공에 힘입어 지금은 여섯 개에 이르는 톱클래스 교육 시설의 네트워크로 성장했다.

## 복음과 비즈니스

복음적인 세계관은 실제로 현장에서 어떻게 일할 것인가 하는 이슈에도 다채롭게, 때로는 깊이 때로는 가볍게, 때로는 전략적인 측면에서 때로는 전술적인 차원에서 작용한다. 어떤 분야든 일정 부분, 인간의 죄와 하나님의 은혜를 온전히 감안하지 않고 특정한 대상에 궁극적인 가치를 부여하는 세계관과 그 우상들의 그림자가 드리워 있는 게 현실이다. 전문 분야에서 복음을 살아 낼 구체적인 방안들은 이루 헤아릴 수 없이 많다. 리디머교회만 하더라도 매월 수많은 크리스천 직장인들이 한데 모여 일터에서 실천할 수 있는 아이디어들을 나누고 있다. 그걸 다 얘기하자면 영역마다 책 한 권씩은 써야겠지만, 여기서는 몇몇 직종들을 택해 간단히 살펴볼 작정이다.

비즈니스의 우상들에는 어떤 것들이 있을까? 돈과 권력은 단연 리스트의 꼭대기를 차지한다. 하지만 우상일지라도 영원한 가치를 실현하는 도구로 쓸 수 있다는 사실을 기억해야 한다. 회사가 거둔 이윤과 성과는 지혜롭게 관리되기만 한다면 근사한 열매를 맺는다. 새로운 상품을 만들어서 고객들을 섬기고, 투자자들에게 돈을 잘 활용해서 적절한 수익을 거둘 기회를 주며, 직장인들에게 수고의 대가를 누리게 한다. 개인에게 돌아가는 급여는 거기에 공헌하고 기여한 데 따른 정당한 보상이며 자신뿐만 아니라 가족 전부가 생활하는 데 필수적인 자원이다. 하나님의 은혜를 경험한, 그러니까 "너희는 너희 자신의 것이 아니라 값으로 산 것이 되었으니"(고전 6:19-20)라는 말씀을 잘 아는 크리스천 노동자나 경영인들은 서슴없이 하나님을 높이며, 이웃을 사랑하고, 일을 통해 공동의 유익을 추구하게 마련이다.

리디머교회에서는 우리가 속한 도시에서 살아가는 데 그러한 사고방식이 지극히 중요하다고 보고, 영리사업이나 비영리단체, 또는 예술 분야든 기업인들과 자영업자들에게 복음의 이야기가 어떻게 세상을 향한 하나님의 계획을 반영하는 방식으로 저마다의 꿈을 빚어가게 하는지 깊이 고민하도록 도와주는 프로그램을 제공하고 있다.

그때마다 크리스천이든 아니든, 회사의 이익을 주주와 고객, 직원과 협력 회사, 심지어 주변 공동체와 골고루 나누어서 본보기로 삼을 만한 훌륭한 리더들의 사례를 함께 살핀다. 예를 들자면, 1903년에 허쉬 초콜릿 주식회사를 차리고 우유를 넣은 초콜릿바로 일대 선풍을 일으킨 밀턴 허쉬(Milton Hershey) 같은 인물이다. 회사가 번창하면서 인근 농촌에 사는 농부들의 일거리도 크게 늘었다. 불황이 닥쳐서 회사가 무너질 위기에 몰려도 직원들을 해고하지 않았다. 대신 공공근로 사업을 일으켜서 건물을 짓고 놀이공원과 호텔을 세우는 데 남는 인력을 투입했다. 인생을 마무리할 시점이 다가오자 아내와 함께(자녀는 없었다) 부모가 없는 아이들을 위한 기숙학교를 만들고 사회에 나가 생활하는 데 실질적인 도움을 주는 기술을 가르치게 했다. 보유한 주식의 상당 부분을 학교 운영을 맡은 기관에 넘겨서 오늘까지도 그 배당금과 자산 가치 상승에 따른 이익으로 어려움 없이 교육 활동을 지속할 수 있는 발판을 놓았다.

어느 정도까지는 누구나 군말 없이 이런 길을 가야 하는 게 아닌가 싶다. 최근에 불거진 몇몇 기업들의 스캔들에 자극받은 덕에, 비즈니스가 공공의 이익을 증진시키는 데 기여해야 한다는 사상이 수년 사이에 다시 제자리를 찾아가고 있는 듯하다. 여기에 맞춤한 사례가 있다. 뉴스코어퍼레이션(News Corps.) 회장 루퍼트 머독의 아들인 제임스 머독(James Murdoch)은 2009년에 열린 에든버러 뉴스 페스티벌에서 연설하면서 "오직 신뢰할 만하고 한결같은 독립성의 보증인만이 이윤을 올릴 수 있다"고 주장했다. 그러나 계열사 가운데 하나인 영국의 신문사가 일으킨 전화 도청 파문을 겪은 직후, 같은 행사에서 연단에 오른 엘리자베스 머독(Elisabeth Murdoch)은 "동생이 빠트린 게 있다"면서 "목적이 없는 이윤은 재앙을 짓는 레시피"라고 선언했다. "목적을 명쾌하게 밝히는 선언을 토대로 일단의 가치기준들을 엄밀하게 토의하고 확인하며 제도화하는 기구가 늘 필요했다는 사실을 깨닫게 된 것이야말로 작년에 개인적으로 얻은 가장 큰 교훈 가운데 하나였다."[9]

이러한 분위기가 형성되고 있는 건 사실이지만, 아직 시장에서는 돈을 버는 게 인생의 으뜸가는 목표고, 기업은 본질적으로 권력을 쌓고 행사하는 걸 추구하게 마련이며, 법의 테두리 안에서 이윤 극대화가 목적인 가정이 주류를 이룬다고 말하는 편이 타당할 것 같다. 근로자들의 마음과 직장의 문화마다 죄가 구석구석 퍼져 있기 때문이다. 그리고 그 결과로 하천 오염, 형편없는 서비스, 불공평한 분배, 특권을 가진 듯 오만한 태도, 전망이 없는 일자리, 인간성을 말살시키는 관료주의, 중상모략, 세력 다툼 따위가 판을 치게 됐다. 특별한 뜻을 품고 복음이 제시하는 대안적인 내러티브를 비즈니스에 적용하는 게 중요한 까닭이 여기에 있다.

겉보기에는 복음적인 세계관을 반영해서 잘 운영해 가는 회사와 시장을 주름잡는 세상적인 스토리에 기대어 경영하는 회사 사이에 별 차이가 없어 보이지만, 안을 들여다보면 현격한 차이가 있다. 복음의 가치를 중심으로 하는 기업에는 확연히 구별되는 비전이 있다. 독특한 방식으로 고객들을 섬기고, 적대적인 관계와 착취가 없으며, 생산물의 탁월함과 품질을 대단히 강조하고, 설령 수익이 줄어들지라도 조직의 현장에서 일상적인 기업 활동에 이르기까지 전 영역에 '골고루 미치는 윤리적인 환경이 갖춰져 있게 마련이다. 복음적인 세계관을 좇는 비즈니스에서 이윤은 수많은 구성 요소들 가운데 하나일 따름이다.

던 플로우(Don Flow)라는 친구는 자동차 영업의 관행을 제쳐 두고 복음의 스토리라인을 따랐다. 업계의 전형적인 내러티브는 최대한 고가에 차를 팔아넘기라는 것이어서 세일즈맨들 역시 가장 높은 가격을 지불할 것처럼 보이는 고객을 알아보고 구슬리는 방식으로 수입을 올렸다. 던은 고객 하나하나에게 가장 품질 좋은 차량을 판매하는 데 초점을 둔 비전을 품었다. 그러다 보니 문제가 금방 눈에 들어왔다. 협상력을 갖춘 백인들보다 여성들과 소수민족들이 더 비싼 값을 치르고 자동차를 구입하고 있었다. 던 플로우는 모든 차량에 동일한 수익률을 적용하기로 결심했다. 누구나 같은 비용을 내고 차를 가질 기회를 보장해 준 것이다.

지금 던은 자기 회사를 경영하고 있으며 업계의 큰 변화를 주도해 가고 있다. 물론, 누구나 자유롭게 이런 일을 할 수 있는 건 아니다. 그럴 만한 권한이나 연륜이 모자라는 직장인이라면 회사가 가진 사명이 무언지 물어보는 것도 좋은 방법이다. 건전한 소명이라면 진지하게 받아들여 간직하고 기회가 될 때마다 화제에 올리라. 리더들 가운데는 식구들의 냉소와 무관심에 지쳐 기업이 간직한 핵심 가치에 충실하려는 열의를 잃어버리는 이들이 많다. 회사가 물론 고상한 이념을 가졌을 때의 이야기지만, 직원들이 회사의 사명에 관심을 가지고 헌신하는 모습은 기업인들에게 큰 격려가 될 것이다.

일터에서 크리스천으로 산다는 건 거짓말을 하지 않거나 눈치를 보며 동료들과 빈둥거리지 않는 선에 그치지 않는다. 개인적으로 예수님을 소개하고 사무실에서 성경공부를 인도하는 수준도 아니다. 오히려 복음적인 세계관에 담긴 의미, 그리고 일하는 삶 전반과 손길이 미치는 조직 전체를 향한 하나님의 목적을  곰곰이 성찰한다는 뜻에 가깝다.

## 복음과 저널리즘

어떤 분야든 크리스천 세계관이 갖는 의미를 깊이 생각해야 한다는 원칙에는 변함이 없지만 더러 그 의미가 다소 모호해지는 영역도 있다. 예를 들어, 복음이 언론인들이 하는 일에도 영향을 미칠까? "천만에요! 기자는 사실을 객관적으로 알릴 뿐인 걸요!"라고 대답하고 싶은가? '관점 없이' 본다는 말은 애당초 어불성설이다. 무얼 뉴스로 알릴지 결정하는 작업에서부터 무엇이 중요하가를 판단하는 가치 기준과 신념이 반영된다. 보도 매체들이 쏟아 내는 기사에서 "이건 진보적이고 저건 보수적이군! 이편은 혁신을 우상화하고 저편은 부를 최고의 선으로 여기며, 요쪽은 자기 결정권을 높이 떠받들고 있네!"하는 식으로 편집 의도라든지 편

향성을 쉽게 감지해 낼 수 있는 이유가 여기에 있다. 게다가 저널리스트가 성공을 너무도 중요하게 생각한다면(그래서 삶의 우상 노릇을 한다면), 그런 목표 자체가 보도 내용을 거르고 작성 방식에 색깔을 입힐 것이다.

영웅과 악당이 등장하지 않는 스토리를 만드는 건 불가능하다. 저널리스트들은 실증적인 사실을 최대한 객관적으로 전하는 걸 으뜸으로 친다. 하지만 무언가는 중요하게 여기며, 더러는 가치를 낮춰 보고, 또 일부는 그냥 내버려 둔다는 사실은 그 모든 과정이 선하고 악한 세력에 대한 판단으로 가득 찬 내러티브를 배경으로 진행된다는 뜻이다. 조금만 주의해서 살피면 제시된 스토리 속에 작동되는 내러티브를 어렵지 않게 찾아낼 수 있다. 일부 학자들은 다른 직업들과 마찬가지로 언론 역시 일종의 제사장들이 교리와 관행을 다져 가는 '종교적' 성격을 가진다고 자신 있게 주장한다.[10]

그렇다면 크리스천 언론인은 어떻게 달라야 하는가? 복음적인 세계관(피조물 가운데 그 무엇도 우상화하거나 악마로 취급하지 않는)은 저널리스트를 특별하게 준비시켜서 공명정대하고 열린 마음으로 기사를 작성하고 보도하도록 이끌어 준다. 앞에서 살펴본 것처럼, 다른 세계관들은 한쪽은 지나치게 신뢰하는 반면, 다른 편은 좀처럼 믿으려 들지 않는다. 따라서 어떤 세계관을 바닥에 깔고 있든지, 복음적인 내러티브를 가졌을 때에 비해 천진난만하리만치 긍정적이거나 과도하다 싶을 만큼 냉소적이고 회의적인 분위기를 띤다.

간단한 예를 들어보자. 위기와 관련된 이야기를 할 때, 현대적이고 인과론적인 세계관은 재빨리 비난할 상대부터 찾도록 유도한다. 허리케인 카트리나가 뉴올리언스를 강타한 직후부터 한동안, 재난 보도가 뉴스의 기본을 이루던 시기가 있었다. 이야기는 대단히 신속하게 책임을 묻는 쪽으로 흘러갔다. 방파제를 건설한 회사의 부실 공사나 연방 정부의 늑장 대처 따위가 도마에 올랐다. 도시계획의 허점이나 무책임한 정부 기관들의 잘못이 없다는 뜻은 아니다. 다만 피조물 가운데 누군가, 또는 무엇인가에 책임을 돌리려는 마음가짐은 복음적이라기보다 인간적인 충동이라는 점을 짚고 넘어가자는 것이다. 타락과 부패는 자연과 인간의 내면에 존재하는 깨어짐의 결과라는 게 복음의 가르침이다. 복음이 들려주는 진실한 '스토리'는 구속과 갱신의 증거다. 복음적인 내러티브의 절정에는 방치와 태만에 관한 사연보다 희생과 인내의 이야기가 더 잘 들어맞는다.

## 복음과 고등교육

앤드류 델반코의 훌륭한 저서, 「대학」(*College : What It Was, and Should Be*)은 오늘날 문화를 주도하는 세계관의 변화가 어떻게 고등교육 분야에 위기를 몰고 왔는지 차근차근 설명한다. 지은이의 주장에 따르면, 구세대의 세계관(크리스천의 세계관은 물론이고 그레코로만 세계관도)은 오래된 텍스트를 붙들고 세상을 어떻게 이해하고 거기서 행복을 누릴 것인지 씨름하면서 다음 세대의 주역들이 온갖 중요한 지혜들을 새롭게 재발견해 주리라고 믿었다. 하지만 경험적이고 과학적인 지식을 최고의 진리로 여기는 계몽주의적인 시각이 맹위를 떨치고 있는 게 오늘의 현실이다. 델반코는 말한다. "지식의 가치를 그런 식으로 평가하는 태도는 인문학에 심각한 도전이 된다. 인문학자들마저도 새것을 찾기 위해 옛것을 폐기해 가며 진리를 진보시키기보다, 해묵은 진리를 보존하고 더 세련되게 설명하는 데 치중할 정도다."[11] C. S. 루이스도 같은 의견을 보였다.

> 지난날의 현자들에게 가장 중요한 과제는 정신을 어떻게 현실과 일치시키느냐는 것이었으며 지식과 수련, 덕성을 해법으로 제시했다. 응용학문의 숙제는 … 어떻게 현실을 인간의 욕구에 맞추느냐 하는 데 있으며 과학기술이 해결책으로 등장했다.[12]

델반코는 이러한 세계관의 변화가 서구사회의 인문학 연구('사려 깊은 시민의식'을 키우는 데 결정적인)에 얼마나 직접적으로 부정적인 그늘을 드리웠는지 규명해 나간다. 「대학」의 또 다른 대목에서 저자는 재력을 갖지 못한 이들은 대학 교육에 다가서기가 날이 갈수록 어려워지는 추세라고 한탄한다. 미국에서 손꼽히는 대학들의 빈자리가 상대적으로 적다는 건 곧 준비를 잘 갖추고, 고등학교까지 좋은 교육을 받았으며, 다양한 조언을 듣고, 재정적인 뒷받침이 확실한 후보자들만 들어갈 수 있다는 의미라는 것이다. 가난한 지역 출신 학생들은 그런 지원을 꿈조차 꿀 수 없다. 수준 높은 교육은 점점 더 엘리트 계층이 나머지 시민들을 도태시키고 자신들의 지위를 영속화시킬 수 있는 도구가 되어 가고 있다. 이른바 일류 대학에 들어가는 가난한 학생들이 해마다 줄어들 뿐만 아니라 손꼽히는 학교들과 상당수 중산층(이들은 엘리트 스쿨 출신들이 대체로 교만하며 평범한 시민의 가치관과 경험을 이해하지 못한다고 생각한다) 사이에 간격이 갈수록 벌어지고 있다.

이런 추세의 밑바닥에는 좋은 학교에 들어간 학생들은 총명하고 뛰어난 최고의 인재들이므로 그만한 자격을 갖췄다는 능력주의 사상이 깔려 있다. 〈뉴욕타임스〉에 실린 "우쭐거리는 교육?"이란 기명 칼럼에서 델반코는 내로라하는 대학에 들어가는 학생들은 입학과 동시에 그러지 못한 친구들을 낮춰 보는, 말하자면 '잘난 척하고 제멋에 사는' 훈련을 받게 된다는 세간의 지적이 마냥 헛소리만은 아니라고 꼬집는다.

놀랍게도 이 컬럼비아대학 교수는 아이비리그 학교들을 처음 세운 설립자들은 "구원의 증표는 높은 자존감이 아니라 하나님의 눈높이에서 본 인간은 한없이 낮고 천한 존재일 수밖에 없다는 겸손한 자각이며 … 하나님의 사랑을 입은 이들은 그만한 자격이 있어서가 아니라 하나님이 값없이 베풀어 주신 자비 덕분"이라고 생각했던 '엄격한 청교도들'이었음을 지적한다.[13] 델반코 자신은 크리스천이 아니었고 세속 문화가 엘리트들을 겸손하게 만드는 토대가 되길 기대했지만, 지극히 명민했던 터라 성공적이고 부유한 이들의 자만심을 견제할 자원이 크리스천의 세계관에 있음을 인정할 줄도 알았다. 하지만 오늘날 누구도 제힘으로 행복한 삶을 살 수 없으며 부와 재능과 권력은 오로지 하나님의 선물일 뿐이라는 크리스천의 사상은 현대 문화 속에서 전반적으로 사라지고 있다. 대신 '능력주의의 어두운 속성'이 활개를 치며 그 어느 때보다도 불공평한 세상을 만들고 있다.

이러한 현상은 크리스천 교육가들과 사상계에서 활동하는 이들 모두에게 시사하는 바가 대단히 크다. 앞으로 수십 년 안에 가톨릭과 개신교 대학들은 중세시대에 수도원들이 고전문학 작품들을 지켜냈듯, 인간성을 보존하고 재발견하는 중심 세력이 될 것이다. 교육계에서 일하는 크리스천들은 복음으로 무장하고 고등교육의 평등성과 접근성을 짓밟으려는 엄청난 경제적 압박에 맞설 길을 찾아야 한다.

## 복음과 예술

예술계에도 우상이 있다는 점에는 재론의 여지가 없다. 여느 분야와 마찬가지로, 일부 예술가들은 재정 수입을 궁극적인 가치로 여기며 거기에 맞춰 작업한다. 대중의 인기를 노리는 작가들이 다 그러하듯, 한없이 감상적이고 달착지근하거나 충격적인 요소들이라든지 쓸데없는 섹스와 폭력이 난무하는 작품을 만들어 낸다. 적잖은 예술가들이 돈을 바라고 일하는 동료들을 업신여기는 대신, 흔히 자기표현과 독창성, 자유 따위를 작품 활동을 지배하는 가치로 내세운다. 하지만 그처럼 독선적인 태도는 심오한 세계관이 내면에 살아 움직이는 까닭에 저마다 고유한 마귀와 우상, 영웅, 정통교리, 구원을 추구하는 방식을 가지고 있다는 사실을 고스란히 드러낸다.[14] 이런 범주에 드는 예술가들은 대중적인 작품들을 벌레 보듯 경멸하기 일쑤다. 부드럽게 표현하자면 대량생산된 아름다움과 소망의 표상이라는 것이다.

기독교 신앙은 어떻게 예술가들의 작업에 영향을 미치는가? 지금껏 줄곧 그랬고 앞으로도 그렇겠지만, 이 주제로는 책을 몇 권 써도 모자라지만 간단히 줄여 말해서, 복음적인 세계관은 저널리스트의 경우와 마찬가지로 예술가들에게 낙관주의와 실생활의 사실주의를 독특하게 조화시킬 힘을 준다. 보편적으로 복음은 다른 어떤 세계관보다 인간 본성에 대해 비관적이다. 어떠한 계층이나 집단도 세상의 현실을 책임질 수 없다. 너나없이 극도로 악한 짓을 저지를 가능성이 있으며 하나님의 도우심이 없으면 자신을 바꿀 수도 없고 더 나아가 자신을 제대로 볼 능력조차 없다. 그러나 복음은 그리스도를 통해 하나님이 베푸신 구원을 근거로 하늘나라를 그리워할 뿐만 아니라 온전히 회복된 물질세계를 꿈꾸며 속속들이 낙천적인 마음가짐을 갖게 한다. 그러므로 복음으로 빚어진 예술가들은 감상에 치우치거나 쓰디쓴 절망을 곱씹는 행태를 보이지 않는다.

예를 들어, 〈사랑도 통역이 되나요?〉(Lost in Translation)라는 영화는 본질적으로 인생은 무의미하다는 전제를 깔고 우정에서 작은 위안을 찾는다. 〈꼬마 돼지 베이브〉는 돼지라도 인습을 거슬러 열심히 노력하면 양치기 개의 역할을 할 수 있다는 감동을 준다. 크리스천이라면 두 이야기의 진가를 알아보리라 믿는다. 최대한 호의적으로 표현하자면, 순진한 이야기든 냉소적인 스토리든 복음의 관점에서는 모두 한 토막씩 진실을 담고 있기 때문이다.

타락한 세상에서 살아가는 인생은 이루 말할 수 없이 무의미하며 기껏 포부를 품어도 툭하면 꺾이고 만다. 존경받는 이들까지도 억압적이거나 심한 편견을 가지고 있기 십상이다. 하지만 결국은 악을 이길 선이 존재한다. 크리스천의 시각에서 보자면, 이런 부류의 스토리들은 양쪽 다 죄를 제외한 무언가에서 문제의 원인을 캐고 하나님이 아닌 어떤 것에서 구원을 찾는 경향이 있다. 그러니 이야기가 단순화될 수밖에 없다.

복음의 풍부한 내러티브는 상대적으로 어두운 스토리와 더 낙관적인 세계관을 다 포함하며 그 둘을 태피스트리의 씨줄과 날줄로 삼아 어느 쪽도 짓눌리지 않는 온전한 그림을 짜낸다. 크리스천 예술가들은 더 광대하고 균형 잡힌 세계를 바라보는 비전, 오랜 세월에 걸쳐 위대한 작품들의 모태가 되었던 환상을 품고 작업에 임해야 한다.

## 복음과 의료

예수님의 복음이 제시하는 틀을 좇아 일하는 방식을 결정한다는 말은 곧 문화와 직업 자체에 도사리는 사회학적인 우상의 그림자뿐 아니라 마음속에 똬리를 튼 심리학적인 우상의 그늘에도 관심을 기울인다는 뜻이기도 하다.[15] 이제부터 의료 분야에서 구체적인 사례를 찾아보려 한다. 몇 년 전, 의료계에 종사하는 몇몇 크리스천들을 대상으로 비공식적인 연구를 한 적이 있었다. 그이들에게 "오늘날 의료 관행 가운데 어떤 점이 크리스천으로서 일하는 걸 어렵게 만듭니까?"라고 물었다. 답변을 들으면서 우선 놀랐고, 많은 걸 깨달았으며, 큰 도움이 되었다.

제기된 주요 문제점들 가운데 하나는 직업적인 정체성을 바라보는 시각을 잃어버릴 위험성이 크다는 아주 개인적인 사안이었다. 설교가가 되기 전, 런던에서 제법 성공한 의사였던 마틴 로이드존스는 의대생과 의료인들에게 강연하면서 솔직히 고백했다. "묘비명에 … '인간으로 태어나 의사로 죽다!'라고 또렷이 새겨 넣어야 할 것 같은 의사들을 수없이 만나는 특권을 누렸다 (의료인들이)직면하는 가장 큰 위험은 소명을 잃어버릴지 모른다는 점이다. … 의사들에게는 특별한 의미를 갖는 시험이다."[16] 또 다른 영국인 의사는 이렇게 덧붙였다.

> … 의료인들이 받는 시험은 생명을 인계받아서 노예로 만드는 권력으로 지배하라는 유혹이다. … 다른 이들의 삶에 유익을 끼치기 위해 아주 많은 것들을(시간, 책임, 스트레스를 비롯해)을 베풀고 있다는 생각으로 자신을 달래는 일종의 자아 마사지가 이뤄진다는 점에서 지극이 교묘하고 은밀한 꼬드김이 아닐 수 없다. 이러한 부류의 우상숭배에는 자기합리화를 뒷받침하는 상당히 큰 힘이 있어서 의사는 증권거래인보다 도덕적으로 우월하다는 인식을 갖기 쉽다. … 어떤 이들은 필요한 존재가 되려는 욕구가 있으며 영향력을 행사하는 데서 에너지를 얻는다.[17]

의료나 목회처럼 남들을 돕는 일을 하는 이들은 스스로 고상하고 베푸는 노동을 한다고 생각해서 상대적 우월감을 느끼기 쉽다. 아울러 의료인들은 오랜 시간, 스트레스를 받으며 문자 그대로 생명을 살리는 일에 자신을 쏟아 넣는다 할지라도, 그 고단한 수고에 앙심과 고소로 답하는 배은망덕하고 불합리하며 완고한 이들을 수없이 만난다. 이런 상황도 필연적으로 영적인 위기를 불러일으킨다. 어느 의사는 이렇게 적었다.

인간에 대해 극도로 냉소적이 되고 정서적으로 생명의 가치에 둔감해지기 십상이다. 삶과 죽음이 뒤죽박죽 뒤엉킨 꼴을 무수히 보는지라, 감정적으로 분리되며 거리를 두고 안정을 확보하려는 본능적인 방어기제가 작동하는 걸 느낀다.

오직 복음만이 살금살금 됨됨이 속으로 기어들어온 교만과 냉소, 분리 따위를 똑바로 보게 한다고 고백하는 의료인들도 적지 않았다. 한 의사는 말했다. "초년병 시절에는 일로 시간을 보내느라 기도 생활이 말라붙기 일쑤다. 하지만 그건 치명적인 오류다. 예수님이 마음에 살아 역사하셔야 꾸준히 기쁨이 샘솟아서 의술을 자존감의 토대로 삼거나 수고를 알아보지 못하는 이들을 만날 때 마음이 싸늘해지지 않을 수 있다."

조사 과정에서 의사들이 받는 문화적 압력도 드러났다. 전화로 의견을 나눈 어느 여성은 〈뉴잉글랜드 의학저널〉(New England Journal of Medicine)에 실린 '병상 곁을 지키는 하나님'(God at the Bedside)[18]이란 기사를 읽어 보라고 했다. 글을 쓴 의사는 환자의 영적인 신념과 신앙생활이 건강 문제에 중요한 인자로 작용하는 사례를 자주 본다면서도 "종교와 과학은 엄밀하게 나뉘어 있으며 전혀 다른 영역을 지배한다는 게 이 시대의 통념"이라고 했다. 환자의 죄책감과 두려움이 병을 낳는 요인이 되는 반면, 하나님을 믿는 믿음이 치유에 한몫하는 걸 흔히 보지만, 그러한 사실을 공개적으로 인정할 준비가 전혀 되어 있지 않다고 본 것이다. "충분히 납득할 만한 얘기지만, 의사들은 임상의 견고한 울타리를 넘어 영적인 영역을 탐험하는 걸 몹시 주저한다."

마틴 로이드존스도 어느 의료인들의 모임에서 강연하면서 비슷한 이야기를 했다. 1920년 후반, 런던에 있는 세인트 바트(Saint Bart) 병원의 의사로 들어간 로이드존스는 명성이 자자하던 로드 호더(Lord Horder) 박사 밑에서 일하게 됐다. 어느 날, 호더는 환자의 이름이 아니라 진단명과 치료 과정을 기준으로 묶는 새로운 파일 시스템을 만들고 거기에 맞춰 그간의 진료 기록들을 정리하고 재분류하라고 지시했다. 작업을 맡아 처리하던 로이드존스는 선배의 차트를 살펴보다 크게 놀랐다. 절반이 넘는 파일에 "지나치게 열심히 일함", "과음", "가정생활과 부부 관계가 원만하지 않음" 따위의 글귀가 적혀 있었다.

어느 주말, 박사와 함께 시간을 보내게 된 로이드존스는 자료를 정리하다 보았던 글귀 이야기를 꺼냈다. 호더는 의사를 찾는 환자들 가운데 삼분의 일 정도만 확실하게 의학적으로 문제가 있을 뿐, 나머지는 걱정 근심과 스트레스, 살면서 내린 어처구니없는 선택, 비현실적인 목표와 자신에 대한 과신 탓에 탈이 났거나 악화된 사례로 본다고 대꾸했다. 물론, 심각한 경우에는 정신과 의사에게 보내지만 대부분은 그럴 필요가 없다고 했다. 그러니 의사는 쓸데없이 간섭하지 말고 내버려두면 된다는 게 호더 박사의 결론이었다. 로이드존스는 말했다.

> 대답을 듣고 나서 … 주말 내내 그 문제를 가지고 입씨름을 벌였다. 그런 환자들도 치료(인생 전반에 걸쳐)를 해야 한다는 게 내 논지였다. '아하!' 호더는 가볍게 받아넘겼다. '자네가 잘못 생각하는 게 바로 그 점일세! 해 준 게 거의 없어도 대가를 치르고 싶다면 그러도록 내버려 두란 말씀이지. 그리고

정말 의학적인 도움이 필요한 나머지 35퍼센트 남짓 되는 환자들에게 집중하면 될 것 아닌가!' 하지만 다른 이들(삶 전체를 고려해야 할)도 '정말 의학적인' 치료가 필요하다는 내 입장은 달라지지 않았다. 모두가 아프기는 마찬가지였다. 건강하지 못하다는 건 엄연한 사실이다. 그렇다면 의사에게 가서(꼭 한 명일 필요는 없다) 도움을 청해야 한다.[19]

로이드존스는 이런 치료 정도는 의사 혼자서도 넉넉히 해낼 수 있다는 얘길 하는 게 아니라 오히려 카운슬러를 비롯해서 남들을 돕는 일을 전문가들과 힘을 모아 전인적으로 접근해야 한다는 점을 강조하고 있다. 인간은 영적, 윤리적, 사회적 본성을 지니고 있으며, 어리석거나 그릇된 신념이나 행동, 또는 선택 탓에 타격을 입으면 육신과 정신의 고장이 맞물릴 수 있다. 뿐만 아니라, 본래 오로지 육체적인 요소들이 일으킨 질병을 앓던 환자라 할지라도 회복과 치유를 경험하자면 결국 의술 외에도 여러 인자들이 필요하다.

대화가 있었던 건 1927년이지만, 호더와 로이드존스가 이야기하던 상황은 갈수록 악화되어 왔다. 우선, 의료 분야가 이루 말할 수 없을 만큼 세분화, 전문화돼서 제아무리 전문가라 할지라도 한 인간을 전인적으로 살피는 사치를 누릴 수 없는 지경에 이르렀다. "진화론에 근거한 단일한 설명으로 현실의 모든 측면을 해석할 수 있다"[20]고 믿는 이른바 '진화론적 사회 구성주의'라는 관점의 영향권에서는 성장이 가장 중요할 수밖에 없는 것과 같은 맥락이다. 요컨대, '전인'이란 개념이 발붙일 자리는 없어졌다.

의식과 감성, 선택과 욕구, 목표와 기쁨 따위를 하나같이 유전적인 소인이 작용한 결과로 보는 경향이 나날이 심해지고 있다. 인간은 몸과 정신과 영혼으로 구성된다는 옛 관념은 사라지고 정신적, 정서적, 영적 신경증을 가진 몸만 남았다. 인간 본성에 대한 이런 환원주의적인 이해뿐만 아니라, 의사와 병원에 쏟아지는 경제적 법적 압력 또한 의료인들에게 '전인 치유' 따위에는 신경 쓰지 않도록 조심하는 풍조를 부채질하는 것 같다.

창조와 타락이 인류에 미친 파장을 정확하게 이해하는 의료계의 크리스천들은 기독교적인 시각을 축소하려는 흐름에 저항할 수밖에 없다. 인간의 본성과 관련된 크리스천들의 인식은 풍부하면서도 다면적이다. 창조주께서는 몸을 지으셨고 장차 부활시키실 것이다. 육신의 중요성이 거기에 있다. 친히 몸을 속량하신(롬 8:23) 하나님은 최고의 의사다. 그런 점만 놓고 보자면 '의료'는 지극히 고귀한 소명이다. 하지만 주님은 육체만 보살피시지 않는다. 영혼도 지으시고 구속하셨다. 따라서 크리스천 의료인은 전인적인 인간을 염두에 두어야 한다. 신앙은 환자의 육신을 보살피는 데 그치지 않고 인류애와 독창성을 발휘해 치료할 수 있는 힘의 원천이다.

### 세계관은 모든 일의 틀을 잡는 토대

그러므로 복음적인 세계관을 가지고 일한다는 게 곧 일하면서 끊임없이 그리스도의 가르침을 이야기해야 한다는 뜻은 아니다. 개중에는 복음을 주로 일터에서 '보여 주어야 할' 무언가로 생각하는 이들이 있다. 크리스천 음악가는 기독교 음악을 연주하고, 크리스천 작가는 회심에 관한 글을 쓰고, 크리스천 기업인들은 예수를 믿는 이들을 염두에 두고 기독교 용품이나 관련 서비스 상품을 만들어 내야 한다는 식이다. 그런 분야에서 그런 일을 해내는 걸 좋아하고 잘하는 크리스천들이 있을 수 있다. 하지만 그처럼 누가 봐도 기독교적인 활동을 하는 경우에만 복음적인 세계관이 작동한다고 믿는 건 심각한 오류다. 오히려 복음을 눈에 쓰고 세상을 '내다볼' 안경쯤으로 여기는 게 더 진실에 가깝다.

예술 분야에서 일하는 크리스천들은 고유한 세계관에 충실하기만 하면 돈과 적나라한 자기과시, 그 어느 쪽에도 사로잡히지 않고 지극히 다채로운 스토리들을 들려주게 된다. 크리스천 경영인들은 이윤을 몇 가지 중요한 요소들 가운데 하나 정도로만 인식하며 무엇이 됐든 공동의 이익을 도모할 수 있는 사업을 열정적으로 펼쳐 나갈 수 있다. 크리스천 작가는 굳이 하나님의 이름을 직접 언급하지 않고도 주님 외에 무언가를 만들어 내는 행위가 얼마나 파괴적인지 보여 주는 메시지를 지속적으로 전할 수 있다.

성경은 회사를 운영하고, 하수도를 청소하고, 환자를 보살피는 일에 관해 하나하나 구체적인 지침을 주는 핸드북은 아니지만, 인간이 살아가는 데 긴요한 문화, 정치, 경제, 윤리를 비롯해 광범위한 이슈들을 설명한다. 뿐만 아니라, 크리스천 세계관은 금방 눈에 들어오지 않을지 모르지만 이 시대의 문화에 토대를 놓는데 크게 기여했다. 현대인이 하는 일

(특히 서방사회의)의 배경이 되는 사건이나 사상, 즉 과학기술의 진전, 자본주의를 이끌어 가는 민주적인 기풍, 인간의 천부적인 자유를 경제자유와 시장발전의 기초로 보는 사고방식 등은 전반적으로 기독교 신앙이 불러온 문화적인 변화에 힘입은 바 크다. 역사가 존 서머빌(John Sommerville)은 용서와 섬김이 복수나 체면보다 더 중요하다는 의식은 성경에 깊이 뿌리를 내리고 있다고 했다.[21]

전지전능하고 인격적이며 유일한 창조주 하나님을 바라보는 성경적인 시각을 가진 사회에서만 현대과학이 싹을 틔울 수 있었다는 게 대다수 전문가들의 견해이며[22] 나 역시 거기에 동의한다. 흔히 알고 있는 이상으로 복음적인 세계관이 가진 독특한 틀과 능력의 덕을 보고 있는 셈이다.

크리스천의 세계관을 렌즈 삼아 일을 바라보고 있는가? 다음과 같은 질문들을 자신에게 던지고 있는가?

- 지금 살고 있는 세상의 문화와 일하는 분야에서는 어떤 스토리라인이 주류를 이루는가? 누가 주인공이고 누가 악당인가?
- 무엇이 의미, 윤리, 기원, 숙명 같은 개념의 밑바닥에 깔려 있는가?
- 무엇이 우상 노릇을 하고 있는가? 무얼 소망하고 또 무얼 두려워하는가?
- 현재 종사하는 직업 세계에서는 그 스토리라인을 어떻게 다시 해석해 들려주는가? 이야기 속에 직업 자체는 어떤 역할을 하는가?
- 지배적인 세계관 가운데 어떤 부분이 본질적으로 복음과 일치해서 기꺼이 동의하며 거기에 맞출 마음이 드는가?

- 지배적인 세계관 가운데 그리스도가 아니고는 해결할 수 없는 부분이 있는가? 어떤 점인가? 다시 말해서, 문화에 도전해야 할 대목이 있는가? 그리스도라면 어떤 방식으로 그 스토리를 완성해 나갈 것 같은가?
- 개인적으로 이 스토리들은 일의 형식과 내용, 양면에 걸쳐 어떤 영향을 미치는가? 어떻게 하면 뛰어날 뿐만 아니라 크리스천답게 구별된 모습으로 일할 수 있는가?
- 지금 하고 있는 일에는 한 사람 한 사람을 섬기고, 넓게는 사회에 봉사하며, 직업 세계 자체에 도움을 주고, 능숙함과 탁월의 모범이 되며, 그리스도의 증인이 될 기회가 있는가?

크리스천이 일에 어떻게 영향을 줄 수 있을까 생각할 때, 세계관이란 영역은 실행에 옮기는 씨름이 가장 치열하고 또한 힘겨운 세계다. 그리스도를 좇는 제자들은 너나없이 문화 속에 살며 복음이 설명하는 이치와 첨예하게 충돌하는 강력한 거대 서사가 주도하는 분야에서 일한다. 이러한 내러티브들은 몹시 심오한 차원에서 작용하므로 얼마나 짙은 그늘을 드리우고 있는지 분변하기가 쉽지 않다. 난생처음 외국에서 살게 된 어느 미국 여성은 평생 상식적이고 보편적이라고 생각했던 제도와 관행이 실제로는 지극히 미국적이며 다른 이들에게는 더할 나위 없이 우스꽝스러운 일이었음을 깨닫고 큰 충격을 받았노라고 고백한다. 이질적인 문화 속에서 생활하는 경험을 통해서 자신을 달리 평가할 새로운 시각을 갖추게 되었고 결국 이러저러한 마음가짐을 고치고 다른 태도를 받아들이면서 서서히 변해 갔다.

그리스도를 믿는 사건은 깊이에서 차이가 날 뿐, 타국으로 이주하는 것과 대단히 비슷하다. 문화와 세계관, 직업 분야 따위를 보는 시각이 예전과는 딴판이 되기 때문이다. 언젠가는 복음을 통해 만물을 신선한 시점으로 볼 수 있게 되겠지만, 이 새로운 정보들을 파악하고 세상을 살며 소명을 추구하는 방식과 통합하는 데까지는 적잖은 시간이 걸린다. 분명히 말하지만, 이런 궁극적인 학습 체험에는 끝이 없다. 천사들까지도 복음이 일으키는 놀라운 일들을 보고 싶어 한다지 않는가(벧전 1:10-12)!

chapter **10**

**일에 대한 이원론을 배격하다**

# 이건 세상 일이고 저건 하나님 일이라는 이분법을 배격하라

네 손이 일을 얻는 대로 힘을 다하여 할지어다(전 9:10).

유대인 공동체는 뉴욕시를 풍요롭게 만드는 데 크게 기여했다. 병원과 의료 혜택을 확장하고, 예술과 문화센터들을 만들고, 노인들을 보살피며, 젊은이들을 길러 내는 탄탄한 사회로 이끌었다. 성경의 유산과 신앙에 기대어 "정의를 행하며 인자를 사랑하며 겸손하게 네 하나님과 함께 행하는 것"(미 6:8)에 헌신했던 것이다. 비록 그리스도를 좇는 제자들은 아니지만 하나님이 그 안에 역사하셨다는 데는 재론의 여지가 없다.

절망에 빠진 이웃들과 더불어 살며 다시 일어서도록 돕는 일로 자주 주목을 받는 또 다른 집단은 케이 커뮤니티다. 이들은 지난 수십 년 간 열심히 노력한 끝에 뉴욕시 전체를 통틀어 가장 열악한 여러 지역들의 형편을 대폭 개선해 냈다.

그밖에도 예수를 믿지는 않지만, 한없이 선량한 가치 기준을 가지고 멋들어진 상품이나 아름다운 무용 작품을 만들어 낸다든지, 또는 믿음직스럽고 체계가 잘 잡힌 팀을 구성해서 탁월한 성과를 내는 이들을 다들 알고 있을 것이다. 크리스천의 세계관이 그토록 독특한 것이라면 이런 상황을 어떻게 설명할 수 있을 것인가?

제9장에서 살펴본 대로, 복음은 크리스천들에게 일과 관련해서 실질적인 지침을 주고 인류의 번영을 바라보는 심오하고도 다층적인 비전을 심는 세계관, 또는 스토리를 제공해서 주위 사람들과 전혀 다른 방식으로 일하도록 이끈다. 하지만 이게 성경에 나타난 큰 그림의 전모는 아니다. 만약 그뿐이라면, 크리스천 말고는 선한 일이나 행동을 할 수 없다거나 그리스도를 믿는 이들이 일터에서 하는 일은 한 점 모자람이 없이 완벽하며 예수님을 모르는 이들이 하는 노동과 백팔십도 달라야 하는데, 현실은 그렇지가 않다.

하나님은 세상의 창조주시다. 주님의 뜻과 비전에 일치하는, 다시 말해서 성경의 스토리라인과 맞아떨어지는 문화를 창조할 때, 인간의 일은 그분의 사역을 반영한다. 그런데 신학자들은 하나님의 창조뿐만 아니라 그분의 섭리에도 비중을 둔다. 주님은 세상을 창조하는 데 그치지 않고 피조물들을 사랑하고, 보살피고, 양육하신다. 스스로 지으신 것들을 하나하나 먹이시고 지키신다. 그렇다면 섭리가 어떻게 한 사람 한 사람에게 이르는가? 앞에서, 특히 마르틴 루터의 가르침에서 보았듯이, 사랑으로 보살피시는 하나님의 손길은 동료 인간들의 노동을 통해 광범위하게 다가온다. 일은 섭리를 이뤄 가시는 창조주의 주요한 도구다. 그것이 바로 인간 세상을 유지해 가는 주님의 방식이다.

크리스천의 노동은 거룩한 창조 사역의 연장이다. 따라서 하나님을 바라보며 그분의 영광을 위해 세상과 구별되는 방식으로 할 수 있는 방법을 물어야 한다. 크리스천의 노동은 섭리하시는 하나님의 사역의 연장으로 이웃을 바라보며 어떻게 그이들을 위해 탁월하게 일할 수 있을지 물어야 한다. 후자는 모든 영역에 적용된다. 농부나 요리사는 음식에 얽힌 이웃의 필요를 채운다. 정비공은 자동차와 관련해 기술적인 도움을 받고자 하는 이웃의 필요를 충족시킨다.

섭리, 또는 예비하심이라는 일의 또 다른 측면은 어째서 크리스천들이 예수님을 모르는 이들과 크게 다르지 않은 방식으로 일하는 경우가 대부분인지(적어도 겉으로 보기에는) 설명해 준다. 예를 들어, 구덩이를 메우는 크리스천들만의 독특한 방법을 식별해내는 건 불가능하다. 게다가 인간은 예외 없이 하나님의 형상대로 지음받았으며(창 1:26-28) 주님이 누구에게나 일하는 데 필요한 달란트와 재주를 주셨다. 따라서 예수님을 구주로 영접하지 않은 이들이 큰일, 더 나아가 크리스천들보다 더 훌륭한 일을 해내는 걸 놀라워할 이유가 없다.

사실, 세계관에 지나치게 무게를 두는 자세는 얼마쯤 위험 요인을 내포하고 있다. 블루컬러 노동자가 하는 일보다 화이트컬러에 특혜를 주게 될 수 있다는 점만 해도 그렇다. 작가나 경영인들은 기독교 신앙을 일터에 적용하는 걸 신중하게 고려해 볼 기회가 있다. 그러나 조립 라인의 생산직원, 공예품을 만드는 장인, 또는 정비사의 경우처럼 세계관이라는 게 하루하루 처리하는 일상적인 작업에 특별한 영향을 줄 수 없는 근로자들에게 얼마나 의미가 있겠는가? 물론, 크리스천이라면 누구나 예수님을 믿지 않는 이들과는 완전히 다른 내면의 동기를 가지고 일을 해야 하며, 이는 자질과 정신, 정직성에 명확한 차이를 불러올 수 있다. 하지만 그렇다고 해서 크리스천 근로자들이 주님을 모르는 이들과 전혀 다른 방식으로 비행기 엔진을 제작할 수 있다는 뜻은 아니다. 그러므로 세계관의 측면에서만 일을 보고 하나님의 섭리와 사랑이라는 차원에서 살필 줄 모른다면, 은연중에 성경이 가르치는 일의 개념과 원리가 노동자 계층과는 별 상관이 없는 걸로 여기는 꼴이 된다.

하나님의 섭리를 실어 나르는 도구로서 노동의 가치에 낮은 비중을 두는 데서 생기는 더 심각한 위험은 크리스천이 아닌 이들이 이뤄 낸 선한 일들을 과소평가한다는 점이다.[1] 온전하고 균형 잡힌 성경의 가르침은 오로지 크리스천이 한 일이나 전문직만을 소중하게 여기는 폐단에 빠지지 않도록 지켜 주며, 오히려 인간의 모든(특히 탁월하게 해낸) 노동에 하나같이 높은 가치를 둔다. 하나님의 사랑이 세상에 전달되는 통로로 보는 것이다. 크리스천들은 세상이 선망하는 일이든 그렇지 않든 상관없이 스스로 하는 일을 인정하고 기뻐할 뿐만 아니라, 다른 이들이 능숙하게 해내는 일들에 대해서도 같은 반응을 보인다. 상대가 예수님을 믿든 말든 가리지 않는다.

그러므로 일을 사랑이 많으신 하나님의 세상을 향한 섭리를 전달하는 도구로 보는 성경의 노동관은 대단히 중요하다. 크리스천의 세계관이 가진 차별성에 집착할 때 발생할 수 있는 엘리트주의와 파벌주의를 제어해 주는 까닭이다.

## 일반 은총에 덧대야 할 균형

인간이 하는 그야말로 모든 일들을 소중하게 여기는 법을 배웠다면, 기독교 신학에서 말하는 이른바 '일반 은총'의 영역으로 진입한 셈이므로, 이 대목에서 그 개념을 정확하게 파악해 두는 게 좋겠다. 크리스천들은 구원의 은혜를 전혀 경험해 보지 못했음에 틀림없는 사람들, 그러니까 그리스도를 따르지 않는 이들과 공동으로 가진 게 있을까? 하나님은 온 인류에게 은총(크리스천들이 예수님을 모르는 이들과 협력하고 배울 수 있는 토대가 되는)을 베푸시기 위해 더 광범위한 차원에서 문화적 상호작용이 일어나게 하셨는가?[2]

성경의 답변은 "예스!"다. 시편 19편은 온 인류에게 하나님의 임재와 영광을 이야기하는 일종의 '무언의 메시지'와 성경을 통해 크리스천들에게 주신 계시, 그리고 그걸 신뢰하게 하시는 성령님의 역사를 구별하고 있다. 로마서 1장과 2장은 인간이라면 누구든 하나님에 대한 원초적인 지식을 공유하고 있다고 단언한다. 특히 로마서 2장 14-15절에서, 바울은 모든 인간의 마음에 하나님의 율법이 적혀 있다고 했다. 모두가 정직, 정의, 사랑, 황금률 따위가 미리 장착된 양심을 가지고 태어난다.[3]

아울러 어느 정도까지는 하나님이 존재하며, 자신은 창조주의 피조물이고, 인류는 반드시 그분을 섬겨야 하며, 주님은 우리에게 그분 자신, 그리고 이웃들과 관계를 맺으라고 요구하신다는 사실을 인식하고 있다. 더 나아가, 하나님은 광대한 자연뿐만 아니라, 기본적으로 주님이 지으신 그 자연을 빚어내고 채워 가는 문화를 통해서도 인류에게 자신을 드러내 보이셨다. 이사야서 28장 24-29절을 곰곰이 곱씹어 보라. "파종하려고 가는 자가 … 지면을 이미 평평히 하였으면 … 소맥을 줄줄이 심으며 대맥을 정한 곳에 심으며 귀리를 그 가에 심지 아니하겠느냐. 이는 그의 하나님이 그에게 적당한 방법을 보이사 가르치셨음이며 … 이도 만군의 여호와께로부터 난 것이라. 그의 경영은 기묘하며 지혜는 광대하니라."

놀랍지 않은가! 이사야는 본문에서 하나님이 인간을 가르쳐 솜씨 좋은 농부가 되거나 농업 기술을 발전시키게 하신다고 말한다. 어느 주석가는 이 구절을 이렇게 풀었다. "씨를 뿌리고, 논밭을 관리하고, 곡물을 돌려짓는 따위의 기술을 인간이 발견한 줄 알지만, 실제로는 창조주께서 창조의 책장을 열어 진리를 보여 주셨을 따름이다."[4]

경작은 문화 형성의 전형이다. 따라서 학문이 발전하고, 예술 작품을 만들어 내고, 건강을 지키는 방법이 혁신적으로 개선되고, 과학기술이나 경영과 행정이 진보하는 건 그저 하나님이 '창조의 책장을 열어 진리를 보여 주신' 결과일 뿐이다. 물론, 인류 역사에 등장했다가 사라진 농부들 가운데 절대다수는 전혀 의식하지 못했지만, 이것이 사실이자 현실이라고 이사야는 자신 있게 이야기한다. 신학자들은 이를 가리켜 '일반계시'라고 부르는데, 하나님이 뭇 사람들에게 자신을 드러내 보여 주시는 '일반 은총'을 의미한다. 비슷한 의견을 내놓는 성경의 다른 본문들도 살펴보자.

- 야고보서 1장 17절은 "온갖 좋은 은사와 온전한 선물이 다 위로부터 빛들의 아버지께로부터 내려오나니"라고 가르친다. 선하고 유익한 일

들과 지혜, 정의, 아름다움 따위는 누구의 손에서 빚어지든지 모두 다 하나님에서 비롯되었으므로 은혜의 또 다른 형태의 은총이라는 뜻이다.

- 출애굽기 31장 1-4절은 브살렐에게 "여호와께서 … 하나님의 영을 그에게 충만하게 하여 지혜와 총명과 지식과 여러 가지 재주"를 갖게 하셨다고 전한다. 예술적인 재주가 하나님으로부터 왔음을 볼 수 있는 대목이다. 그런 점을 고려한다면, 작곡가의 도덕적, 영적 상태와 상관없이 모차르트의 작품을 하나님의 음성이라고 평가했던 살리에리의 판단은 정확했다.
- 이사야서 45장 1절에는 하나님이 거룩한 영으로 이방의 왕 고레스에게 기름 부으셔서 세계의 지도자로 세우셨다는 기록이 등장한다. 창세기 20장 6-7절에서, 주님은 또 다른 이방나라의 왕이 죄에 빠지지 않도록 지켜 주셨다. 하나님의 영은 구원받지 못한 이를 세상에서 고귀하게 하는 능력으로도, 구원받지 못한 이를 세상에서 억누르는 힘으로도 모두 작용할 수 있음을 보여 주는 소중한 지표들이다. 이는 인간을 회심시키거나 정결하게 만드는 성령님의 역사와는 다른 영역의 사역이다. 여기서는 하나님의 영이 지혜와 용기, 통찰을 주시거나 죄의 결과를 억제하기 위해 움직인다. 주님의 존재를 부정하는 상대에게도 마찬가지였다.

이렇게 하나님은 일반 은총을 통해 인류에게 축복을 베푸시고 거룩한 자녀들이 주님을 모르는 이들과 협력하며 유익을 얻게 하셨다. 그러나 보편적 계시에는 균형을 잡아야 한다는 엄격한 제한이 따라붙는다. 로마서 1장 18절에서, 바울은 "불의로 진리를 막는 사람들"을 언급한다. 여기에는 양면이 있는데, 장 칼뱅은 그 실체를 근사하게 정리했다. 우선, 세속적인 저술가(주로 고대 그리스와 로마의 사상가들을 염두에 두었다)를 지목해서 이렇게 적었다.

> 그이들 가운데 빛나는 찬양할 만한 진리의 빛은, 죄에 물들고 온전함에서 벗어나 뒤틀린 인간의 정신을 하나님이 탁월한 선물로 덧입히고 장식하신다는 사실을 가르쳐 준다. 하나님의 영을 유일한 진리의 원천으로 여긴다면, 하나님의 영을 모독할 심산이 아닌 한, 진리 자체를 거절하지도, 그 진리가 드러나는 자리를 경멸하지도 않을 것이다. … 성경이 "육에 속한 사람"(고전 2:14)이라고 부르는 이들은 예민하고도 날카롭게 열등한 것들을 파헤쳤다. 그러므로 순수성을 잃어버린 뒤까지도 하나님이 인간 본성에 얼마나 많은 선물들을 남겨 두셨는지 그이들의 사례를 보면서 깨달아 알아야 한다.[5]

칼뱅은 여기서 하나님이 거룩한 형상대로 지음받은 인간들 모두에게 은총을 베푸신다고 설명하지만 그 직전에 분명히 밝혀 놓았다. 비록, "왜곡되고 타락한 인간의 본성에도 얼마간의 불꽃들이 어렴풋이 타오르긴 하지만, 그럼에도 불구하고 그 광채는 지독한 무지에 가로막혀 제대로 빛을 내지 못한다. 인간의 정신은 둔해질 대로 둔해진 탓에 진리를 추구하고 발견하는 일에 얼마나 무능해졌는지 모른다."[6]

완전히 상충돼 보이는 두 측면을 단 몇 쪽으로 이처럼 깔끔하게 통합해 낼 수 있는 이가 또 있을까? 자, 예수님을 믿지 않는 이들은 진리를 분간할 수 있는가? 그렇기도 하고 아니기도 하다. 칼뱅은 로마서 1장을 꼼꼼하게 짚어 나간다.

첫째로, 세상에 중립은 없다는 점을 인식해야 한다. 그리스도를 주님으로 고백하는 게 영원한 진리에 부합됨에도 불구하고 예수님을 구세주로 인정하지 않는 이들은 하나같이 궁극적인 진실을 바라보는 그릇된 시각을 가지고 살아간다. 누구든 그리스도나 자신 가운데 어느 한쪽을 부정하는 세계관에 따라 움직인다. 객관적이거나 중립적인 인간은 없다. 아무도 이 문제를 피해 갈 수 없다.

그러나 설령 그릇된 세계관을 가졌다 해도 하나님과 창조, 인간의 본성, 구원의 필요성 같은 성경적인 세계관의 몇 가지 측면들을 파악하고 인정할 수 있다는 게 '일반 은총'이라는 교리다. 하나님은 인간의 마음을 작동시키는 시스템 중에서도 가장 깊숙한 자리에 거룩한 스토리를 심어 두셨다. 하나님과 선을 인식하는 이런 부류의 지식을 '일차적 신념'이라고 부른다. 의식과 지성, 문화적으로 체득하는 '이차적 신념' 같은 요소들의 극렬한 저항을 받기는 하지만, 누구나 어느 수준까지는 일차적 신념을 가지고 있게 마련이다. "불의한 행동으로 진리를 가로막는 사람"이란 바울의 표현은 한 사람 한 사람이 얼마쯤은 진리를 중심에 품고 있음을 암시한다. 진리가 없다면 어떻게 그걸 가로막을 수 있다는 말인가?

바울의 묘사에 기묘한 긴장이 배어 있는 까닭은 그리스도를 주님으로 인정하지 않는 이들의 뛰어난 언행이 일정한 수준까지는 '알지만'

그 이상은 모르는 진리에서 비롯되었기 때문이다. 레너드 번스타인의 경우, 세속적이고 자연주의적인 이차적 신념을 가지고 있지만 텔레비전 방송에 출연해서 이렇게 말했다. "베토벤 교향곡 5번을 듣고 있노라면 세상을 조화롭게 하고, 어디에나 있어서 언제든 감지할 수 있으며, 스스로 정한 법을 일관되게 따라가며, 기대를 결코 저버리지 않을 거란 믿음이 가는 무언가가 존재한다는 걸 느끼게 된다."[7] 음악이 감정뿐만 아니라 의미도 선사한다는 얘기다. 인생이란 우주적인 우연의 산물이라 뜻을 둘 만한 대상이 하나도 없다는 게 이 작곡가의 공식적인 신념이다. 그럼에도 불구하고, 음악에는 어떻게 살아갈지 결정하는 데 결정적인 역할을 하는 '의미'가 엄연히 존재한다는 사실을 실감하게 만들었다. 다들 경험하듯, 일차적 신념이 이차적 신념을 뚫고 끓어올랐던 것이다.

## 일반 은총에 기대어 누리는 자유

일반 은총을 제대로 이해하지 못한다면, 크리스천에게 세상은 지극히 혼란스러운 곳이 될 수밖에 없다. 예수를 믿으면서도 안토니오 살리에리와 동질감을 느끼는 이들이 허다한 이유가 여기에 있다. 도덕적으로 야비했던(최소한 피터 셰퍼의 희곡 〈아마데우스〉에서만이라도) 모차르트는 하나님의 사랑에 힘입어 재능이 하늘을 찌를 것만 같았던 반면, 윤리적으로 흠잡을 데 없는 인간인 자신의 재주는 평범하기 짝이 없다는 사실이 살리에리로서는 몹시 쓰라리고 당황스러웠다. 자신이 원초적으로 가지고 있는 죄를 깨닫지 못했다는 점 말고도, 일반 은총의 실체를 파악하지 못했던 게 문제였다. 하나님은 지혜와 달란트, 아름다움과 재주를 은혜로, 다시 말해서 공로와 상관없이 거저 베푸신다. 세상을 풍요롭게 하고, 환하게 밝히며, 잘 보존하기 위해 나눠 주시는 선사품인 셈이다. 원칙대로라면 죄를 범한 인류는 지상에 머무는 동안 지금보다 훨씬 끔찍한 인생을 살았어야 한다. 자연과 문화가 현재의 상태와는 비교할 수 없을 만큼 열악한 모습이어야 마땅하다. 형편이 그토록 악화되지 않은 이유는 오로지 일반 은총이라는 선물 덕분이다.

일반 은총의 개념이 없으면 크리스천들은 스스로 문화적인 게토에 들어앉아 자급자족하는 데 만족할 가능성이 높다. 크리스천 의사에게만 치료를 받아야 하고, 크리스천 변호사에게만 일을 맡기고, 크리스천 상담가의 말만 듣고, 크리스천 예술가의 작품만 즐겨야 한다고 생각할 수도 있다. 그러나 하나님은 세상에 선물을 쏟아부으시면서 상당 부분을 그리스도를 모르는 이들에게 맡기셨다. 모차르트는 예수를 믿었든 아니든, 선물임에 틀림없다. 그러므로 크리스천은 하나님을 더 잘 알기 위해서라도 인간의 문화를 두루 연구해야 한다. 거룩한 형상을 좇아 지음받은 피조물인 인간은 어디서든 주님의 진리와 지혜를 찾아낼 수 있기 때문이다.

일반 은총의 개념이 정리되지 않는 한, 그리스도를 주님으로 인정하지 않는 이들이 왕왕 윤리적으로든 지혜로든 크리스천을 앞지르는 연유를 납득하기 어렵다. 하지만 정확하게 파악하고 난 뒤에는 상황이 달라진다. 죄의 교리는 예수님을 믿는 이라 할지라도 참다운 세계관이 빚어내도록 되어 있는 수준만큼 선해질 수 없다는 뜻이다.

마찬가지로 일반 은총의 교리는 그리스도를 주님으로 인정하지 않는 이들이라 할지라도 그릇된 세계관을 따라가면 당연히 이르러야 할 정도까지는 엉망이 되지 않는다는 의미다. 크리스천의 스토리에서 악당은 그리스도를 주님으로 인정하지 않는 이들이 아니라 죄의 실존, 그 자체다. 복음은 그이들뿐만 아니라 크리스천들의 내면에도 죄가 도사리고 있다고 지적한다.

예수님을 믿지 않는 이들과 세상을 섬기는 일에 힘을 모을 수 있다면 더할 나위 없이 든든한 발판이 될 것이다. 남들과 함께 어울려 일하는 크리스천들에게서는 겸손한 협력과 진중한 도전이 두루 나타나야 한다. 그리스도 안에서 베풀어 주시는 하나님의 용서를 체험할 뿐만 아니라 일반 은총의 개념을 온전히 깨닫고 받아들인다면 신앙은 다르지만 주님이 크게 쓰시는 이들과 손을 맞잡고 한없이 유익한 일들을 이뤄 나갈 수 있을 것이다. 아울러 다른 한편으로는 성경적인 세계관을 바로 세워서 남다른 길을 추구하거나 기독교 신앙이 일을 썩 훌륭하게 해낼 힘과 지침을 준다는 사실을 이웃과 동료들에게 드러내고 알려야 한다.[8]

## 대중문화와의 대화

지난 80여 년 간, 대중문화에 대한 크리스천들의 반응은 일반적으로 '외면'과 '이탈'에 가까웠다. 음악과 영화, 텔레비전을 싸잡아 위험스럽고, 정신을 더럽히며, 수준을 떨어트리는 요인으로 치부했다. 회피는 다양한 형태로 나타난다. 완전히 무시해 버리는 이들이 있는가 하면, 불쾌한 부분들을 잘라내 버리고 복음적인 색채를 지나치다 싶을 만큼 뚜렷하게 드러내는 음악, 영화, TV쇼, 문학, 관광 안내 따위의 프로그램으로 채운 기독교 하위 문화를 대안으로 내세우기도 한다. 그런가 하면 세계관을 분별하지 않고 무비판적으로 소모하는 제3의 유형도 있다.[9] 어째서 이처럼 대중문화를 외면하고 이탈하는 현상이 벌어지는가?

우선, 하나님이 정하신 규정들에 불복종하는 일련의 행위를 죄라고 생각하는 '얄팍하고도' 율법적인 시각 탓이다. 성숙한 크리스천으로 성장하기 위해 죄스러운 짓을 조금이라도 덜 저지를 것 같거나, 그런 행동을 하는 무리들과 마주치지 않을 만한 환경을 만들려는 몸부림이다. 오염원과 최대한 떨어져서 스스로 갈고 닦으면 삶에서 죄를 몰아낼 수 있다는 발상이다. 죄를 이렇게 바라보는 관점은 인류를 위해 그리스도가 이루신 은혜로운 역사가 얼마나 철저하고도 풍성한지 깨닫지 못하게 만든다. 은혜에 대한 이해가 부족한 까닭에 직접 애써서 구원을 얻어야 하고 또 그럴 수 있다고 믿는 것이다. 그러자니 자연히 죄를 의식적인 노력으로 쉽게 정복할 수 있는 상대로 보는 쪽으로 방향을 잡게 된다.

죄에 대해 이처럼 얄팍한 관념은 성적으로 부도덕하거나, 불경건하거나, 정직하지 못하거나, 폭력적인 행동을 유발할 수 있는 요소들이 눈에 띄지 않도록 치워 버리는 게 안전하다는 생각으로 이어진다. 그렇게 문화적인 '텍스트'에서 몸을 빼내면 죄스럽다는 느낌이 덜 들지 모르지만 실은 어리석기 짝이 없는 것이다. 복잡하고 유기적인 죄의 속성은 여전히 활발하게 움직이면서 도덕적인 순결, 재정적인 안정, 순수한 교리, 문화에 대한 자긍심 따위의 긍정적인 요소들로부터 갖가지 우상을 만들어 내고 있기 때문이다.

물론, 대중문화에는 섹스와 폭력을 수시로 미화하는 식의 치명적인 독소가 잔뜩 들어 있다. 성경은 음행을 피하라고 가르치고(고전 6:18-20), 지혜로운 이들일수록 슬기롭게 울타리를 치는 것 또한 사실이다.[10] 그러나 문화 전반에서 뒷걸음질 치는 걸 강조하다 보면 오히려 더 '점잖아 보이는' 우상숭배에 빠져들 가능성이 부쩍 높아진다. 그러므로 '우상을 만들려는 마음의 강박적 욕구'로 죄를 규정하는 '두터운' 신학적 시각을 가져야 한다. 그래야 무작정 도망치거나 무절제하게 소비하는 오류를 범하지 않고 겸손하면서도 비판적인 자세로 문화에 참여할 수 있다.[11]

외면과 이탈의 또 다른 원인은 일반 은총에 관한 얄팍한, 또는 지성주의적 시각이다. 앞에서 살펴본 것처럼, 모든 인간은 어느 정도 하나님과 그분의 성품에 대한 지식을 소유하고(아울러 억압하고) 있다. 그러나 그런 지식을 주로(또는 제한적으로) 인지적 정보로만 받아들이는 경우가 많다. 하나님의 존재와 기독교의 진리를 뒷받침하기 위해 제출된 증거를 대하듯, 얼마든지 접수해서 전달할 수 있는 지식으로 여긴다. 다시 말해서 하나님에 대한 내면의 인식을 지성적인 차원에서만 생각하는 경향이 있다는 뜻이다.

하지만 로마서 1장 18-25절 말씀은 인간의 삶에서 일반계시, 또는 일반 은총이 어떻게 작용하는지 설명하는 더 포괄적이고 역동적인 그림을 펼쳐 보인다. 진리는 억눌려 있지만(18절) 끊임없이 마음의 문을 두드리고 있다. 20절은 말한다. "창세로부터 그의 보이지 아니하는 것들 … 그가 만드신 만물에 분명히 보여 알려졌나니." 그런데 여기서 '알려졌다'고 풀이된 그리스어 동사 'nosumena'와 '보여지다'라는 뜻의 'kathopatai'는 모두 수동형 현재분사다. 한마디로, 거룩한 속성을 지닌 하나님의 실재와 창조주를 향한 인간의 의무가 지속적으로 제시되고 있음을 암시한다. 따라서 고정적이고 서술적인 정보라기보다 나날이 새로워지면서 한 사람 한 사람의 의식 속으로 밀고 들어오는 압력에 가깝다. 그렇다면 대중문화가 낳은 인위구조는 죄다 하나님의 일반계시에 대한 긍정적인 반응인 동시에 그분의 주권적인 통치에 반역하는 몸짓이기도 하다(롬 1:21).

따라서 모든 문화적인 생산 활동(일터에서 하는 일들은 저마다 문화 생산의 유형이라는 점을 잊지 말라)을 하나님의 일반 은총을 확인하는 내면의 반응과 우상을 좇으며 주께 반역하는 인간 심리의 본질 사이에 이뤄지는 대화로 볼 수 있다. 인간의 문화는 선명한 진리와 망가진 반쪽짜리 진리, 그리고 대놓고 진리에 반기를 드는 저항이 뒤섞인 복합체다. "어떠한 경우에도 기존에 가졌던 종교의 믿음을 잃어버리는 게 신앙 본능의 상실을 뜻하지는 않는다. 다만, 일시적으로 억눌린 본능이 다른 출구를 찾고 있다는 의미일 따름이다."[12]

이런 대화를 단적으로 보여 주는 흥미로운 본보기가 있다.

학생들에게 베트남과 미국의 합작영화 〈세 계절〉(Three Seasons)을 보여 주었다. 짤막한 인터뷰 네 편으로 이뤄진 영화인데, 그 가운데 하나가 시클로(자전거와 인력거의 중간쯤 되는 탈것)를 끄는 헤이(Hai)의 이야기다. 젊은이는 야심만만한 소녀에게 푹 빠져 있다. 몸을 팔며 살아가는 아가씨는 언젠가 이 지긋지긋한 가난을 벗어 버리고 일터 가까이에 있는 고급 호텔의 시원하고 깨끗한 세계에서 잠드는 날이 올 거라고 굳게 믿는다. 시클로 경주에서 우승하고 상금으로 50달러를 받은 헤이는 그 돈을 아낌없이 털어서 아가씨와 하룻밤을 보내는 데 쓴다. 청년이 고급 호텔에 방을 잡는 순간부터 관객들은 뒤따라 나오게 마련인 에로틱한 장면을 기다린다. 하지만 젊은이는 기대를 저버리고 아가씨의 몸을 찾지 않는다. 대신 소녀가 잠드는 걸, 그토록 꿈꾸던 세계에서 편히 쉬는 걸 지켜보게 해 달라고 부탁한다. 마음에 둔 아가씨의 소망을 채워 줄 기회 말고는 아무것도 요구하지 않은 채 밤을 지새운 청년은 아침 일찍 홀로 방을 나선다. 소녀는 마음이 쿵하고 내려앉는 느낌이었다. 더는 몸 파는 일을 할 수 없었다(『레미제라블』에서 신부가 베푼 은혜가 장발장을 정직한 인간으로 되돌려놓았던 것과 비슷한 시퀀스다). 섬세한 아름다움과 사심 없는 순정, 그리고 삶을 변화시키는 사랑의 빛줄기를 전혀 어울릴 것 같지 않은 자리에서 엿볼 수 있었던 정말 감동적인 장면이었다. 감독이자 시나리오 작가인 토니 뷔(Tony Bui)는 크리스천이 아닌 걸로 알고 있다. 어쩌면 복음이라고는 들어본 적도 없을지 모른다 …. 그러나 아름답고 진실한 순간들(그리고 그리스도의 구원 사역을 떠올리게 하는 가슴 아픈 이미지들)이야말로, 하나님이 만물을 뒤트는 죄의 여파를 누르고 인간의 내면에 주님의 고상하고 창조적인 형상을 심으신 역사를 또렷이 보여 주는 증거다.[13]

## 이원론과 통합

크리스천들이 대중문화에서 이탈하는 데는 이원론의 영향이 적잖이 작용했다. '이원론'은 성(聖)과 속(俗)을 가르는 장벽을 설명하는 데 쓰는 말로 죄와 일반 은총, 하나님의 뜻과 섭리에 대한 얄팍한 이해가 낳은 일차적인 폐해다.

이원론은 명백하게 그리스도의 이름으로 하는 일이어야 주님을 기쁘시게 할 수 있다는 착각에 빠지게 만든다. 반드시 예수님을 노골적으로 드러내는 글을 쓰거나 그림을 그린다든지, 기독교 학교에서 신앙교육을 시킨다든지, 구성원들이 하나같이 기독교 신앙을 고백하는 단체에서 일해야 한다는 강박을 느낀다. 아침마다 일과를 시작하기 전에 사무실에서 성경공부를 인도하는 걸 널리 알려야 한다고 생각하기도 한다(루터는 일을 '영적인 분야'과 '세속적인 분야'로 나누는 처사에 몹시 분개했다는 사실을 잊지 말라). 이런 부류의 이원론적인 태도는 일반 은총의 장엄한 그림과 인류를 사로잡고 있는 죄의 은밀한 영향을 제대로 보지 못하는 데서 비롯된다. 이런 관점을 가진 이들은 그리스도를 받아들이지 않은 이들의 손에서 이뤄진 일에도 늘 죄가 일으킨 왜곡뿐만 아니라 하나님이 베푸신 일반 은총도 제법 포함되어 있다는 사실을 놓치기 일쑤다. 아울러 공공연히 예수님의 이름을 들먹이는 크리스천이 하는 일 또한 죄로 말미암아 심각하게 뒤틀릴 수 있다는 점도 쉽게 지나쳐 버린다.

그러나 이원론적인 접근 방식의 다른 쪽 극단에는 더 일반적이며, 경험에 비추어 볼 때 해체하기가 더 까다로운 의식이 자리 잡고 있다. 그런 사고방식을 가진 이들은 교회 일을 할 때만 스스로 크리스천이라고 생각한다. 크리스천으로서의 삶은 주일 하루와 평일 저녁에 그것도 신앙적인 활동에 참가하는 시간으로 국한된다. 주중에 어떤 핵심 가치에 따라 시간을 보내고 삶을 꾸려 가고 있는지 꼼꼼히 들여다볼 꿈조차 꾸지 않는다. '세상에 나가서' 일하며 생활하는 동안은 자신, 겉으로 드러나는 외모, 과학기술, 개인의 자유, 물질만능주의, 개인주의를 반영하는 여러 특성 따위를 포함해 현대 문화의 배경을 이루는 갖가지 가치 기준과 우상들을 분별없이 받아들인다. 이원론의 첫 번째 유형이 세상과 나눠 가진 공통점의 중요성을 포착하지 못하는 반면, 두 번째 유형은 복음적인 세계관(신앙뿐만 아니라 모든 일의 판을 복음에 비추어 새로 짜는)이 가진 차이점의 중요성을 간과해 버린다.

이원론의 대척점에 신앙과 일의 통합이 있다. 크리스천은 그리스도를 모르는 이들의 문화와 직업 세계에 적극적으로 참여해야 한다. 죄에 대한 관념과 시각이 두터워지면 누가 봐도 기독교적이라고 할 만한 일마저도 우상숭배로 변질될 가능성이 항상 내재되어 있음을 틈틈이 떠올리게 된다. 일반 은총을 정확하게 파악하고 있다면 명백히 세상의 일과 문화라 할지라도 그 안에 하나님의 진리를 드러내는 요소가 항상 깃들어 있음을 놓치지 않을 것이다.

크리스천이라 할지라도 올바른 신앙이 이끌어갈 정점에 섰다고 볼 만큼 선하지 않으며, 예수님을 모르는 이들이라 할지라도 그릇된 신념이 끌어갈 가장 낮은 바닥에 이르렀을 만큼 악한 게 아니다. 따라서 어느 분야의 일을 하든지 양쪽 모두와 일정한 거리를 두고 서서 그 문화와 표현들을 비판적으로 즐길 줄 알아야 한다. 그래야 비로소 반쪽짜리 진리를 알아보고 우상을 배격하는 법을 배우는 한편, 삶의 모든 국면에서 정의와 지혜, 진리와 아름다움의 흔적들을 분별하고 만끽하는 비결을 익힐 힘이 생긴다. 문화에 참여하는 길과 관련된 복음과 성경의 가르침을 올바르게 받아들인 크리스천이라면, 동료와 이웃들이 하는 일의 이면에서 움직이는 하나님의 손길을 누구보다 잘 알아볼 수 있을 것이다.

chapter **11**

**일을 하는**
**동기가 바뀌다**

# 높은 보수나 칭찬을 위해 일하지 말라

> 너희가 금식하는 날에 오락을 구하며 온갖 일을 시키는도다. … 내가 기뻐하는 금식은, 흉악의 결박을 풀어 주며 멍에의 줄을 끌러 주며 압제 당하는 자를 자유하게 하며 모든 멍에를 꺾는 것이 아니겠느냐? 또 주린 자에게 네 양식을 나누어 주며 유리하는 빈민을 집에 들이며 헐벗은 자를 보면 입히며 또 네 골육을 피하여 스스로 숨지 아니하는 것이 아니겠느냐?(사 58:3, 6-7)

2008년부터 2009년까지 금융 붕괴 사태를 겪은 직후, 어느 기고가가 〈뉴욕타임스〉 '선데이 옵션' 섹션에 투자은행에 다니다 그만둔 친구의 사연을 썼다. 둘째가라면 서러울 만큼 열심히 일했으며, 공명정대하고 솔직한 성품이었을 뿐 아니라, 형편이 어려운 친구들을 돕고 비영리 자선단체에 넉넉한 후원금을 보낼 만큼 너그러운 인물이었다. 하지만 직장에서 맡은 일이 문제였다. 비우량 주택 담보대출, 학자금 융자, 신용카드 부채 관리 따위가 그의 전문이었다. "이런 부채들을 퍼즐 조각처럼 이리저리 짜맞춰서 재정 파탄(비록 아직까지는 아닐지라도 얼마든지 벌어질 수 있는) 과정에서 사악한 역할을 했을 법한 투자자들에게 팔아넘기는 업무였다."[1] 월 스트리트를 누비는 직장인들은 자신에게, 또는 서로에게 수없이 묻는다. 이런 사태가 누군가에게는 일어나고 누군가에게는 일어나지 않은 이유는 무엇일까? 단순하다. 모더니즘과 포스트모더니즘의 우상들이 그런 식으로 묻고 답하는 성향을 차단하고 있기 때문이다. 하는 일이 합법적이고 남들도 다 하는 것이라면 던져야 할 본질적인 질문은 "돈벌이가 될까?"뿐이라는 것이다.

어떤 이들은 금융서비스 사업과 비즈니스에 외부적인 제한을 강화해서 윤리적인 측면을 보완해야 한다는 생각에 코웃음을 친다. 〈이코노미스트〉는 실업가들에게 더 큰 도덕성을 요구하는 여론을 다룬 기사에서 경영인의 목표, 또는 유일한 존재 이유는 '주주의 이익을 극대화하는 것'[2]이라는 밀턴 프리드만(Milton Friedman)의 유명한 말을 인용했다. 시장 자체는 성실을 보상하고 불성실을 징벌하게 되어 있으므로 경영인과 오너들의 판단에 개입해서는 안 된다는 게 필자의 논지였다. 방만하게 기업을 운영했다면 시장에서 성과를 얻지 못할 테니 이윤에만 신경 쓰면 나머지는 알아서 돌아간다는 뜻이다.

기업 윤리를 가르치는 과정이나 관련 도서들 역시 알게 모르게 그런 의견에 동조한다. 오너와 직원들은 정직하고 공정해야 한다는 얘기도 좋고, 회사 식구들을 너그럽게 대해야 한다는 소리도 좋고, 지역사회와 이익을 나눠야 한다는 설명도 좋다. 하지만 왜 그래야 하는가? 그런 주장의 근거는 무엇인가? 가장 흔히 내놓는 답변은 그래야 비즈니스에 도움이 되기 때문이라는 것이다. 그래야 평판이 좋아지고 멀리 보면 나은 기업 환경이 조성된다. 다시 말해서, 다들 손익분석을 토대로 한 윤리를 부르짖고 있는 셈이다(그나마도 삶으로 살아 내는 경우를 찾아보기 힘들다). 성실은 '남는 장사'고 불성실은 아니다. 맞는 말이다. 적어도 장기적인 관점에서는 틀림없는 사실이다.

하지만 그걸로 충분한가? 윤리적으로 미심쩍은 활동으로 얻는 단기적인 이윤은 큰 반면, 자신과 동료들에게 폐가 될 가능성은 아주 적어서, 손익분석을 해 보면 위험 요인과 비교할 수 없을 만큼 잠재 수익이 막대한 상황도 있지 않겠는가? 두말하면 잔소리다. 분야에 따라서는 철저하게 윤리적으로 행동하다가는 재정적으로 파산 지경에 몰리므로, 엄격하게 손익을 분석해 보면 도덕적인 잘못을 저지르거나 관계가 끊어지는 따위의 위험을 감수하는 편이 훨씬 유리한 경우도 있다. 그러기에 형편에 따라서는 정직한 태도가 비즈니스에 해롭다는 말이 나오는 것이다.

개인적이고 규모도 작아 보이지만 누구나 고민할 법한 상황에 이를 적용해 보자. 대기업에 다니는 스물일곱 살 청년 하워드(Howard)는 또 다른 큰 회사에서 스카우트 제의를 받았다. 하는 일은 다 고만고만하지만, 미래의 가능성이 더 높은 기업이었다. 임금을 협상하는 자리에서 장차 상사가 될 고용주는 지금 연봉이 얼마인지 알려 달라고 했다. 젊은이는 수치를 단 4퍼센트, 그러니까 몇 천 달러만 부풀려 말했다. 상대편이 생각하는 것보다 높여 불러야 더 많은 급여를 받을 수 있을 거란 판단이었다. 회사를 옮기면 휴가 일수가 현재보다 두어 주 줄어들기 때문에 그래도 된다고 거짓말을 합리화했다. 지금 받는 돈에다가 잃어버릴 여가의 가치만큼만 덧붙였을 뿐이니 만에 하나, 상대방이 알게 된다 해도 꿀릴 게 없었다. 거짓말로 얻는 수익이 비용과 위험보다 컸다. 게다가 그야말로 누구나 하는 짓이 아닌가! 그렇다면 문제 될 게 무어란 말인가!

개인의 직업윤리는 좋은 쪽으로든 나쁜 쪽으로든, 공공의 이익에 미치는 누적 효과가 있다. 유럽 의회의 부의장을 지낸 프레드 캐서우드(Fred

Catherwood)는 짧지만 감동적인 내용을 담은 소책자에서 세계적으로 경제 발전과 정치 안정의 발목을 잡는 가장 무서운 덫 가운데 하나로 부패를 꼽았다.[3] 국제적인 건설 사업 분야에서 일하는 한 청년은 정치적으로 불안하고 빈부차가 극심한 지역에서는 뇌물이 일상이다시피 만연하지만 경제 기반이 탄탄하고 시민사회가 안정된 국가에서는 쉬 찾아볼 수 없다는 사실을 실감했노라고 고백한다. 이러한 패턴에 대처하기 위해 다국적 기업들과 개발 기구의 대표, 공무원과 NGO 책임자들이 모여 '국제투명성기구'(Transparency International)를 창설했다.[4]

캐서우드는 정직성은 당사자의 차원을 넘어 더 넓은 사회에 영향을 주며, 개인뿐 아니라 공동체 전체가 청렴한 행동을 뒷받침해야 한다는 점을 잘 보여 주는 사례를 들려준다. 어느 나라에 젊고 총명한 의사가 있었다. 법률은 국민이라면 누구나 무상의료 혜택을 받도록 규정하고 있지만 현실은 달랐다. 의사와 간호사들은 환자에게 대놓고 뒷돈을 요구했으므로 돈이 없으면 치료받을 길이 막막했다. 뇌물을 줄 능력이 없는 대다수 시민들은 속수무책으로 죽어 갔다. 정치 구조 전반에 걸쳐 부패와 뇌물이 판을 치는 터라 정부로서도 약속대로 의료 혜택을 제공하는 데 필요한 예산을 마련할 힘이 없었으므로, 참담한 현실은 구조 악으로 굳어져 갔다. 이 젊은 의사는 양심을 좇아 뇌물을 거절했고, 끝내 사회 보건 프로그램에서 밀려나고 말았다. 교회의 도움을 기대했지만 돌아온 건 실망뿐이었다. 빠르게 성장하고 있었지만 아직 어리고 사회적인 입지도 불안한 교회는 강력한 정부 권력과 시비를 가릴 뜻이 없었다. 깊은 좌절을 겪은 청년 의사는 결국, 의술과 정의가 절실하게 필요한 조국을 등지고 외국으

로 이주하는 길을 택했다.[5]

국제투명성기구의 폴 배첼러(Paul Batchelor)는 "소금과 빛: 부패와 싸우는 크리스천의 역할"[6]이라는 에세이에서 흔히들 부패라면 세계적으로 '낙후된' 지역에 국한된 문제로 여기는데, 이는 역겨우리만치 지나친 단순화라고 성토한다. 부패가 심할수록 경제는 취약해진다. 지구상의 번영하는 국가들에서조차 부패는 경제를 악화시키며 오히려 그 세력이 더 강력해서 사회에서 살아가는 수많은 구성원들, 특히 가난한 이웃의 이익을 앗아 간다. 배첼러는 금융계에서 자주 볼 수 있는 '투자와 인센티브의 왜곡' 때문에 투자자와 주주들은 더 이상 회사와 금융기관들이 내놓는 수치를 신뢰하지 못하게 됐으며 이런 신용 상실이 재투자와 성장을 가로막는다고 지적한다. 이 글을 쓰는 사이에도 바클리스 은행(Barchlays Bank)이 금융 상품의 가격을 조작해서(이번 사건에서는 리보금리를 바꾸는 수법을 썼다) 부당 이득을 취하고 중소기업과 투자자들에게 피해를 입혔다가 4억5천만 달러의 벌금을 부과받았다.[7]

배첼러는 비즈니스 세계에만 부패가 있는 게 아니라면서 선출직과 행정직 공무원들의 부패와 노골적인 뇌물 요구, 추접스러운 부정 축재 따위의 실례를 줄줄이 열거했다. 이런 타락상은 시민들의 냉소주의를 키우고 정치에 등을 돌리게 만들어서 부정의 깊이가 한층 더 심각해지는 순환 고리를 만들어 낸다. 하버드대학의 행정학교수 휴 헤클로(Hugh Heclo)와 조지 메이슨(George Mason)은 「제도적으로 사고하는 일에 대하여」(*On Thinking Institutionally*)라는 책을 내고 미국인들이 점진적으로 정부, 경영, 종교를 비롯한 온갖 제도들에 대한 신뢰를 잃어 가는 과정을 파헤치고 그 결과가 사회에 끼친 심각한 그늘의 역사를 추적했다.[8] 일터에서 개인이 저지르는 부정은 기하급수적으로 새끼를 치며 사회 전체에 어마어마하게 증폭된 파장을 일으킨다.

다시 하워드의 경우를 생각해 보자. 작은 거짓말이 어떻게 사회에 폭넓은 영향을 줄 수 있을까? 젊은이는 당시 상황을 들려주었다. 그저 몇 푼 더 벌겠다는 욕심이 단번에 진실성을 외면하게 만든다는 걸 퍼뜩 깨닫는 순간, 돌파구가 열리면서 사고방식에 변화가 생기더라고 했다. 어째서 희생한 두 주간의 휴가면 몇 천 달러어치는 된다는 얘기를 솔직하게 털어놓지 못했을까? 애당초 면접 자리를 마련해 주신 하나님이 급여 문제도 해결하실 것을 왜 신뢰하지 못했을까? 직업을 선택할 때 월급을 먼저 보는가, 아니면 하나님이 하라고 주신 일에 관심을 갖는가?

하워드는 '정직'이란 자질을 돈의 제단에 제물로 올리고 나면 다음 거짓말은 훨씬 수월하다는 사실을 절감한 순간, 스스로 일으킨 파장이 사회에 더 큰 충격을 주기 시작했다는 걸 깨달았다. 누군가 지켜보고 있다면 똑같이 행동하고 싶은 마음이 들 게 뻔했다. 일 자체가 기여할 가치 대신 돈을 보고 일하는 자세가 앞으로 들어갈 회사의 문화에 상처를 낼 수 있다는 생각이 들었다.

크리스천은 일정 부분 희생을 치르고라도 부도덕한 행동에 맞설 만한 토양을 갖추고 있다. 다행스럽게도, 기독교 신앙의 스토리라인은 그 도를 따르는 이들에게 윤리적 기반을 제공하기 때문이다. 정직하고 성실하게 행동하는 데 있어서, 크리스천들은 손익 계산이라는 실용적인 접근 방식보다는 훨씬 단단한 토대를 가진 셈이다. 크리스천들은 솔직하고, 따뜻하며, 너그러워야 한다. 보상을 바라서가 아니라(손익분석에 뿌리를 둔 윤리는 일반적으로 대가를 기대한다), 인생을 향한 하나님의 뜻과 설계를 감안할 때, 그렇게 하는 게 옳기 때문이다. 물론, 때로는 그런 처신 탓에 주류에 들어가지 못하거나 불이익을 당한다. 하지만 성경학자 브루스 월키(Bruce Waltke)의 말마따나, 성경은 "자기 이익을 챙기기 위해 서슴없이 공동체에 피해를 주는 … 악인들과 달리",[9] 불이익을 감수하며 다른 이들의 유익을 도모하는 이들이 바로 '의인'이라고 가르친다.

## 차원이 다른 온전히 새로운 덕성

제10장에서 이미 살펴본 것처럼, 성경에서 말하는 '일반 은총'은 크리스천 직장인과 그리스도를 구주로 믿지 않는 동료들 사이에 공통점을 강조하는 개념이다. 그러므로 크리스천과 예수님을 모르는 이들도 함께 공부하고 전문지식을 공유하며, 해당 분야에서 이룬 진전을 서로 알아보고 신앙과 상관없이 가장 뛰어난 능력을 가진 이에게 갈채를 보낼 수 있다. 힘닿는 대로 최선을 다해 능숙하고, 부지런하며, 노련하고, 훈련된 일꾼이 되는 건 누구에게나 대단히 중요하다. 골로새서 3장 23절은 "무슨 일을 하든지 마음을 다하여 주께 하듯 하고 사람에게 하듯 하지 말라"고 당부한다. 이 가르침을 진지하게 받아들이는 크리스천이라면, 업무의 질과 성실한 태도로 동료들의 존경을 얻으려 노력할 것이다. 누가 보든 말든 늘 책임을 다하며 투명하고 바른 마음가짐을 가져서 '생각하

는 대로 말하고 말하는 대로 행동하는' 본보기가 된다는 뜻이다.

진실하고 헌신적인 인간이 되어야 한다는 건 상식이며, 굳이 기독교 신앙을 가져다 붙일 일이 아니라고 얘기한다. 아주 틀린 말은 아니다. C. S. 루이스도 「인간폐지」(*The Abolition of Man*)라는 작품에 붙인 유명한 글에서 다양한 문화와 종교들이 말하는 도덕적인 삶의 개념이 얼마나 유사한지 소상하게 설명한 바 있다.[10] 어쨌든, 크리스천들은 주변 사람들과 구별되는(때로는 선명하게, 때로는 은근히) 도덕적인 나침반과 복음의 능력을 갖추고 있다. 성경이 가르치는 기독교 신앙은 다른 세계관에서 볼 수 없는 중요한 자원들을 제공하므로 일터에서 그대로 살아 내기만 하면 특별히 애쓰지 않아도 저절로 차이가 나게 마련이다.

중세 시대의 위대한 기독교 신학자 토마스 아퀴나스는 플라톤의 네 가지 기본 덕목(절제, 용기, 지혜, 정의)를 살펴보고 나서 성경의 가르침과 다르지 않다고 인정했다.[11] 그리곤 믿음과 소망, 사랑이라는 세 덕목을 추가했다. 이들은 특별하고도 고유하게 하나님의 성품과 그분의 은혜에 관한 계시를 뒷받침하기 때문이다. 고대 문화 역시 어느 정도까지는 사랑을 말하지만, 기독교 신앙은 원수를 사랑하고 핍박하는 상대를 용서하는 전혀 새로운 차원으로 그 개념의 정의를 끌어올렸다. 복수를 미덕으로 여기는 수치 문화권이나 명예 문화권에 사는 이들로서는 그야말로 충격적인 가르침이다.

프랑스 철학자 루크 페리는 직접 쓴 철학사에서 기독교 신앙은 "그리스 사상보다 우위에 있었으며 유럽을 지배했다"면서 특히 '윤리 영역에 속하는' 가르침이 탁월했던 덕분이라고 했다. 구체적으로 말하자면, 그리스 사상은 궁극적인 실재의 본질을 언제나 비인격적인 존재로 생각했지만, “코스모스의 조화롭고 거룩한 구조는 단일하고도 독특한 인성, 곧 그리스도의 성품을 가진 크리스천들에게서 확인된다.”[12]

기독교 이전의 동서양 문화들은 구원을 비인격적인 익명의 상태로 들어가는 입구쯤으로 여겼다. 거룩한 사랑에서 비롯되었으며 언젠가는 돌아가 그 진수를 경험한다는 개념은 찾아볼 수 없었다. 그러나 기독교 신앙은 사랑으로 세상을 지으신 인격적인 하나님 안에 궁극적인 실재가 뿌리내리고 있다고 보았다. 이는 “개성이 보장되지 않고 맹목적인 구원 교리에서 그리스도라는 인격체를 통해 자발적인 권리를 가진 개인으로서 구원받는다는 교리로 넘어가는”[13] 요인이 되었다.

크리스천들은 영원한 사랑으로, 그리고 바로 그 사랑을 위해 지음받았음을 알고 있다. 크리스천에게 사랑은 으뜸가는 삶의 의미다. 심지어 서로 잘 알고 사랑하는 세 위격이 한 분 하나님을 이룬다는 삼위일체 교리조차도 사랑을 기반으로 한 관계가 모든 실재의 구성 요소임을 보여준다. 그리고 하나님이 행하신 창조 사역의 최종 목적도 더불어 관계의 기쁨을 만끽할 세계를 지으시는 데 있었다. 하나님은 인간들로부터 사랑과 경배를 받기 위해서가 아니라 삼위일체 가운데서 이미 누리셨던 사랑과 기쁨, 존경과 영광을 나누기 위해 사람을 지으셨던 것이다.[14]

그러기에 사랑은 크리스천이 따르는 스토리라인 가운데 단연 선두를 차지한다. 예수님이 말씀하신 것처럼, ‘온전한 인간’의 요건을 졸이고 또 졸이면 하나님을 사랑하고 이웃을 사랑하는 자질만 남는다. 업적, 동기, 정체성, 감정을 비롯한 나머지 성분들은 중요도에 있어서 선두와 차이가 많이 나는 2순위에 해당한다. 실재의 본질을 이렇게 이해하면 일하는 방식도 크게 달라질 수밖에 없다. 관계는 권력과 부, 안락한 생활을 추구하기 위한 도구인가? 부는 다른 이들을 사랑하는 궁극적인 목표를 달성하는 데 필요한 디딤돌인가? 삼위일체 하나님이 만드신 우주의 결을 거스르는 한쪽 길은 주님을 경배하지도, 인간을 풍요롭게 하지도 못한다. 기독교적인 노동의 패러다임은 그 반대편 길에 있다.

아무도 삶의 마지막 순간에 이르러 보지 못했으므로 사무실에서 더 많은 시간을 보낼 수밖에 없다는 통속적인 얘기를 곱씹어 보라. 물론, 전혀 터무니없는 소리는 아니다. 하지만 그보다 더 흥미로운 시각이 있다. 사람들이 인생의 끝자리에 섰을 때도, 더 많은 사랑을 주고받을 작업 환경과 생산품을 만드는 데 시간과 열정, 기술을 쏟아부으려는 마음이 한결같겠는가? 지금의 궤도를 좇아 경력을 쌓아 가노라면 언젠가 "그렇다!"고 대답할 길이 보이겠는가?

## 인류를 바라보는 다른 시각

사랑을 으뜸으로 치는 교리 외에도 기독교 신앙은 도덕적인 행동(구체적으로 말하자면 인권을 존중하는)을 뒷받침하는 또 다른 자원을 제공한다. 모든 인간이 하나님의 형상대로 창조되었다면, 인종과 계급, 성(性)과 라이프스타일, 도덕적인 자질과 상관없이 침해할 수 없는 권리를 가졌다고 보아야 마땅하다. 페리의 설명에 따르면, 그리스인과 로마인 사이에서는

인간이라는 사실 자체가 아니라 타고난 재주나 능력에 두었다.[15]

인간들 가운데는 애초부터 노예가 되도록 태어난 이들이 있는데, 이는 이성적 사고를 발전시킬 능력이 없기 때문이라고 단정했던 아리스토텔레스의 주장도 거기에 근거한다. 한 시대를 풍미했던 고대 철학자는 주장한다. "자연은 자유민과 노예의 몸을 구별할 것이다. 한쪽은 노예 노동에 적합하도록 강건하게 만들고 다른 한쪽은 곧바르게 만든다. 이는 (노예의) 일에는 쓸모가 없지만 전쟁과 평화 양쪽에 필요한 기술들로서 정치적인 삶에 유용하다. … 그렇다면 어떤 인간은 태생적으로 자유로운 반면, 다른 이들은 노예일 수밖에 없으며 후자에게는 종이라는 신분이 편리하고 타당하다."[16]

이와는 지극히 대조적으로 프로테스탄트 종교개혁가 장 칼뱅은 이렇게 썼다.

> 공로를 기준으로 판단하자면 인간들 가운데 상당수는 무가치하다. 하지만 성경은 인간을 공로로 평가하지 말고, 모든 인간의 내면에서 온갖 영예와 사랑을 베푸시는 하나님의 형상을 보아야 한다고 가르치는 최상의 길을 제시한다. … '아무개는 나랑 전혀 다른 대우를 받아야 해'라고 말할지 모른다. 하지만 주님이 당하신 일은 합당했는가? … 잊지 말라. 인간의 악한 의도를 볼 게 아니라 그이들 가운데서 사랑하고 끌어안지 않고는 견딜 수 없게 만드는 하나님의 형상을 바라보아야 한다.[17]

인격에 대한 독특한 정의(하나님의 형상을 품고 있는 존재)와 전례가 없는 사랑 개념(세상의 기원이며 목적이고 숙명)을 기반으로 기독교 신앙은 사상사와 문화 발전에 이루 헤아릴 수 없는 영향을 끼쳤다. 예를 들어, 기독교적인 인간관이 아니었더라면 오늘날 만인의 지지를 받는 인권 철학은 결코 등장할 수 없었을 것이다. 기독교는 인간이라면 누구나 하나님의 형상대로 지음받았으므로 문화적, 윤리적, 인격적 상태를 떠나 존중과 사랑을 받을, 침해할 수 없는 권리를 가졌다는 시각을 고수한다. 이런 윤리 원칙의 전면적인 특질은 놀랍기 그지없으며 기독교 이전의 문화에서는 이런 부류의 관념이 생성된 적이 없었다. 페리가 주목하고 다른 학자들이 강력하게 뒷받침하듯,[18] 인권 의식은 인간에게 하나님의 형상이 담겨 있다는 기독교 신앙을 토양으로 성장했다.

어떻게 하면 크리스천들이 일하는 방식에 이러한 신앙이 선명하게 드러나게 할 것인가? 캐서린이 기업 경영에서 교회 사역으로 방향을 막 전환했을 무렵, 함께 일하는 목회자에게 시내에 '연줄'이 좀 있다는 이야기를 꺼냈다. 목회자는 고개를 돌려 바라보며 부드럽게 바로잡았다. "캐서린 선생은 지금 사역을 하고 있어요. 사역자들은 그이들을 '사람'이라고 부르죠."

시장의 압박과 관행 탓에 효율을 기준으로 삶의 모든 국면을 분석해서 합리화하려는 현대인들의 의지가 갈수록 강해지고 있다. '인간'은 도움을 줄 만한 '연줄'이 되었고 고객은 '밥줄과 지갑', 직원은 임무를 수행하는 '자원'으로 변했다. 고객과 직원, 심지어 교인의 가치를 재계 용어를 동원해 헤아리는 장면을 어디서나 쉽게 볼 수 있다. 철저하게 경제적인 관점에서 보자면, 주주와 경영자, 직원과 공급자, 고객과 공동체 주민들은 값어치가 모두 다르게 마련이어서 경우에 따라서는 차이를 두지 않기가 여간 힘든 게 아니다. 하지만 이편이 저편보다 더 소중하다고 말하는 경제와 달리, 신학은 인간이란 너나없이 하나님의 형상대로 창조되었으므로 한 점 덜하고 더한 것 없이, 똑같이 중요하다고 가르친다.

불가피하게 정리 해고를 단행해야 한다고 치자. 물론, 직장 생활을 하다 보면 이런저런 어려움이 닥치게 마련이고 주주들이 장기적으로 전체 유익을 위해 희생을 요구하는 사태도 왕왕 벌어진다. 그럼에도 불구하고 사랑하는 마음으로 상황에 대처하는 건 얼마든지 가능하다. 일선에서 직원을 내보내야 하는 경영자들 가운데는 짤막한 공지문 한 장 게시판에 내걸고 의문을 제기하거나 우려를 표현할 기회를 완전히 차단해서 시간과 불편, 노력을 최소화하는 이들도 적지 않다.

그러나 직원을 아무 때고 갈아치울 수 있는 자원이 아니라 존엄성을 가진 인간으로 대한다는 말은 투명하게 정보를 공유하고, 양방향 커뮤니케이션이 가능한 채널을 널리 열어 두며, 식구들의 반응을 통제하거나 조작하는 게 아니라 진실한 자세로 설득하려 노력하는 걸 가리킨다. 인원 감축이라는 냉엄한 현실의 한복판에서 인간을 존엄하게 대접하기 위해서는 강력한 도덕적 잣대가 필요하다. 인류를 하나님의 형상대로 지음받은 존재로 믿는 신앙은 조직 생활에 필요한 여러 행위들에 새로운 지평을 열어 줄 수 있다.

페리를 비롯한 전문가들의 말처럼, 인권 사상은 사랑이란 신학적 개념에서 태어났지만, 오늘날에는 도리어 기독교를 믿지 않거나 아예 신을 인정하지 않는 이들을 통해 광범위하게 적용되고 효율적으로 이용된다.

신앙이 전혀 없는 이들도 인권을 열렬하게 신뢰할 수 있으며 실제로 그런 사례가 허다하다. 하지만 일부에서는 신학적으로 철저하게 세속적인 사회에서 인권 개념의 모태인 사랑 많으신 인격적인 하나님을 믿는 신앙이 없으면, 장기적으로는 헌신도가 떨어진다고 경고한다. 따라서 적어도 크리스천이라면 반드시 하나님의 형상에 근거해 인권을 이해하는 자세를 놓치지 말아야 한다.[19]

## 지침을 얻는 새로운 원천

흔히들 신앙과 영성을 교리적 신조와 도덕적 행위, 영적 체험의 집합체로 본다. 따라서 하나님이 인간에게 '윤리적인 나침반'을 주셨다는 말을 들으면 일단의 도덕률이나 규정, 달리 말해서 인생을 위해 마련하신 일종의 교육 매뉴얼을 떠올린다. 크리스천들이 성경에서 여러 가지 삶의 원칙과 윤리 기준은 물론이고 반드시 피해야 할 행동들을 가리키는 경계 표시를 얻는 건 부인할 수 없는 사실이다. 하지만 주님이 허락하신 게 그뿐이라면 도움은 될지언정 충분하다고 말하기는 어렵다. '지혜'라는 커다란 범주가 통째로 빠져 있기 때문이다.

성경말씀에 따르면, 지혜는 단순히 하나님이 제시하시는 윤리 기준을 따르는 수준을 넘어, 도덕률이 명쾌한 답을 주지 않는 인생사의 80퍼센트에 이르는 영역에서 마땅히 해야 할 바를 알려 준다. 어떤 직업을 가질지, 공부를 더 해야 할지 말지, 누구와 결혼하거나 친구가 될지, 언제

과감하게 입을 열거나 평화를 지키기 위해 침묵해야 할지, 거래 조건에 합의해야 할지 자리를 차고 일어나야 할지 콕 집어 말해 주는 성경의 법칙은 없다. 그럼에도 불구하고 그릇된 결정은 인생을 송두리째 앗아 갈 수 있다.

어떻게 하면 지혜로워져서 훌륭한 결정을 내릴 수 있을까? 성경은 지혜를 쌓는 데는 몇 가지 길이 있다고 설명한다. 첫째로, 하나님을 믿을 뿐만 아니라 인격적으로 알아 가야 한다. 주님의 너그러운 사랑이 추상적인 교리에 그치지 않고 살아 움직이는 실재가 되어야 상황에 과민하거나 무감각하게 반응하도록 몰아가는 근심과 교만이라는 양대 세력에 덜 휘둘린다.

둘째로, 자신을 알아야 한다. 잘못된 결정 가운데 상당수는 자신의 실체와 뜻을 이룰 능력이 없음을 절감하지 못하는 데서 비롯된다. 성경은 죄와 함께 그리스도를 통해 보여 주신 하나님의 사랑을 밝히 드러내서 인간이 스스로의 능력을 과대평가하거나 과소평가하지 못하게 막아 준다.

셋째로 경험에서 지혜를 얻을 수 있다. 어리석은(우상들 탓에 현실을 보지 못하는) 심령은 경험에서 아무것도 배우지 못한다. 사실, 인생의 굴곡은 그릇된 추론에 빠지게 만들기 일쑤다. 교만한 이들은 실패할 때마다 남을 탓하는 반면, 자신을 미워하는 이들은 다른 이들의 책임까지 끌어안고 자책을 거듭한다. 성경말씀이 주는 지식을 바탕으로 하나님과 사람을 파악하지 못하면 경험에서 배울 게 없지만, 주님의 성품과 자신의 실체를 깨달으면 세월이 흐를수록 인류 본성과 스스로 몸담고 살아가는 시대, 말의 힘과 쓰임새, 인간관계가 작동하는 원리에 대한 이해가 깊어진다.

이들이 모두 지혜가 되어 결정을 내리는 데 기준을 제시한다.

구약성경 잠언은 지혜를 배우기에 맞춤한 자리다. 분노, 시기, 교만, 좌절감을 처리하고, 아름다움과 돈, 권력의 유혹에 맞서며, 자제력을 잃지 않기 위해 씨름하고, 좋은 결정을 내리며, 원만한 인간관계를 유지하는 따위의 문제들과 관련해 잠언의 말씀들은 더할 나위 없이 풍성한 자원이 된다. 그렇다면 신약성경은 무얼 가르치는가? 구약이 지혜의 본질을 설명하는 데 비해 신약은 잠언서의 명령을 실행할 수 있는 새롭고도 놀라운 원천을 보여 준다. 어떻게 하나님에 대한 지식을 쌓는 차원을 넘어 그 분을 알 수 있을까? 어떻게 하면 자신과 다른 이들의 마음에 대한 깊은 통찰을 얻을 수 있을까? 정답은 '그리스도를 믿을 때 주님이 보내 주시는 성령님을 통해서'다.

신약성경은 성령님을 '지혜의 영'(엡 1:17)이며 '힘'(엡 1:19)이라고 부른다. 바울은 친구들을 위해 기도하면서, 하나님이 "모든 신령한 지혜와 총명"(골 1:9)으로 채워 주시길 빈다고 했다. 성령으로 충만해지라고 가르치는 에베소서 5장의 유명한 본문에서도 편지를 읽는 독자들에게 "어떻게 행할지를 자세히 주의하여 지혜 없는 자 같이 하지 말고 오직 지혜 있는 자 같이 하여"(엡 5:15-16)라고 권면했다.[20] 지혜로워지려면 순간순간을 전략적으로 비할 데 없이 근사하게 사용하는 법을 알아야 한다. 그러한 통찰은 크리스천들을 강하게 하셔서 주님 보시기에 가치 있는 삶을 살게 하시는(골 1:11) "능력과 사랑과 절제하는 마음"(딤후 1:7)이신 성령님의 영향에서 비롯된다.

그렇다면 성령님은 어떻게 임하셔서 지혜를 베푸시는가? 조용히 앉아서 음성이 들리길 기다려야 하는가? 천만의 말씀이다. 사도행전 15장을 보면, 회심한 이방인 크리스천들에게 유대인의 까다로운 규정들과 문화적인 관습을 따르게 해야 하는가를 두고 초대교회 리더들이 논란에 휩쓸렸다. 조직의 정책 문제를 둘러싼 씨름이었다. 본문은 해법을 찾을 때까지 치열하게 논쟁하고 논의했음을 보여 준다. 이윽고 결론을 낸 제자들은 답안을 매력적인 표현에 담아 각 교회에 전달했다. "성령과 우리는 이 요긴한 것들 외에는 아무 짐도 너희에게 지우지 아니하는 것이 옳은 줄 알았노니"(행 15:28). 다시 말해, 지식과 경험을 총동원해 고민하고 검토한 끝에, 성령님께 맡기겠다는 지혜로운 결정을 내렸다는 뜻이다.

이번에는 어떻게 성령님이 우리를 지혜롭게 하시는지 살펴보자. 돌아가시기 전날 밤, 예수님은 제자들에게 보혜사를 보내 주시겠다면서 "진리의 성령이 오시면 … 그가 내 영광을 나타내리니"(요 16:13-14)라고 하셨다. 성령님은 옆구리를 살짝 찌른다든지 마음에 무슨 힌트 같은 걸 줘서 투자가치가 높은 주식을 짚어 주시는 따위의 마법 같은 방식으로 지혜를 베푸시지 않는다. 도리어 예수 그리스도를 더 생생하고 선명하게 부각시켜서 우리의 성품을 변화시키며 새로운 내적 질서와 자비, 겸손, 담대함, 만족, 용기를 심어 주신다. 시간이 지나면서 이런 요소들이 지혜를 키워서 직업적으로든 인격적으로든 갈수록 더 나은 결정을 내리게 이끌어 간다.

## 누굴 의식하며 일하는가?

바울은 에베소서 6장에서 일에 기품을(고단하고 단순해 보일 위험이 있는 직종에서 일하는 이들을 위해) 주는 동시에 신화적인 거품을(거기서 정체성을 찾을 가능성이 높은 이들을 위해) 빼 주는 단순하지만 심오한 원리를 제시한다. 사도는 무슨 일을 하든지 "그리스도께 하듯이 해야" 한다고 강조한다.

> 종들아 두려워하고 떨며 성실한 마음으로 육체의 상전에게 순종하기를 그리스도께 하듯 하라. 눈가림만 하여 사람을 기쁘게 하는 자처럼 하지 말고 그리스도의 종들처럼 마음으로 하나님의 뜻을 행하고 기쁜 마음으로 섬기기를 주께 하듯 하고 사람들에게 하듯 하지 말라. 이는 각 사람이 무슨 선을 행하든지 종이나 자유인이나 주께로부터 그대로 받을 줄을 앎이라. 상전들아 너희도 그들에게 이와 같이 하고 위협을 그치라. 이는 그들과 너희의 상전이 하늘에 계시고 그에게는 사람을 외모로 취하는 일이 없는 줄 너희가 앎이라(엡 6:5-9).

바울은 종들과 주인들에게 이야기한다. 이는 오늘날 성경을 읽는 이들에게 성경이 노예제도라는 악을 인정하는 게 아닌가 하는 의구심을 불러일으킨다. 이 주제에 관해서도 할 얘기가 많지만[21] 일단 그레코로만 세계의 노예제도는 아프리카 노예무역의 붐을 타고 발달했던 신세계의 관습과는 판이하게 다르다는 점을 기억하는 게 중요하다. 바울 시대의 노예는 인종을 근거로 삼지도 않았고 평생 지속되는 경우도 몹시 드물었다.

오히려 고용계약을 맺고 노예에 버금가는 상태에 있는 노동자 쪽에 가깝다. 하지만 여기서는 집필 목적을 충족시키도록 본문을 수사적인 증폭기로 삼아 곱씹어 보자. 노예의 소유주들에게도 일꾼들을 오만하게 다루지 말고 두려움을 품고 대하라고 했다면 오늘날 고용주들은 더 말해 무엇하겠는가? 종들조차 일에서 만족과 의미를 찾아야 마땅하다면 요즘 세상의 직장인들은 어떠하겠는가?

바울이 전하는 메시지의 핵심은 영적일 뿐 아니라 심리학적이기도 하다. 사도는 고용주든 고용인이든 의식하는 대상을 바꾸라고 주문한다. 누가 일하는 걸 지켜보는가? 누구를 위해 일하는가? 결국 누구의 의견을 중요하게 여길 것인가?

## 일꾼, 또는 직원의 마음가짐

첫째로, 직원들은 온 마음을 다해("성실한 마음으로", 5절) 일해야 한다. 징계를 피할 만큼만 움직이거나, 상사들이 볼 때만 열심을 내거나, 무성의하고 산만하게 일하면 안 된다. 크리스천은 전인적으로 일에 몰입해야 한다. 몸과 마음과 영혼을 다해서 주어진 과제를 훌륭하게 완수해야 한다는 뜻이다. 어째서 그런가?

크리스천 근로자들이 이런 생각을 가지고 일할 수 있는 건 노동의 동기가 달라졌기 때문이다. 주님을 따르는 이들은 "그리스도께 하듯이"(5절) 일한다. 아울러 예수님 안에서 상상할 수 없을 만큼 큰 상급을 받게 되므로(8절) 고용주가 돌려주는 대가의 크고 작음에 지나치게 연연할 필요가 없다. 다른 편지에서도 비슷한 가르침을 찾을 수 있다. "무슨 일을 하든지 마음을 다하여 주께 하듯 하고 사람에게 하듯 하지 말라. 이는 기업의 상을 주께 받을 줄 아나니 너희는 주 그리스도를 섬기느니라"(골 3:23-24). 헬라어 문법에 비추어 볼 때, 여기서 말하는 '상'은 장차 다가올 나라에서 누릴 더없이 큰 행복을 암시한다.

알다시피, 크리스천들은 일을 즐길 자유를 얻었다. 주님을 섬기듯 일하기 시작한다면 넘치지도 모자라지도 않는 선에서 일을 누릴 수 있을 것이다. 높은 보수와 칭찬을 받는 게 중요한 고려 사항이 되지 않는다. 일은 이 땅에서 하나님의 이름을 드높이기 위해 주님의 일을 함으로써 그분을 기쁘시게 하는 주요한 방법이기 때문이다.

이러한 원리를 깨달았다면 여기에 담긴 몇 가지 실질적인 속뜻을 헤아릴 필요가 있다. 우선, 한편으로는 업신여기는 마음이 아니라 '존경과 두려움'을 품고, 다른 한편으로는 움츠러들거나 굽실거리지 않는 겸허한 자신감을 가지고 일해야 한다. 본문에 나타난 '두려움'이란 단어는 '주님을 향한 외경심'을 상징하는 듯하다. 하나님이 무서워 웅크린다는 뜻도 아니다. 시편 130편 4절 같은 본문들은 거룩한 자비와 용서를 더 경험할수록 주님을 향한 진정한 두려움이 더 커진다고 가르친다. 진정한 두려움이란 경외감과 경이로움, 그리고 주님을 욕되게 하거나 슬프게 할까 깊이 염려하는 짙은 사랑과 존경 가운데 살아가는 걸 말한다.

목숨을 바쳐도 아깝지 않을 만큼 존경하며 직접 보리라고는 꿈에도 생각지 못했던 이를 집에 모신다고 상상해 보라. 소문만 듣고도 머리가 조아려지는 터라 그 앞에서는 더더구나 함부로 처신하지 못하며, 그분의 요청과 소원을 모두 채워 드리고 싶어서 안달할 것이다. 일터에서 하나님을 의식하고 기억하는 마음가짐도 그러해야 한다. 마음과 능력을 온전히 쏟아서 최대한 능숙하게 처리하며 부담이 아니라 특권으로 느낄 수 있어야 한다.

둘째로, 크리스천은 '성실한 마음으로' 일해야 한다. 이는 집중과 성실을 뜻하는 표현으로 말 그대로, '일편단심'을 가리킨다. 크리스천이 하는 일은 어느 모로든 정직하지 못하거나 불성실해서는 안 된다.

셋째로, "사람을 기쁘게 하는 자들처럼 눈가림으로 하지" 말아야 한다. 남들이 지켜보거나 보상이 따를 때만 열심히 일하지 말라는 가르침이다. 마지막으로, 7절의 '기쁜 마음으로'라는 단어에는 유쾌하고 즐겁게 일하라는 주문이 내포되어 있다.

### 주인, 또는 고용인의 마음가짐

바울은 주인들에게 그들 역시 그리스도의 종임을 강조한다(9절). 엄격한 계급 사회에서 이런 말은 대단히 특별하고 급진적인 의미를 갖는다. "마치 스스로 종이 된 것처럼 노예들을 대하십시오!" 본문을 읽는 독자들은 "이와 같이 하고"라는 짧은 문구를 무심코 지나치기 쉽지만, 여기에는 종이 주인을 대하듯 깊이 존중하는 마음을 품고 부리는 이들의 필요를 채우라는 뜻이 담겨 있다. 신약학자 피터 오브라이언(Peter O'Brian)은 이렇게 적었다.

> 1세기 그레코로만 세계에서 노예를 거느린 주인들에게 일대 충격이 될 만한 권고를 하면서 사도는 '종들에게 이와 같이 대하라'고 당부한다. 철권을

휘두르며 학대를 일삼는 주인들이 많았음에도 불구하고 세네카의 말로 알려진 금언은 '모든 노예는 (우리의) 적'이라고 가르친다. 소유주들은 종들을 고분고분하게 만들기 위해 매질이니, 성폭행이니 을러대거나 남자 노예를 다른 집안에 팔아서 사랑하는 이들과 떼어 놓겠다고 위협했다. 그러기에 바울의 수수께끼 같은 권면은 이루 말할 수 없을 만큼 쇼킹할 수밖에 없었다. 그러나 이건 주인더러 노예를 섬기라는 게 아니라 … 노예와 주인 사이가 그러하듯, 태도와 행동 모두 하늘의 주인과 맺은 관계의 지배를 받으라는 뜻인 듯하다. 그렇게 되면 협박을 무기로 종들을 대하지 않을 것이다. 노예들이 그릇된 행동을 해도 징계를 경고해선 안 된다는 게 아니다. 다만, 모든 형태의 조작과 모욕, 또는 협박으로 겁을 주는 행위를 거부할 따름이다. 곧바로 이어지는 어절은 주인들에게, 노예는 이미 존경, 마음을 다하는 성실, 선의를 보이라는 가르침을 받았으니 이제 같은 자세로 종들을 대하라고 설득한다.[22]

바울이 이처럼 급진적인 입장을 보인 까닭은 주님 앞에서 주인들 또한 노예나 마찬가지일 뿐만 아니라 하나님은 공평하신(누구든 가리지 않고 똑같이 돌보시는) 분이시기 때문이다. 편애가 발붙일 자리는 어디에도 없다. 그분은 인종이나 계급, 교육 정도를 빌미로 누군가를 남다르게 대하시지 않는다. 로마서 3장이 가르치듯, 너나없이 똑같이 죄의 심판을 받았으며 똑같이 믿음을 통해 은혜를 입었다. 사도는 주인들에게 비할 바 없이 강렬한 톤으로 일갈한다. "신체노동자나 노예보다 그대들이 더 나은 인간이라거나 영적인 형편이 윗길이라고 생각지 말라!"

이러한 원리를 깨달았다면, 크리스천 고용주나 리더들은 이제 여기에 뒤따르는 몇 가지 실질적인 속뜻을 살펴야 한다. 첫째로, "위협을 그치라"는 말은 책임을 묻고 압력을 행사하는 방식으로 일을 시켜서는 안 된다는 뜻이다. 편지에 언급된 종들이 하나같이 크리스천 주인을 섬기고 있다거나, 주인들이 그리스도를 믿는 노예들을 거느리고 있다고 가정할 근거는 전혀 없다. 그러므로 본문에 등장하는 주인들로서는 수하에 부리는 이들이 "그리스도께 하듯이" 일하기를 기대할 수는 없는 상황이었다. 그러나 종들이 크리스천이든 아니든, 주인은 주로 두려움을 심어 주는 방식에 의존해서 동기를 부여하지 말라는 게 본문의 주문이다.

둘째로, "너희도 그들에게 이와 같이 하고"라는 말은 "오랫동안 섬겼든 이제 막 업무를 시작했든, 리더십의 우산 아래 들어와 있는 이들에게 유익을 끼칠 길을 찾아보라"는 뜻이다. 상대가 인격체라는 인식을 토대로 관심을 기울이며 생산적으로 일할 수 있는 능력뿐 아니라 삶 전체에 투자해야 한다. 계급의 차이 따위는 하나님께 눈곱만큼도 중요치 않으므로, 계급의식이 인간들 사이에 격차를 내서는 안 된다. 일꾼들을 비하하거나, 모욕하거나, 오만한 태도로 대해서는 안 된다.

너나없이 알게 모르게 누군가를 의식하며 일하게 마련이다. 부모의 기대를 채우기 위해, 또래들 사이에서 돋보이려고, 또는 상사의 눈에 들 욕심에 일하기도 한다. 반면에 스스로 세워 놓은 기준에 이르기 위해 일하는 이들도 허다하다. 하나같이 부적절한 대상들이다. 그이들의 눈을 의식하다 보면 과도하게 많이, 또는 지나치게 조금 일하게 된다. 더러는 누가 지켜보느냐에 따라 많고 적음이 뒤섞이기도 한다. 크리스천은 오직 한

분, 사랑이 많으신 하늘 아버지만을 바라보며 일해야 하며 그런 마음가짐은 책임과 기쁨을 동시에 가져다준다.

### 새로운 나침반이 가리키는 방향

크리스천들이 남다른 덕목을 가지고 움직이며, 남다른 시선으로 인류를 바라보며, 남다른 근원에서 흘러나오는 지혜를 좇고, 남다른 대상을 위해 일한다면 일터에서 보이는 행동 양식에 어떤 변화가 일어날까? 짤막한 예를 들어 보자.

크리스천은 인정사정없다는 소릴 들어서는 안 된다. 반듯하고 따뜻하며 이웃에게 헌신적이란 평판을 얻어야 한다. 긍휼히 여기는 마음과 기꺼이 용서하며 화해를 추구하려는 의지가 절절하게 느껴져야 한다. 앙갚음하거나 신앙이 깊은 체하거나 악의를 품는 기색이 없어야 한다.

몇 년 전, 이러한 성실과 사랑을 온몸으로 보여 준 크리스천의 이야기를 들었다. 뉴욕시에서 새로 교회를 시작한 지 얼마 지나지 않아서였다. 젊은 여성 하나가 꼬박꼬박 예배에 참석했다가 순서를 마치기가 무섭게 빠져나는 걸 알게 됐다.

그러던 어느 날, 마침내 아가씨와 마주했다. 기독교가 어떤 종교인지 살펴보고 있노라고 했다. 아직 예수님을 주님으로 믿지는 않았지만 큰 관심을 가지고 지켜보는 중이란 뜻이었다. 어떻게 리디머교회를 알게 됐느냐고 묻자 감동적인 사연을 들려주었다.

맨해튼의 한 회사에서 일하던 아가씨는 입사한 지 얼마 안 돼서 큰 실수를 저질렀다. 파면을 당해도 할 말이 없을 만큼 중대한 잘못이었지만 상사는 그러한 사실을 위에 알리지 않고 책임을 혼자 뒤집어썼다. 그 탓에 경력에도 흠집이 났고 조직 안에서 움직일 수 있는 폭도 좁아졌다. 상사의 처신을 보면서 젊은 여직원은 무척 놀랐다. 고마운 마음을 전하는 자리에서, 아가씨는 공을 가로채는 상사는 여럿 보았지만 남의 허물을 대신 지는 경우는 처음이라면서 어떻게 그럴 수 있는지 물었다.

상대는 몹시 쑥스러워하면서 대답을 피했지만, 이편에서 한사코 매달리자 간신히 입을 열었다. "나는 크리스천입니다. 거기에는 여러 가지 의미가 있겠지만, 내가 저지른 잘못의 대가를 예수 그리스도가 떠맡았다는 뜻이기도 합니다. 그분은 나 대신 십자가를 지셨습니다. 그래서 나도 힘닿는 데까지 남들의 짐을 지고 싶어 하는 겁니다."

아가씨는 한동안 물끄러미 상대를 바라보기만 하다가 물었다. "어느 교회에 다니세요?" 상사는 리디머교회를 추천했고 그때부터 우리 교회에 나오기 시작했다는 얘기였다. 복음을 통해 은혜를 입었던 경험이 상사의 성품을 변모시켰고 관리자로서 남들과 확연히 다른 매력적인 삶을 살게 했다. 뿐만 아니라, 그처럼 이타적이고 따뜻한 모습은 한 여성의 인생을 안팎으로 완전히 바꿔 놓았다.

아울러, 크리스천은 너그럽다는 소리를 들어야 한다. 이는 일터에서 다채로운 형태로 표현될 수 있다. 경영자들은 직원이나 고객들에게 시간을 쏟고 자금을 투자해서 너그러움을 드러낼 수 있다. 소규모 자영업자들은 수익률을 줄여서 고객과 이익을 나누고 직원들에게 더 많은 급여를 줄 수 있다. 일반 시민들도 경제 수준이 고만고만한 이들에 비해 조금 더 많은 시간과 돈을 떼어서 베풀면 된다. 소박하게 살고, 잠재적인 라이프스타일의 수준을 낮추기만 하면 다른 이들에게 재정적으로 너그러움을 보일 기회를 얻을 수 있다.

크리스천은 또한 난관과 실패 앞에서도 평온하고 침착하다는 평가를 받아야 한다. 이는 인격적인 품성을 개발하는 데 복음의 자원을 끌어다 쓰고 있는지를 가장 효과적으로 판단할 수 있는 근거가 된다. 마태복음 6장 19절과 21절에서 예수님은 말씀하셨다. "너희를 위하여 보물을 땅에 쌓아 두지 말라. 거기는 좀과 동록이 해하며 도둑이 구멍을 뚫고 도둑질하느니라. … 네 보물 있는 그 곳에는 네 마음도 있느니라." 여기엔 어떤 의미가 담겨 있을까?

누구에게나 보물이 있다. 소중하게 여기고, 볼 때마다 기쁘고, 무엇보다도 높이 떠받드는 게 보물인데 우상이라고 부르기도 한다. 보물 목록을 알아내면 마음 속 우선순위와 인성의 토대를 상당 부분 파악할 수 있다. 주로 친구들의 인정이나 은행에 넣어 둔 돈, 성공했다는 평판에서 의미를 찾는다면 그게 바로 보물이다. 그러나 예수님은 그런 것들을 애지중지하면 인생이 극도로 불안해질 수밖에 없음을 정확하게 지적하셨다. 언제라도 강탈당하거나 도난당할 수 있기 때문이다.[23] 그렇게 빼앗기고 나면 삶 자체가 무너져 내릴 수도 있다.

경력에 차질이 예상되거나 사업이 실패로 돌아갈 것 같으면 극심한 갈등을 겪는 이들이 그토록 많은 까닭이 여기에 있다. 인생의 의미와 정체성이 위태로워지면 공황 상태에 빠져서 충동적으로 행동하기 십상이고,

살길을 찾거나 그저 자포자기하는 심정으로 거짓말을 늘어놓거나 가까운 이들을 배신하기까지 한다. 그러나 예수님은 “너희를 위하여 보물을 하늘에 쌓아 두라”(마 6:20)고 말씀하신다. 무슨 뜻일까? 바울은 그리스도 안에 모든 보화가 감추어져 있다고 말한다(골 2:3). 베드로 역시 예수님은 인간을 위해 버림을 받았으며, 마땅히 인류가 져야 할 짐을 지셨으므로, “믿는 너희에게는 보배”(벧전 2:7, 원문에서 베드로는 명사형을 사용했으므로 ‘그분은 보배’라고 말한 셈이다. 예수님은 소중한 존재를 가름하는 기준이다)라고 했다. 이는 수사적인 표현이나 추상적인 신학 논리가 아니다. 성경은 절대로 가치가 떨어지지 않는 통화는 오로지 예수님뿐이므로 주님을 보물로 삼아야 진정한 부자이며, 하늘이 무너져도 변치 않는 지위는 그리스도와 함께하는 직분뿐이므로 그분을 구세주로 모셔야 참으로 성공했다고 말할 수 있다고 가르친다.

마지막으로, 크리스천은 편협한 종파주의자처럼 비쳐지면 안 된다. 동료들에게 자신이 크리스천이라고 당당히 밝히지 못하는 이들이 얼마나 많은지 모른다. 누가 물으면 십중팔구는 대충 얼버무리고 만다. 반면에 대놓고 알리기는 하지만, 아직 믿지 않는 이들을 은근히 무시하거나 낮춰 보는 투로 말하고 행동하는 크리스천들도 있다. 하지만, 이원론에서 벗어나 통합된 시각을 가지고 일을 이해한다면, 그리스도를 구주로 인정하지는 않지만 하나님의 섭리와 일반 은총에 힘입어 탁월한 솜씨를 부여받은 이들이 수두룩하다는 사실을 금방 깨달을 것이다.

그러므로 크리스천은 일터에서 함께 일하는 다른 신앙을 가진 이들을 똑같이 존중하고 대우해야 한다. 동시에 부끄러워하지 않고 예수님을 자신 있게 인정해야 한다. 양쪽 극단에 있는 이런 실수들을 피한다면, 대단히 비범하면서도 건강한 균형을 유지할 수 있다.

몇 년 전부터 새로운 사업을 시작한 남성이 있다. 그는 금융서비스업의 한 분야에서 특정 상품을 판매하는 공급자들이 복잡한 문서와 정보에 어두운 고객의 약점을 빌미로 터무니없이 높은 가격을 유한다는 데 착안해서 사업을 시작했다. 고객들에게 투명하게 다가가는 정책을 쓰는 새 회사는 가격을 낮추고 서비스를 강화해서 건전한 이윤을 창출할 뿐만 아니라 해당 분야에 절실하게 필요한 개혁성과 정직성을 도입하는 데 도움을 주리라 내다보았다.

예비 파트너와 직원들 앞에서 자신의 구상을 발표하면서 이 비즈니스맨은 절묘하게 균형을 지켜 냈다. 우선, 새로운 회사는 가치를 중심으로 돌아갈 것이며 자신이 직접 그 기준들을 설정했다고 설명했다. 고객을 끌어들여 수익을 높이는 데 유리하기도 하지만 그렇게 하는 편이 올바르다고 믿기에 거기에 헌신할 것이라고도 했다. 아울러 그 가치들은 자신의 기독교 신앙에 토대를 두고 있다고 밝힌데 이어, 종교적인 기반과 관계없이 동일한 목표를 추구한다면 동등한 파트너가 될 것이란 말을 재빨리 덧붙였다. 신앙을 선명하게 드러내지만 배타적이거나 종파주의적인 쪽으로 흐르지 않은 뛰어난 본보기다. 이러기는 쉽지 않고 그만큼 드물기도 하다. 하지만 일터에서 선을 이루는 데는 더할 나위 없이 큰 힘이 된다.

본질적으로 부패가 없는 구조 안에서 성실하게 일하는 크리스천이라 할지라도 통상적인 업무 처리 방식에 대해 광범위하게 의문을 제기하는 자세가 대단히 중요하다. 특히, 저마다 자신이 일하는 분야에서 어떻게 하면(신앙 공동체와 일터에서) 더 많은 이들을 공정하게 대하며 유익을 끼칠 수 있을지 늘 탐색해야 한다.

경제학자 마이클 쉴루터(Michael Schluter)는 오늘날과 같은 형태의 자본주의를 진단한 크리스천과 일반 전문가들의 비평을 압축해서 소개한다.[24] 제기된 문제들 가운데 대부분은 인간관계가 우위를 잃어버린 점을 첫손에 꼽았다. 우선, 회사의 규모가 커지고 활동 범위가 국제사회로 확대되면서 투자자들과 의사 결정권자들이 지역사회와 아주 멀어지고 말았다. 예를 들어, 지난날에는 볼티모어 지역 은행들의 책임자들은 현지에 살면서 병원과 박물관을 비롯해 여러 문화 기관의 이사로 활동했다. 하지만 현재 '볼티모어 은행'의 최고위급 간부들은 샬럿(Charlotte)이나 뉴욕은 물론이고 런던에 살기도 한다. 수많은 은행 직원들과 고객들이 사는 지역공동체의 필요와는 거의 단절되다시피 분리되어 있다.

둘째로, 정부의 긴급 구제와 대단히 복잡한 금융 제도 덕에 대출에 따르는 위험 인자가 크게는 제로 포인트까지 줄어들었다. 잘못된 투자나 불량 대출이 미치는 실질적인 파급 효과가 없다는 뜻이다. 가령, 과거에는 이웃 사람이 집을 사려 한다면서 주택 담보대출을 부탁하거나 알고 지내는 이가 자영업을 해 보겠다며 중소기업 운영자금 대출을 요청하면,

은행원은 과연 이윤을 낼 수 있을지 온갖 방법을 다 동원해서 평가하고 검증했다. 집주인은 자산 가치를 끌어올릴 능력이 있는가? 새로 시작하는 가게가 잘 돼서 지역사회에서 부와 일자리를 창출할 수 있을까? 은행원으로서 그릇된 판단이 가져올 부정적인 측면들이 명확하게 보였다. 하지만, 오늘날의 금융 환경은 전혀 다르다. 당사자들은 서로 얼굴을 대하지 않으며, 잘못된 투자는 징계하고 바람직한 투자에는 상을 주는 지난날의 책임 체계는 완전히 사라져 버렸다.

셋째로, 사사로운 이익에 눈이 먼 경영인들이 앞에서 이야기한 여러 가지 요인들을 바탕으로 회사의 장기적인 건전성은 물론이고 직원들과 고객들, 환경 따위를 제물 삼아 단기간에 주가를 부풀리는 사례가 나날이 늘어 가는 추세다. 온갖 부담은 더 가난한 이들에게 떠맡긴 채 재빨리 차익을 실현해서 업계를 떠나 버리는 것이다. 이처럼 파렴치한 이들에게 쏟아지던 사회적인 비난도 세월이 갈수록 약해지는 분위기다.

마지막으로, 사회학자들이 '상품화'라고 부르는 경향이 있다. 관계라든지, 가족, 시민사회 참여 같은 요소들을 통화가치로 판단하고 수익분석을 적용하는 행위를 일컫는다. 시장가치는 전방위적으로 삶을 파고들었다. 예전에는 누군가 사고를 당하거나 비극적인 재난을 입으면 공동체 전체가 성원을 보내고 영적인 노력으로 아픔을 어루만졌다. 그러나 소송 만능 시대가 된 오늘날, '정신적 고통'에는 일종의 객관적인 가치가 부여된다. 아픔은 수치로 환산되고 법정 다툼의 대상이 된다. 소송 당사자들의 쓰라림과 괴로움은 얼마짜리이며 얼마를 주어서 해결해야 하는지 따진다.

최근에 출간된 「나를 빌려드립니다」(*The Outsourced Self : Intimate Life in Market Times*)라는 책은 역사가이자 문화비평가인 크리스토퍼 래쉬(Christopher Lasch)의 입을 빌어 이제 개인의 가정생활은 더 이상 '비정한 세상의 안식처'가 아니라고 못 박아 말한다. 우리 세대에 벌어지는 희한한 현상들을 이 책은 이렇게 정리한다.

> 오랫동안 가족은 비정한 세상에서 시장의 힘과 경제적인 계산의 영향에서 벗어난 채, 인격적이고 개인적이며 정서적인 요소들이 지배하는 안식처 노릇을 해 왔다. 그러나 … 더 이상은 아니다. 사랑과 우정, 자녀 양육처럼 한때 개인 생활의 일부를 이루던 성분들이 이제는 혼란스럽고 어찌할 바를 모르는 미국인들에게 팔려나가는 전문 기술 패키지가 되어 가고 있다. … (이 책은) 사사로운 삶의 모든 영역에 들이닥친 시장의 행적을 추적한다. 애정 생활의 CEO로 키워 주는 데이트 서비스에서 커플의 '인격적인 내러티브'까지 만들어 주는 웨딩플래너에 이르기까지, 아기의 이름을 지어 주는 작명가부터 인생의 목표를 설정하도록 도와주는 생애설계사에 이르기까지, 인디아의 상업적인 대리모 농장에서 사랑하는 이의 재를 지정한 바다에 뿌려 주는 대리 조문에 이르기까지 … 인간의 가장 직관적이고 정서적인 활동들이 죄다 대리의 일로 넘어갔다.[25]

앞에서 살펴보았듯, 삼위일체 하나님의 본성과 그 형상을 좇아 지음받은 인간의 존재는 삶 자체가 관계적일 수밖에 없음을 시사한다. 그러나 현대 자본주의는 점점 더 강력한 힘으로 인간관계의 친밀함과 상호 책임성을 말살해 나간다. 따라서 다른 분야들과 마찬가지로 시장 또한 강력한 나침반을 가진 이들을 간절히 기다린다.

노동이라는 분야를 신학적이고 윤리적으로 성찰하는 건 쉬운 일이 아니다. 차라리 직업에 초점을 맞추고 개인적으로 성실하고 노련하며 즐겁게 일하는 방법을 찾아보는 편이 훨씬 수월하다. 물론 그 역시 크리스천이 신실하게 일하는 데 대단히 중요한 요소들이지만 그게 전부일 수는 없다. 그리스도를 좇는 제자라면 저마다 자신이 속한 분야에서 지속적으로, 그리고 철저하게 일의 형편을 헤아리며, 성경적인 잣대로 그 궤적이 행복한 삶과 정의를 좇으며 앞으로도 그럴 가능성이 있는지 여부를 살펴야 한다.[26]

그런 상태가 아니라면 어떻게 해야 하는가? 이제 막 사회에 진출한 새내기들은 해당 분야나 작업 환경에 광범위한 변화를 주도할 만한 입장이 아니다. 하지만 되짚어 보고 고민하기를 게을리 하지 말아야 한다. 그래야 언젠가 더 큰 권한과 영향력을 가졌을 때(특히, 새로운 회사를 세우거나 비즈니스를 시작할 때), 소명을 이루는 데 도움이 되는 방향으로 핵심적인 변화를 이끌어 낼 수 있을 것이다.

금융서비스나 IT회사를 차리고 주주와 고객들에게 실상을 놀라우리만치 투명하게 공개하는 방식으로 운영해서 업계에 성실 경영 분위기를 확산시킬 수 있다. 영화사를 만들고, 학교를 세우고, 갤러리를 열고 탁월함과 가치를 잘 조화시켜서 같은 분야에서 일하는 다른 이들에게 깊은 영향을 끼칠 수도 있다. 그처럼 감동을 줄 수 있다면 전혀 다른 차원에서 '일 자체를 섬기는' 게 가능해진다.

하지만 지금 하는 일을 깊이 생각하고 살피지 않는 한, 이런 역사는 일어나지 않는다. 다가오는 기회를 포착해서 변화를 일으키기 위해 늘 준비하고 있으라. 하나님이 언젠가는 문을 열어 주시리라는 소망을 품고 일하라.

chapter **12**

**새로운 능력으로
일하다**

# 구원의 확신을
가슴에 새기고
열정을 품고 일하라

무슨 일을 하든지 마음을 다하여 주께 하듯 하고 사람에게 하듯 하지 말라(골 3:23).

정신과 레지던트 생활을 마치고 뉴욕시립병원(New York City Hospital)에서 일하는 젊은 의사가 있었다. 직장 생활을 시작한 지 얼마 안 돼서, 최근에 둘째를 임신한 선배 의사와 친구가 됐다. "아이를 가지면 제일 좋은 게 뭔지 알아?" 하루는 선배가 물었다. "언제나 생산적이라는 느낌이 들어서 행복해. 자고 있는 사이에도 무언가 일을 하는 셈이잖아!" 자존감의 토대를 온통 생산성에 두고 마침내 쉴 새 없이 할 수 있는 과업을 찾은 데 안도하는 것처럼 보이는 동료의 모습을 보면서 젊은 의사는 큰 충격을 받았다. "그러고 보니, 생산적이 된다거나 무언가를 하고 있다는 사실 자체를 … 구원으로 여기는 이들이 여간 많은 게 아니더군요. 일을 통해 가치와 안전, 의미를 확인하려는 거죠."[1]

그렇다. 실제로 허다한 현대인들이 생산성이니, 성공이니 하는 데서 자존감을 얻으려 안간힘을 쓰지만 금방 탈진하고 만다. 더러는 집에 넉넉한 생활비를 내놓아서 온 식구가 신나게 지내려고 열심히 뛰어다니지만 정작 본인은 일의 의미를 찾지 못하고 따분해한다. 이처럼 동기는 일의 배경을 이루는데, 그런 의미에서 '일 이면의 다른 일'이라고 부를 수 있다. 신체적으로나 정서적으로 일에 지치게 만드는 요인도 결국은 거기서 찾을 수 있다.

예수님의 부름을 받자마자 그물을 버려 두고 따라나섰던 제자들은(눅 5:11), 훗날 다시 생선 만지는 일을 계속했다. 바울 역시, 복음 전도자로 일하면서도 장막 짓는 일을 놓지 않았다. 누구도 그리스도를 만나고 나서 '세속적인 일'을 그만두거나 열심과 열의를 낮추지 않았다. 영구적으로 바뀐 게 있다면 일과 제자들 사이의 관계뿐이었다.

예수님은 큰 그림을 제시하셨다. 사실, 그리스도 자신이 곧 큰 그림이었다. 주님은 물고기 잡는 일을 하는 제자들을 부르시면서 의도적으로 또 다른 종류의 고기를 잡는 일을 말씀하셨다. "무서워하지 말라. 이제 후로는 네가 사람을 취하리라"(눅 5:10). 다시 말해서, 예수님은 세상을 구속하고 치유하기 위해 오셨으며 함께 그 프로젝트를 진행하자고 제자들을 초청하신 것이다. 이제 일과 돈에 매이지 않는 정체성과 의미가 생겼으므로 제자들은 부르심에 반응하여 자신 있게 따라나설 수 있었고 또 다시 돌아가서 그물을 잡을 수도 있었다. 예수님이 따르라고 부르셨을 때, 제자들은 그물이 터지도록 물고기를 잡아 올린 참이었다는 점에 주목할 필요가 있다. 물질적으로 큰 성공을 거둔 상황이었던 셈이다. 하지만 기꺼이 그물을 버리고 일어설 수 있었고 실제로 그렇게 했다. 예수님의 임재 가운데서 더 이상 일에 휘둘리지 않았던 것이다.

지나치리만치 이상적인 얘기처럼 들릴지 모르겠다. 당장 고기가 다 사라지는 것도 아니고, 무보수로 그리스도를 따라나섰다가 다시 돌아와도 재진입을 막을 상사도 없지 않은가! 하지만 이 기사를 읽을 때마다 자연스럽게 묻게 된다. 하나님이 새로운 기회를 주시려고 직접 찾아오셔도 알아채지 못할 정도로 일에 휘둘리고 있는 건 아닐까? 시쳇말로 '대박'(엄청난 보너스일 수도 있고 더 멋진 일자리일 수도 있다)을 치자마자 곧장 더 큰 건을 기대하며 여기저기 기웃거리지는 않는가? 어떻게 하면 일의 유혹에서 벗어나 차분히 자리를 지킬 수 있을까?

이러한 자유의 실체를 보여 주는 매력적인 본보기가 열왕기하 5장에 있다. 시리아의 군 사령관 나아만은 이스라엘의 하나님께 회심한 뒤에도 직분을 버리지 않았다. 대신, 이스라엘의 흙을 한 짐 실어다가 두고 왕을 부축해서 시리아의 신인 림몬 신전에 들어가는 나랏일을 할 때마다 그 위에 무릎을 꿇었다. 림몬은 본질적으로 국가를 신격화한 상징물이었다. 따라서 나아만의 이야기는 "국가를 위해 봉사하겠지만 절대로 섬기지는 않겠다. 시리아의 국익이 내게도 중요하지만 더 이상 거기에 궁극적인 가치를 두거나 신으로 삼지는 않겠다"는 고백이나 다름없다.

비공개 기업 투자회사에 다니던 친구 하나도 비슷한 결정을 했다. 자신이 일하는 팀이 법적으로는 한 점 문제가 없지만 세상을 풍요롭게 하는 데 지장을 주는 벤처 투자로 큰돈을 벌었을 때 과감히 보너스를 포기했다. 하나님과 만난 경험은 나아만과 이 친구 모두에게 직업 세계의 우상을 깨부수고 그 손아귀에서 벗어나는 힘이 되었다. '일 이면의 다른 일'에서 자유로워지는 동력이 바로 그것이다.

복음이 일의 작동 원리가 되는 스토리를 바꿔 놓고, 일의 실체에 관한 이해를 변화시키며, 일터에서 사용하는 도덕적인 지침을 재설정하게 한다는 사실은 앞에서 이미 살펴보았다. 복음은 거기에 더하여 일을 향한 더 큰 열정과 더 깊은 안식으로 이끄는 새로운 힘을 준다.

### 참다운 열정의 힘

오늘날 책을 읽든 강연을 듣든 가장 자주 접하는 단어가 바로 '열정'이다. 열정은 무얼 하든 탁월하게 만들어 준다. 하지만 열정의 원천도 다양하고 종류도 다채롭다. 때로는 성공을 추구한다기보다 실패가 두려워서 정신없이 뛰어다니며 일에 몰두하기도 한다. 그런 부류의 열정은 엄청난 에너지를 내지만 크리스천의 시각으로 보자면 한낱 모조품에 지나지 않는다. 마치 죽어 가는 전구가 막바지에 밝게 타오르는 것 같아서 금방 사위고 만다.

도로시 세이어즈는 유사 열정이 일의 동력이 될 수 있음을 알려 준다. 「신조인가, 혼조인가」(*Creed or Chaos?*)라는 책에서 글쓴이는 '해태'(acedia)를 비롯해 죽음에 이르는 일곱 가지 인습적인 죄를 열거했다. 해태는 흔히 '나태'(sloth)로 번역되는데, 세이어즈는 올바른 풀이가 아니라고 지적했다. 게으름(나태라는 단어에 담긴 통상적인 뜻)과는 본질적으로 다른 속성을 가졌기 때문이다. 신학자이기도 했던 작가는 해태란 '무엇이 내게 보탬이 될까?'만 생각하는 손익분석에 이끌리는 삶을 의미한다고 설명한다. “해태는 아무것도 믿지 않고, 아무것도 염려하지 않고, 아무것도 즐기지 않고, 아무것도 사랑하지 않고, 아무것도 미워하지 않고, 어디서도 목적을 찾지 못하며, 살아야 할 이유도 없고, 죽어야 할 까닭도 없기에 그저 살아 있을 따름인 죄다. 오래 전부터 인류는 이 죄를 너무도 잘 알고 있었다. 몰랐던 게 있다면 그게 윤리적인 죄라는 점뿐일 것이다.”[2]

세이어즈는 이어서 해태의 속성을 지닌(자신의 필요와 안위, 관심을 충족시키려는 열정만을 좇아 사는) 이들은 조금도 게을러 보이지 않는다고 말한다. 사실, 이런 유형은 쉴 새 없이 활발하게 움직인다. 하지만 ‘공허한 심령의 죄’인 해태는 마음의 빗장을 열어서 온갖 죄들이 삶을 이끌어 가게 만든다는 게 작가의 주장이다.

> 정신없는 신체 활동으로 실체를 가리는 짓이야말로 이 죄가 즐겨 쓰는 트릭 가운데 하나다. 흔히들 분주하게 뛰어다니고 무슨 일이든 하고 있으면 게으름의 고통에 시달리지 않을 것이라고 생각한다. … 탐식은 춤판과 만찬, 스포츠, 이곳저곳을 바람처럼 누비며 비경에 넋을 빼앗기는 세계를 펼쳐 보인다. … 탐욕은 이른 시간에 잠자리에서 끌어내서 일을 시작하고 활기차게 움직이게 몰아간다. 시기는 험담을 늘어놓고 추문을 내며, 사나운 편지를 신문사에 보내고, 쓰레기통을 뒤지고 다니며 비밀을 캐게 한다. 분노는 악당과 악마가 가득한 세상에 어울리는 일은 큰 소리로 쉴 새 없이 악담을 퍼붓는 일이 전부란 생각을 교묘하게 부채질한다. “천지에 온통 짐승 같은 불한당뿐이야!” 그런가 하면, 정욕은 한바탕 음울하고 난잡한 행위를 육신의 활기로 착각하게 만든다. 그러나 이들은 하나같이 공허한 마

> 음과 텅 빈 두뇌, 속절없는 해태의 정신을 위장하는 가면일 따름이다. 세상에서는 여유라고 부르지만 지옥에선 절망이라고 부른다.[3]

우상숭배의 핵심을 꿰뚫는 멋진 설명이다. '자신'을 넘어서는 더 큰 일의 동기가 없으면 나머지 여섯 가지 죽음에 이르는 죄 가운데 하나가 노동의 에너지가 될 수밖에 없다. 다른 이들보다 앞에 서고 싶은 시기, 자신을 입증해 보이려는 교만, 쾌락을 얻으려는 탐욕이나 탐심 때문에 남달리 열심히 일할 수도 있다. 한마디로 해태는 가장 교활한 우상숭배다. 삶의 한가운데다 냉소적인 자아를 심어 놓는다. 그렇게 되면 무슨 일을 하든지 그 이면에 숨어 있는 비할 데 없이 끔찍한 죄와 악이 주 동력원으로 작용하게 마련이다.

「반지의 제왕」 3부작의 메인 플롯을 끌고 가는 장치는 절대반지의 효능이다. 반지를 끼면 권력욕이 증폭되고 이어서 악한 의지가 폭발한다. 호빗이 반지를 끼는 장면마다 작가는 누군가의 입을 빌어 효능을 설명한다. "반지를 끼고 있으면, 댁은 유일한 실재가 됩니다. 유령 같은 세상에서 작고, 검고, 단단한 돌멩이가 되는 거죠. 나머지는 다 헛것이고 그림자나 다름없습니다."

여러 가지 면에서 현대 문화는 절대반지처럼 작동한다. 특히, 제 잇속만 차리는 인간의 죄스러운 본성을 분출시킨다. 날이면 날마다, 무수히 많은 경로를 통해 옳으니 그르니 말할 자격이 있는 존재는 없다고, 곧 선택권을 가진 자아보다 더 높은 표준이나 권위는 없다고 속삭인다. 저마다 가진 의식과 욕구가 그 무엇보다 중요하며, 복종해야 할 대상도 없고, 개인의 행복보다 앞세워야 할 가치 같은 것도 없고, 자유를 희생해서 지켜야 할 것도 없다는 것이다.

그러나 성경이 말하는 열정의 참뜻은 자신의 자유를 누군가를 위해 희생하는 자세를 가리킨다(예수님의 수난을 생각해 보라).

로마서 12장은 이 진리를 실제적인 차원에서 설명한다. 바울은 "그러므로 형제들아 내가 하나님의 모든 자비하심으로 너희를 권하노니 너희 몸을 하나님이 기뻐하시는 거룩한 산 제물로 드리라"(롬 12:1)라는 말로 서두를 연다. 여기에 쓰인 표현은 성전에서 사용되는 전문용어들이다. 사도는 제물을 들고 제사를 드리러 온 순례자를 떠올리게 한다. 죄를 지어서 하나님과 화해하려는 뜻으로 드리는 제사가 아니다. 기르는 가축들 가운데 튼튼하고 흠이 없는 놈을 골라서 제물로 불태우는 번제를 가리킨다. 하나님을 향한 절대적인 헌신을 드러내는 의식이다. "제가 가진 건 하나도 빼놓지 않고 모조리 주님의 소유입니다"라는 고백이나 마찬가지다. 한마디로, 열정의 표현인 셈이다.

사실, '산 제물'이란 어구는 특별한 의도가 깃든 역설이다. 제물이란 단어 자체가 이미 죽었음을 의미하기 때문이다. "너희 몸을 거룩한 산 제물로 드리라"라는 메시지를 들은 하나님의 백성들은 섬뜩했을지 모른다. 하지만 실은, 이익을 추구하는 마음가짐에 대해서 죽고 하나님을 위해 사는 리듬을 꾸준히 유지해야 한다는 뜻을 그렇게 풀었을 따름이다. 이것이 하나님이 원하시는 열정이다. 그렇다면 구체적으로 무얼 가리키는 것일까? 로마서는 12장 전체를 할애해서 소상히 설명하고 있지만, 그 가운데서도 산 제물의 실상을 정확하게 짚어 주는 구절이 있다. "부지런하여 게으르지 말고 열심을 품고 주를 섬기라"(롬 12:11).

본문에는 두 가지 구체적인 가르침이 들어 있다. 첫째로, '열심'으로 번역된 그리스어 단어는 본래 '긴급'과 '성실'이 결합된 의미다. 초점과 훈련이 없는 상태에서 급박한 마음만 남으며 정신없이 분주해진다. 긴박감이 없이 성실하기만 하면 진전이 더딜 수밖에 없다. 하나님은 서두르되 질서를 잃지 말라고 말씀하신다. 둘째로, "열심을 품고"라는 말씀은 원문에 비춰 볼 때 "펄펄 끓는 심령으로" 쯤으로 직역할 수 있다. 따라서 감성과 훈련, 긴박감을 가지고 하루하루 살아가는 삶과 하는 일 속에서 산 제물이 되는 임무를 수행해 나가라는 뜻이다. 열정을 품고 살라는 주문이다.

그렇다면 이런 참다운 열정은 어디서 비롯되는가? 바울은 "그러므로 … 하나님의 모든 자비하심으로 권하노니"라는 말로 운을 뗀다. '하나님의 모든 자비하심'이 무얼 가리키든, 거기에 힘입기만 하면 산 제물이 될 수 있다는 뜻인가? 정말 자신의 욕구와 필요에 대해서는 죽고, 일 이면의 다른 일을 좇는 습관을 떨쳐 버리며, 그 열정을 하나님께 바치는 인격체가 될 수 있는가? 물론이다. 비결은 영원토록 산 제물이 되시며 하나님이 베푸시는 자비의 실체인 예수 그리스도다. 주님의 고난과 희생을 깨달아 알고 그분의 열정을 심령에 아로새기면 지금 몰두하는 일이 죽음에 이르게 하는 여섯 가지 죄의 변형 판인지 여부를 금방 가릴 수 있다.

예수님은 왜 고난을 당하셨는가? 그리스도의 열정과 희생은 어디서 왔는가? 요한복음 17장에서 주님은 제자들을 바라보시며 하늘 아버지께 "그들을 위하여 내가 나를 거룩하게 하오니"(요 17:19)라고 기도하셨다. '거룩하게'라는 단어는 그리스어로 올림픽경기에 출전할 달리기 선수로 구별한다는 의미다.

올림픽에 나가기 위해 준비한다는 게 무얼 가리키는지 잘 알고 있으리라 믿는다. 선수들은 삶의 초점을 온통 그 한 가지 목표에 맞춘다. 하루하루, 일분일초, 행동 하나하나를 그 목표를 이루는 데 투입한다. 순간순간이 고통스럽지만 군말 없이 견딘다. 열정과 헌신도가 적어도 그쯤은 돼야 금메달을 딸 수 있다.

예수님과 그분의 열정이 그러했다. 주님은 구원을 목표로 스스로 구별되셨다. 뜻을 이루기 위해 가진 걸 다 잃고 온갖 어려움을 다 견디셨다. 그리스도의 열정은 스스로가 아니라 인류와 하늘 아버지를 위한 것이다. 이만한 본보기가 어디 또 있겠는가! 저마다 자신을 향해 예수님이 품으셨던 열정의 폭과 깊이를 마음으로 온전히 깨닫고 나면, 하나님이 한 사람 한 사람에게 세상 사는 동안 감당하도록 맡기신 일을 멋지게 해내고자 하는 열정이 생긴다. 독생자가 한 사람 한 사람을 죄에서 건지시기 위해 행하셨던 일을 기억한다면 교만과 시기가 뿌리내릴 겨를이 없어진다. 더 부유하고, 더 멋지고, 더 강하고, 더 편안한 무언가에서 가치를 찾을 이유가 없기 때문이다.

이기심이 낳은 해태를 토대로 그릇된 열정을 품고 일하는 대신, 남을 위하는 마음에서 비롯된 참다운 열정에 이끌려 움직이게 된다. 크리스천은 하나님의 가정에 입양되었으므로 이미 확인을 받은 셈이다. 주님이 의롭다고 인정하셨으므로 굳이 자신을 입증할 이유가 없다. 목숨을 내놓는 희생을 통해 구원을 받았으니 얼마든지 활기차게 살 길이 열렸다. 끊임없이 사랑을 받고 있으므로 고요한 내적 충만에 반응해서 지치지 않고 일할 수 있다.

## 깊은 안식의 힘

일과 쉼은 공생 관계다. 누구나 대충은 알고 있는 얘기다. 얼마쯤 일하고 나면 물러나 쉬면서 몸과 마음을 추스른다. 쉼, 또는 안식은 일을 보는 시각에 균형을 잡고 본래 있어야 할 자리로 되돌리는 데도 도움이 된다. 뒤로 물러나서 다른 활동으로 눈을 돌리지 않으면 일을 제대로 파악 못하기 쉽다. 그래야 일 외의 다른 삶이 존재한다는 걸 깨닫는다. 그런 점을 의식해서 몸과 마음의 안식을 누리고 나면 더 많은 일을 더 잘 해낼 수 있는 힘이 생긴다.

그러나 일과 쉼의 관계는 그런 단계를 넘어 더 깊은 차원에서 움직이기도 한다. 현대인들은 대부분 일 이면의 다른 일에 쫓긴다. 일을 통해 인정과 구원, 가치감과 정체감을 확보하려 한다. 그러나 복음이 주는 쉼을 체험하고 일에서 구원을 찾으려는 갈망으로부터 자유로워진다면 끊임없이 원기를 채워 주고, 일을 보는 바른 시각을 되찾아 주며, 열정을 회복시켜 주는 활력의 원천을 얻을 것이다.

이처럼 깊은 수준의 안식을 이해하기 위해서는 성경이 말하는 안식일의 참뜻을 살피면서 그 핵심이 무엇이며 상징하는 바가 무엇인지 알아볼 필요가 있다.

안식일을 기억하여 거룩하게 지키라. 엿새 동안은 힘써 네 모든 일을 행할 것이나 일곱째 날은 네 하나님 여호와의 안식일인즉 너나 네 아들이나 네 딸이나 네 남종이나 네 여종이나 네 가축이나 네 문안에 머무는 객이라도 아무 일도 하지 말라. 이는 엿새 동안에 나 여호와가 하늘과 땅과 바다와 그 가운데 모든 것을 만들고 일곱째 날에 쉬었음이라. 그러므로 나 여호와가 안식일을 복되게 하여 그 날을 거룩하게 하였느니라(출 20:8-11).

네 하나님 여호와가 네게 명령한 대로 안식일을 지켜 거룩하게 하라. 엿새 동안은 힘써 네 모든 일을 행할 것이나 일곱째 날은 네 하나님 여호와의 안식일인즉 너나 네 아들이나 네 딸이나 네 남종이나 네 여종이나 네 소나 네 나귀나 네 모든 가축이나 네 문 안에 유하는 객이라도 아무 일도 하지 못하게 하고 네 남종이나 네 여종에게 너 같이 안식하게 할지니라. 너는 기억하라. 네가 애굽 땅에서 종이 되었더니 네 하나님 여호와가 강한 손과 편 팔로 거기서 너를 인도하여 내었나니 그러므로 네 하나님 여호와가 네게 명령하여 안식일을 지키라 하느니라(신 5:12-15).

출애굽기 20장은 안식일을 지키는 걸 하나님의 창조 사역과 연결 짓는다. "나 여호와가 … 일곱째 날에 쉬었음이라." 이건 무슨 뜻일까? 창조주께서 세상을 지으신 뒤에 쉬셨으므로, 인간들 역시 정해진 시간 동안 일을 끝낸 뒤에는 반드시 쉬어야 한다. 이러한 일과 쉼의 리듬은 크리스천들만이 아니라 피조 세계에 속한 모든 이들에게 해당된다. 너무 많이, 또는 너무 적게 일하는 건 자연의 질서를 침해하고 결국 탈을 일으킨다. 안식은 하나님의 창조 사역과 인간들의 창조 행위의 아름다운 속성을 즐기고 높이는 길이다. 그러므로 노동과 안식의 질서를 망가뜨리면 당사자는 물론 주위 삶에도 혼돈이 생긴다. 안식은 그런 점에서 창조주가 설계를 찬양하는 행위다.

이어서 신명기 5장은 안식일을 지키는 걸 하나님의 구속 사역과 대비시킨다. 15절은 이렇게 말한다. "너는 기억하라. 네가 애굽 땅에서 종이 되었더니 네 하나님 여호와가 강한 손과 편 팔로 거기서 너를 인도하여 내었나니 그러므로 네 하나님 여호와가 네게 명령하여 안식일을 지키라 하느니라." 하나님은 안식일을 종살이에서 풀려난 사건을 재연하는 날로 그려 보이신다. 주님이 인간이라기보다 바로가 만든 벽돌 생산 시스템의 작업 단위 취급을 받던 그분의 백성을 어떻게 건져 내셨는지 자연스럽게 떠올리게 하는 대목이다.

안식일을 지키라는 거룩한 명령에 순종할 수 없다면, 누구든 노예 신세다. 개중에는 자진해서 노예가 되는 이들까지 있다. 안식일을 지키는 습관을 들일 능력을 갖추지 못하면 자신의 마음이나 물질주의에 물든 현대 문화, 노동력을 착취하는 조직, 또는 그 모든 것들에 휘둘릴 것이다. 그러므로 안식일은 일종의 해방 선언이다. 더는 문화의 기대라든지 가족들의 희망, 의과 대학의 요구, 심지어 자신의 불안에 매인 노예가 아니다. 이미 싸움에서 이겼다는 의식을 가지고 이러한 진리를 스스로에게 주지시키는 법을 배우는 게 대단히 중요하다. 그렇지 않으면 휴가를 낼 때마다 죄책감을 느끼거나 흔쾌히 플러그를 빼내지 못할 게 뻔하다.

안식일 규례는 이스라엘 백성들이 출애굽한 뒤에 제정되었다. 당시 세계 문화에 비춰 볼 때, 이는 대단히 독특한 사건이었다. 안식일에는 노동과 이윤 추구, 개발을 비롯해 경제적인 생산 활동을 전반적으로 제한했다. 7일째 되는 날에는 밭에 나가 일을 할 수 없었으며 어떤 작물도 심지 않고 경작지를 놀려야 했다. 단기적으로는 당연히 이웃 나라들에 비해 이스라엘의 경제적인 생산성이 감소되고 발전 속도 또한 떨어질 것이다. 그러나 이스라엘이 자유로운 백성들의 나라라는 사실만큼은 분명했다. 장기적으로는 두말할 것도 없이 푹 쉰 이들이 더 생산적인 법이다.

아울러, 안식일을 '믿음의 행위'로 인식할 필요가 있다. 하나님은 안식일을 정하셔서 주님이 친히 일하고 쉬는 일을 계속하심을 알려 주셨다. 안식일을 지키는 건 세상을 움직이고, 가족들을 먹여 살리고, 더 나아가 지금 담당한 프로젝트를 진행시키는 존재가 인간이 아니라는 점을 실감하게 하는 질서 정연하고 신뢰도가 높은 방법이다. 경영인들은 이런 진리를 받아들이기가 유난히 힘들다. 고도의 전문성과 수행 능력을 갖춘 탓에 팀을 이뤄 일하는 데 서툴다. 따라서 직접 시간을 투자하지 않으면 일이 제대로 돌아가지 않는다. 그러니 피조 세계의 한 귀퉁이를 홀로 책임지고 있다는 착각에 빠질 위험이 얼마나 크겠는가!

하지만 이제라도 하나님이 계신다는 걸 알아야 한다. 혼자 일하고 있는 게 아니라는 뜻이다. 근심에 관한 예수님의 유명한 가르침(마 6:24-25)은 일의 맥락에서 보아야 한다. 주님은 "수고도 아니하고 길쌈도 아니하"(28절)는 들풀도 보살핌을 받지 않느냐고 책망하신다. 그리곤 하늘 아버지께는 분명 풀보다 우리가 소중하다는 사실을 일깨우시고, 그러기에 일을 통해 물질적인 것들을 '구해서는'(32절) 안 된다고 가르치신다. 따라서 쉬는 사이에도 염려를 내려놓지 못한다면 안식일에 참여하고 있는 게 아니다. 깊이 쉴 수 있을 때까지 마태복음 6장 같은 본문들을 묵상하면 큰 힘이 될 것이다.

복음이 말하는 안식일과 쉼이 주는 유익을, 홀로 기도하고 성경 보는 것처럼 개인적인 차원에서만 생각한다면 그릇된 판단이다. 하나님은 믿음의 형제 자매들과 나누는 교제를 통해서도 크리스천들을 든든히 서게 하신다. 그러기에 바울은 그리스도를 좇는 이들에게 "너희가 짐을 서로 지라. 그리하여 그리스도의 법을 성취하라"(갈 6:2)라고 당부했다. 반면에 예수님은 짐을 벗겨 주시겠다면서(마 11:28-30) 날마다 대신 져 주시는(시 68:19) 하나님께 걱정과 부담을 모두 맡겨 버리라고(벧전 5:7) 말씀하신다.

자, 그럼 어떻게 하겠는가? 고단한 노동과 무거운 짐을 지고 하나님을 바라보며 도움을 청할 것인가, 아니면 크리스천 형제자매들의 지원을 기대할 것인가? 정답은 '양쪽 모두'다. 현장에서 일하는 내내 우리에게 기운을 불어넣으시고 성원을 보내 주시는 하나님의 역사는 일반적으로 동료 크리스천들의 사랑과 격려를 통해 경험할 수 있기 때문이다.

## 쉼 이면의 다른 쉼

수고하고 무거운 짐 진 자들아 다 내게로 오라. 내가 너희를 쉬게 하리라.

> 나는 마음이 온유하고 겸손하니 나의 멍에를 메고 내게 배우라. 그리하면 너희 마음이 쉼을 얻으리니 이는 내 멍에는 쉽고 내 짐은 가벼움이라 하시니라(마 11:28-30).

그리스도를 만난 뒤, 일에 어떤 변화가 일어날 수 있는지 또렷한 그림을 그리고 싶다면, 이 구절을 꼼꼼히 살피라. 뭇 민족과 백성들을 부르신 예수님은 누구랄 것도 없이 다들 "수고하고 무거운 짐"을 지고 있어서 '쉼'이 필요하다는 사실을 잘 아셨다. 그런데 주님의 치료법이 도로 "짐"(30절)이거나, 한 술 더 떠서 "멍에"(29절)라니! 짐 나르는 짐승한테 씌우는 멍에나 마구는 노예와 고단한 노역의 상징이다. 그런데 어떻게 이것이 뼈에 사무치는 수고를 해결하는 해법이 될 수 있는가! 예수님은 "나의" 멍에라는 말로 짐의 성격을 한정하시면서 아주 가볍다고 말씀하셨다. 어째서 그럴까? "나는 마음이 온유하고 겸손하니 … 너희 마음이 쉼을 얻"(29절)을 것이기 때문이다. 녹초가 되도록 일을 시키지 않으며 최상의 성과를 내지 않아도 구박하지 않는 상사는 그리스도뿐이다. 주님이 시키시는 일은 이미 완성되어 있는 까닭이다.

사실 '크리스천'이라는 말의 참뜻은 예수님을 찬양하며, 따라가고, 순종할 뿐만 아니라 '그리스도의 완성된 사역' 안에서 쉼을 누리는 이들을 가리킨다. 저마다 제 일을 하는 게 아니라는 뜻이다. 잊지 말라. 창세기 2장 1-3절에 따르면, 창조주는 세상을 지으시는 일을 다 마치셨으므로 일에서 손을 떼고 쉬실 수 있었다. 마찬가지로 하나님의 구속 사역이 그리스도를 통해 끝났으므로 크리스천들은 마음 편히 안식할 수 있다.

독생자 예수님이 이면에 깔린 또 다른 일을 해내셨으므로 주님을 좇는 이들에게 남은 건 아버지께 받은 사명을 따라 섬기기만 하면 된다.

앞에서 수많은 이들이 '일 이면에 감춰진 또 다른 일'을 하고 있다는 이야기를 했었다. 그이들은 급여를 받기 위해서만이 아니라 스스로 무가치하다는 느낌을 떨쳐 버릴 심산으로 일한다. 그러나 크리스천들은 예수님 안에서 '쉼 이면의 또 다른 쉼'을 누린다. 영혼의 단잠을 자는 셈이다. 심령이 숙면을 이루지 못하면 무얼 해도 만족이 없다. 쉬어도 쉬는 게 아니다. 저녁이 돼도 그물을 벗어나지 못한다. 하늘 아버지께서 미리 마련하신 일을 자녀들에게 맡기시며 구상하셨던 만족을 누릴 수도 없다.

이러한 대조를 보여 주는 전형적인 본보기가 영화 〈불의 전차〉(Chariots of Fire)다. 한쪽 젊은이는 말 그대로 '존재를 입증하기 위해' 올림픽 경주에 나가 달리고 싶어 하는 반면, 또 다른 청년은 금메달을 놓칠지언정 주일을 지키며 그리스도 안에서 깊이 쉬려 한다. 첫 번째 인물은 일 이면에 감춰진 또 다른 일을 하고 있는 까닭에 반드시 금메달을 따려 한다(적어도 영화에서는 주인공이 그토록 갈망하는 깊은 쉼을 메달이 주는 것처럼 보이진 않는다). 두 번째 인물은 헌신된 크리스천인 에릭 리델(Eric Liddell)인데, 올림픽 메달을 따든 말든 크게 신경 쓰지 않고 온전한 안식을 즐길 뿐이다. 누이와 이야기를 나누면서 하나님이 빨리 달리는 재주를 주셨고 "달릴 때 기쁨을" 느낀다고 털어놓는다. 뛰는 일 자체가 즐거운 데다가 그런 재주를 주신 분을 기쁘시게 해 드리는 게 좋아서 달릴 뿐이라는 것이다.

이 책 서두에 붙인, 존 콜트레인의 고백을 다시 살펴보자.

1957년, 하나님의 은혜로 영적 각성을 경험한 뒤로 더 풍성하며, 더 온전하고, 더 생산적인 삶을 살게 되었다. 당시 감격에 겨운 채로 이제 음악을 통해 다른 이들에게 영감을 불어넣어 누구나 뜻 깊은 삶을 살 수 있음을 더 깊이 자각하고 … 행복감을 느끼게 해 주는 특권을 누리게 하시며 거기서 의미를 찾게 해 달라고 겸손하게 간구했다. 하나님은 은총을 베푸셔서 그 소원을 들어주셨다. 주님께 모든 영광을!

한때는 콜트레인 역시 남들과 마찬가지였다. 마음 깊은 곳에 늘 한 가지 생각을 품고 살았다. '정말 근사해진다면, 성공을 거둔다면, 다들 갈채를 보내고 칭송을 아끼지 않는다면 내가 괜찮은 인간이고 가치 있는 인생을 살고 있다는 느낌이 들 거야." 하지만 그런 부류의 사고방식에 사로잡혀 있는 동안은 제대로 일하지도, 푹 쉬지도 못했다. C. S. 루이스의 말 그대로였다.

어떤 인상을 주고 있는지 고민하기를 집어치우지 않는 한, 남들한테 결코 좋은 인상을 줄 수 없다. 문학과 예술 분야에서까지 독창성에 집착하는 이들은 그 누구도 독창적이 될 수 없다. 그러나 그저 진실을 말하려고 노력한다면(예전에 얼마나 자주 나왔던 얘기인지 따위에 눈곱만큼도 신경 쓰지 않고), 저도 모르는 새에 열에 아홉은 독창적이 될 것이다. … 자신을 버리라. 참다운 자아를 찾을 것이다.[4]

그러던 콜트레인의 내면에서 참다운 자아를 드러내는 변화가 일어났다. 어느 날 밤, 빼어난 솜씨로 하나님을 향해 쏟아 내는 32분짜리 찬양 〈지고의 사랑〉(A Love Supreme)을 연주하고 무대를 내려오면서 그가 속삭였다. “눈크 디미티스(Nunc dimittis)!” 이는 누가복음 2장에서 약속된 메시아를 직접 본 시몬이 했던 말로, “지금 죽어도 여한이 없다”는 뜻이다. 콜트레인은 일 자체를 위해 일하면서 이면에 감춰진 또 다른 일에 몰두하는 사슬에서 해방시켜 주시는 하나님의 사랑을 체험했다. 거룩한 능력을 받았으며 주님이 주시는 기쁨을 만끽했다.[5] 이후부터는 자신을 위해 연주하는 걸 그만두었다. 대신 음악을 위해, 청중을 위해, 그리고 하나님을 위해 무대에 올랐다.

크리스천의 관점으로 보자면, 스스로 어떻게 창조된 존재인지를 돌아보는 성찰이야말로 부르심을 찾는 가장 확실한 길이다. 은사는 우연의 소산이 아니며 창조주의 선물이기 때문이다. 하지만 올림픽에 나가 트랙을 질주하거나 세계를 주름잡는 자리에 있지 않다면 어떻게 할 것인가? 부당한 요구를 일삼는 상사와 은사를 활용할 방도가 없는 지루한 일들에 시달린다면 어찌하겠는가? 지금 어떤 처지에 있는지 하나님이 정확히 알고 계시며 맡겨 주신 일을 충실히 해내는 게 주님을 섬기는 과정임을 인정하고 받아들인다면 현실에 얽매이지 않고 자유로워질 수 있다.

도로시 세이어즈는 그런 뜻에서 일을 섬기라고 조언했다. 톨킨이 ‘니글의 나뭇잎’에서 전하고 싶어 했던 메시지도 바로 그것이다. 그리스도, 그리고 주님이 보장해 주시는 미래 세계에 소망을 둔다면, 다시 말해 예수님의 쉬운 멍에를 멘다면, 자유로운 심령으로 일할 수 있는 힘을 얻는다. 크고 작음을 떠나 하나님이 일을 통해 주시는 성공과 성취를 있는 그대로 기쁘게 받아들일 수 있다. 그리로 부르신 이가 바로 주님이시기 때문이다. 가슴 깊은 곳에 담긴 영원한 소망(세상에서 일하며 품는 열망을 포함해서)은 그분의 나라가 이뤄지고 새 하늘과 새 땅이 열릴 때 온전히 채워진다는 걸 알고 있으므로, 열정을 품고 일할 수 있다. 그러기에 언제, 어디서나 기쁘고 만족스럽게, 유감없이 달릴 수 있다. 그러고 나서는 단호하게 말할 수 있다. "눈크 디미티스!"

에필로그

## 리디머교회가 하고 있는 '일과 신앙을 하나 되게 만드는 법'

리디머교회는 지난 10년 동안 총체적인 사역을 목표로 직장인들에게 신앙과 일을 통합하도록 돕는 제자 훈련 프로그램을 진행해 왔다. 크리스천 인구가 고작 3퍼센트에 불과한 거대도시에 우리 교회 공동체 구성원들은 '국내 체류 외국인 소수집단'처럼 살아간다.

직장이라는 또 다른 공동체에 기여하기 위해 동분서주하는 과정에서 신앙을 고수하는 걸 몹시 버거워하는 크리스천들이 허다하다. 반면에 더러는 예수님과 연합하는 삶이 더 매력적으로 펼쳐지길 기대하는 이들도 있다. 교회와 도시 사이의 거리가 더 이상 벌어지기를 바라지 않는다. 그런가 하면, 일을 포함한 삶의 전 영역에서 예수님의 제자가 된다는 게 무슨 소린지 도무지 알아듣지 못하는 새내기 크리스천들도 적지 않다.

믿음의 식구들로 하여금 복음에 담긴 사랑과 진리를 품고 도시환경에 적극적으로 뛰어들게 할 뿐만 아니라 신앙과 신학의 깊이를 더하게 하는 게 당면 과제다. 그동안 리디머 공동체는 하나님이 머물게 하신 도시가 '평안하고 번영하도록'(렘 29:7, 새번역) 뒷받침하는 방식으로 교인들이 문화 전 영역을 살아 내도록 적극 지원해 왔다.

예루살렘의 예레미야가 바벨론으로 끌려간 이스라엘 장로와 제사장들, 백성들에게 보낸 편지는 사역의 목적과 방향을 설정하는 데 주요한 영향을 미쳤다. 우선, 서신은 이스라엘을 유배지로 보내신 주체가 하나님이심을 분명히 한다. 거대도시에 살면서 시험에 직면하고 스트레스가 많은 업무를 요구받을 때 하나님이 정하고 보내신 자리에 있다는 확신, 한마디로 하나님의 주권을 기억하는 건 든든한 자원이 된다. 둘째로, 주님은 "그 성읍이 평안함으로 너희도 평안할 것"이라면서 백성들에게 바벨론의 평안과 번영을 구하라고 하신다.

리디머 성도들은 스스로 이 도시와 직업, 직장, 이웃들을 사랑하라는 하나님의 명령을 받은 소수집단이라는 의식을 가지고 있다. 그리스도를 모르는 이들에게 복음을 전하고 영적으로 거듭나게 할 길을 꾸준히 찾는 한편, 다른 신앙을 가진 이들과 더불어 이 도시와 세상에 유익을 끼치기 위해 협력하고 노력한다. '국내 체류 외국인'을 위한 제자 훈련은 기독교 신앙이 널리 인정받는 문화 속에서 추구해야 할 제자도와는 다소 차이가 있으며 거꾸로 문화가 이러저러해야 한다고 이야기하는 영역 속으로 들어가게 이끄는 걸 목표로 삼는다. 리디머에서는 이를 '유배자의 제자도'라고 부른다.

리디머는 또한 복음이 한 사람 한 사람의 마음과 지역사회, 더 나아가 세상의 모든 것을 변화시킬 것이라는 약속에 기대어 공동체의 틀을 잡아 왔다. 아브라함 카이퍼의 말을 빌자면, "만물의 주권자이신 그리스도가 '내 것!'이라고 부르짖지 않으시는 영역은 인간 세계 어디에도 존재하지 않는다."[1]

리디머교회가 주관하는 신앙과 노동 사역은 일하는 삶, 일과 얽힌 관계, 일이 세상에 미치는 영향의 모든 측면들을 변화시키고, 구속하고, 새롭게 만드는 크리스천 스토리의 능력과 약속들을 탐구하고 실험하는 데 초점을 맞춰 왔다.

신앙과 일을 더 잘 통합하도록 돕기 위해서는 상대방의 면면을 살피는 게 중요했다. 직업적인 선호도 분포는 심각하리만치 치우쳐 있었다. 법률, 예술, 금융, 경영, 교육, 보건, 첨단기술, 행정, 건축, 또는 광고 분야에서 일하길 원하는 이들이 절대다수였다. 아울러 젊은이가 많았고(평균 연령이 33세였다) 70퍼센트는 미혼이었으며 일찍부터 직장 생활을 하고 있었다. 9년에 걸쳐 1,500명이 넘는 훈련 참가자, 그리고 150명에 이르는 자원봉사자들과 어울려 씨름한 끝에, 노동 현장에서 복음을 살아 내는 발판이 될 구체적인 사고방식(스토리라인, 또는 세계관)과 명쾌한 행동 지침(실천 사항, 또는 습관)들을 추릴 수 있었다.

변화의 첫 걸음을 내딛기 전에, 우선 지금 어느 지점에 있으며 장차 어디로 가려 하는지 짚어 보는 게 도움이 된다. 다음 도표에서 왼쪽 줄은 수많은 리디머 식구들이 애당초 가지고 있던 생각들이다. 이들은 제9장에서 다루었던 것처럼, 삶을 이끄는 스토리를 구성하는 전제들이다. 오른쪽 줄은 저마다 새로운 스토리를 구성해서 삶의 축으로 삼도록 지원하면서 리디머에서 가르치는 신념들이다. 이런 개념들이 충분히 현실화된다면 생각하고, 느끼고, 행동하는 방식을 실질적으로 바꿔 놓을 것이다. 여기에는 섬세하게 다듬고 세련된 표현으로 정리해 실었다. 복음을 일터에 더 온전하게 적용하는 쪽으로 움직이는 지극히 본질적인 의식 변화 과정을 추려 낸 결과물인 셈이다.

| 변화 이전 | | 변화 이후 |
|---|---|---|
| 개인 구원 | 1 | 복음은 만물을 변화시킨다<br>(마음, 공동체, 세상) |
| 선한 인간 | 2 | 구원받은 인간 |
| 값싼 은혜 | 3 | 값비싼 은혜(죄에 대한 인식) |
| ‘하늘 어딘가에 있는’ 천국 | 4 | 그리스도는 이 땅에 다시 임하실 것 |
| 하나님은 단순한 부가가치 | 5 | 하나님의 섭리를 좇아 지상의 일에 기여 |
| 세상의 우상들 | 6 | 하나님을 위해 사는 삶 |
| 세상을 경멸 | 7 | 세상에 적극적으로 개입하고 참여 |
| 단독적이고 독자적인 생활 | 8 | 공동체를 받아들임 |
| 인간에 초점 | 9 | 제도에 초점 |
| 크리스천 우월의식 | 10 | 하나님은 누구든 친히 선택한<br>이를 통해 역사(일반 은총) |

리디머에는 다른 도시에서, 또는 복음을 개인 구원에만 적용하는 복

음주의적인 교회에서 성장한 젊은이들이 적지 않다. 따라서 그런 크리스천들의 복음 이해를 공동체와 조직, 도시와 문화에 적용하는 데 이르기까지 확장하는 일에 사역의 상당 부분을 할애한다.

신앙과 노동 분야의 여러 사역들이 선하고, 정직하고, 공정해질 수 있는 방법 같은 윤리적인 문제를 다룬다. 제7장 말미에서 살펴본 것처럼 에스더처럼 선하고 영웅적인 인물이 되는 건 만만한 과업이 아니다. 선해지는 쪽으로 시선을 돌리면 죄라는 이슈를 매듭짓는 데 혼선이 온다. 그리스도가 돌아가셔야 했던 건 인류의 죄 때문이다. 리디머의 신앙과 노동 사역은 죄를 더 철저하게 인식할수록 하나님의 은혜도 더 깊이 경험한다는 사실을 분명히 깨닫도록 돕고 싶어 한다. 구원받았음에 감사하는 삶이 자기 의에 기대어 선해지려고 노력하는 인생보다 훨씬 행복하다. 눈높이가 여기에 이르면, 하나님이 인류를 위해 치르신 값이 어마어마하다는 점에 눈길이 가게 된다. 한 사람 한 사람을 위해 십자가를 지신 그리스도의 죽음을 묵상할 때마다 저절로 겸허해지고 그분께 삶의 주도권을 돌려드리고자 하는 열의가 살아난다.

다음 두 가지 핵심 개념들도 늘 붙어 다닌다. 지상에서 상상하는 낙원, 그러니까 붓으로 그린 나무가 살아 있는 그 하늘나라('프롤로그'를 보라)의 실상은 영혼들만 허공에 맴도는 천국이 아니다. 그곳의 기발하고 새로운 도구들은 망가지고 깨어진 이 세상에서 상상하는 것보다 훨씬 완벽할 것이다. 이런 개념을 가지면 구체적이고 물리적인 차원에서 주위 환경을 보게 된다. 지금 사는 세상과 장차 다가올 나라를 풍요롭게 하는 일에 온 힘을 쏟으려는 의지가 생긴다.

제8장에서는 우상의 문제를 다루었다. 우상은 하나님과의 관계를 가로막고 교만에 빠트린다. 따라서 신앙과 노동 사역은 저마다 직업 세계에서 어떤 우상을 섬기고 있는지, 삶에 돋은 가시와 엉겅퀴는 물론이고 하나님 없이 사는 탓에 맞닥뜨리는 절박한 존재의 위기를 제힘으로 극복하기 위해 어떤 우상을 만들어 내고 있는지 분간하도록 돕는다. 우상 하나를 찾아 부술 때마다 하나님께로 돌아서게 되고 주님을 향한 신뢰가 점점 깊어진다.

개인주의적인 환경 속에 사는 오늘의 크리스천들은 공동체라는 개념에 심한 저항감을 느끼기 일쑤다. 물론, 입으로는 다들 공동체와 우정, 사랑을 원한다고 말한다. 그러나 '책임'과 '헌신'이란 말을 꺼내기가 무섭게 줄행랑을 치고 만다. 따라서 리디머의 신앙과 노동 사역은 하나님이 공동체 속에서, 그리고 공동체를 통해 어떻게 역사하시는지 구체적으로 보여 주는 데 주력한다. 주님은 친히 교회를 만들기까지 하셔서 다 같이 힘을 모아 복음을 나누게 하셨다.

뿐만 아니라, 그리스도를 모르지만 탁월하고 너그러우며 사랑이 넘치는 주변 사람들과 끊임없이 마주친다. 궁금증이 머리를 떠나지 않는다. "함께 일하는 저 친구는 예수님을 믿지 않는데도 어떻게 내가 아는 어떤 크리스천들보다 더 나은 인격을 가진 것처럼 보일 수 있는가?" 유명한 축구 선수나 야구 스타가 크리스천이라는 걸 알게 되면 마치 온 세상이 선망하는 영웅들의 클럽의 멤버가 되기라도 한 것처럼 흥분한다. 주님이 주신 자질과 재능에 힘입어 남다른 성과를 내려고 노력하는 건 바람직하지만, 동시에 복음적인 자원을 갖지 못했음에도 불구하고 크리스천들보다 더 뛰어난 열매를 거두고 빛나는 성적을 올리는 이들도 볼 줄 알아야 한다. 일반 은총에 대한 이해는 겸손하게 하나님의 주권을 인정하는 마음가짐을 갖는 데 결정적인 역할을 한다.

마지막으로, 복음만 가득한 직장 생활은 자기 의에 빠져서 복음의 아름다움을 신속하게 약화시키는 열 가지 법칙 가운데 하나다. 다만, 이 책에서 소개한 아이디어들을 몇 구절로 줄여서 가지고 다니다가 주변 사람들이 일과 일터에 관해 신학적으로 더 건강한 사고방식을 갖도록 돕는다면 적잖이 유익을 끼칠 수 있을 것이다.

하나님이 어떤 분이시며 주님과의 관계를 어떻게 꾸려 가야 하는지 고민하며 씨름하는 가운데 교회 안에 겸손과 사랑, 진리와 은혜, 정의가 쑥쑥 자라나며, 리디머 공동체가 있기에 이웃들과 온 도시가 더 풍요로워지길 기도한다.

### 교회, 직업선교센터 Faith & Work를 만들다

2002년, 리디머교회는 예배와 전도, 공동체 형성, 자비와 정의, 교회 개척, 신앙과 노동 등 뉴욕시에서 목회하면서 역량을 모아야 할 다섯 가지 분야를 정했다. 그리고 내게 신앙과 노동 쪽의 틀을 잡는 일을 맡겼다. 리디머 공동체는 시내에서 일하는 이들을 중심으로 도시 전반의 문화 제도를 새롭게 바꾸려는 비전을 막 키워 가기 시작하던 참이었다. 반응이 얼마나 뜨겁던지 놀라서 입이 다물어지지 않을 지경이었다. 경영 일선에 있을 때는 신제품들과 서비스들을 시장에 내놓을 때마다 광고와 홍보에 막대한 시간과 예산을 쏟아붓곤 했지만, 이번에는 구상을 공식적으로 밝히기도 전에 전화벨이 쉴 새 없이 울리기 시작했다.

예산 한 푼 없이 출범한 리디머 신앙과 노동 사역 센터(Center for Faith & Work, CFW)로서는 감당하기 버거울 만큼 엄청난 요구가 쏟아져 들어왔다. 2003년 무렵에는 매주 3천 명 정도가 리디머교회에 모여 예배를 드렸는데, 그 가운데 상당수는 갓 기독교 신앙을 가진 크리스천이었다. 이제 막 직업 세계에 발을 들여놓고 날마다 쏟아지는 일들을 처리하느라 버둥거리면서 다른 한편으로 신앙을 삶으로 살아 내느라 버둥거리는 이들도 적지 않았다. 교회 공동체 안에 멘토라든지 롤 모델이 되어 줄 인력이 태부족이었다.

연속 강좌를 열고 나를 포함해 몇몇 장로들이 강사로 나섰다. 직업 결정, 리더십, 노동의 신학 따위의 주제를 강의했다. 교인들이 일상에서 부딪히는 관심사들에 관해 성경이 가르치는 진리들을 탐색하는 동시에 공동체의 필요를 정확히 파악하기 위해 최선을 다했다. 강의에 참석한 수백 명의 교인들을 대상으로 설문조사를 실시해서 몇 가지 의미 있는 결과를 얻었다.

- 응답자 가운데 6퍼센트는 다양한 경로를 통해 일터에서 복음을 전하고 있다고 대답했다.
- 응답자 가운데 55퍼센트는 일에 관한 제목을 가지고 기도하고 있었다.
- 응답자 가운데 50퍼센트는 삶에 관한 자신의 욕구와 하나님의 기대

사이에서 균형을 잡거나 통합하는 데 어려움을 겪는다고 인정했다.

- 일 자체가 어떤 식으로든 사회에 기여하는 통로임을 인식하는 이는 거의 없었다.[2]

2005년, 리디머는 교회 차원에서 모금 운동을 벌여서 CFW가 5년 동안 사역할 수 있는 재정적인 기반을 마련했다. 아울러 일과 직업의 영역에서 교회 공동체를 준비시키고, 연결시키며, 동기를 부여해서 복음 중심의 변화를 일으킴으로써 공동의 목적을 달성하는 걸 사명으로 정했다. 준비시키고, 연결시키며, 동기를 부여한다는 목표 하나하나가 크리스천들로 하여금 복음적인 관점에서 세상과 다르게 일하도록 돕는데 지극히 중요하다. 그동안 크리스천들이 여러 차례 모이기는 했지만 신앙을 생각하는 합의된 틀이 없는 탓에 피상적인 이야기를 주고받는 데 그치고 말았다. 교회는 교육의 기능만 감당하면 그만이라는 통념에 젖어 있었다. 잘 가르치면 교인들이 나가서 그대로 적용하리라고 믿었다. 그러나 성인 학습 전문가들은 새로운 사상을 듣고(준비), 동료들과 토론하며 검토하고(연결), 시뮬레이션하거나 실제 상황에 적용하지 않으면(동기 부여) 변화가 일어나지 않는다고 말한다.

CFW는 수용 가능한 인원과 투자할 수 있는 자원을 감안해서 프로그램을 검토한다. 참가자들이 더 높은 헌신도를 보일수록 투입되는 자원의 양도 늘어난다. 이런 원칙에 따라 2012-2013년에 40명을 훈련시키는 1년짜리 집중 프로그램인 고섬 펠로우십(Gotham Fellowship)에 상당한 인력과 예산을 쏟게 될 것이다. 다음 도표에서 피라미드의 가장 아래쪽에는 한 번 정도 주말에 집회에 참석하거나 하루저녁을 비워 강의를 들을 수 있는 교인들이 포진한다. 비록 단기간에 걸친 헌신이지만, 참가자들은 프로그램에 소요되는 비용을 분담한다. CFW가 개발한 프로그램은 웹사이트(www.faithandwork.org)에 상세하게 정리해 두었으므로, 여기서는 간단히 개요만 소개한다.

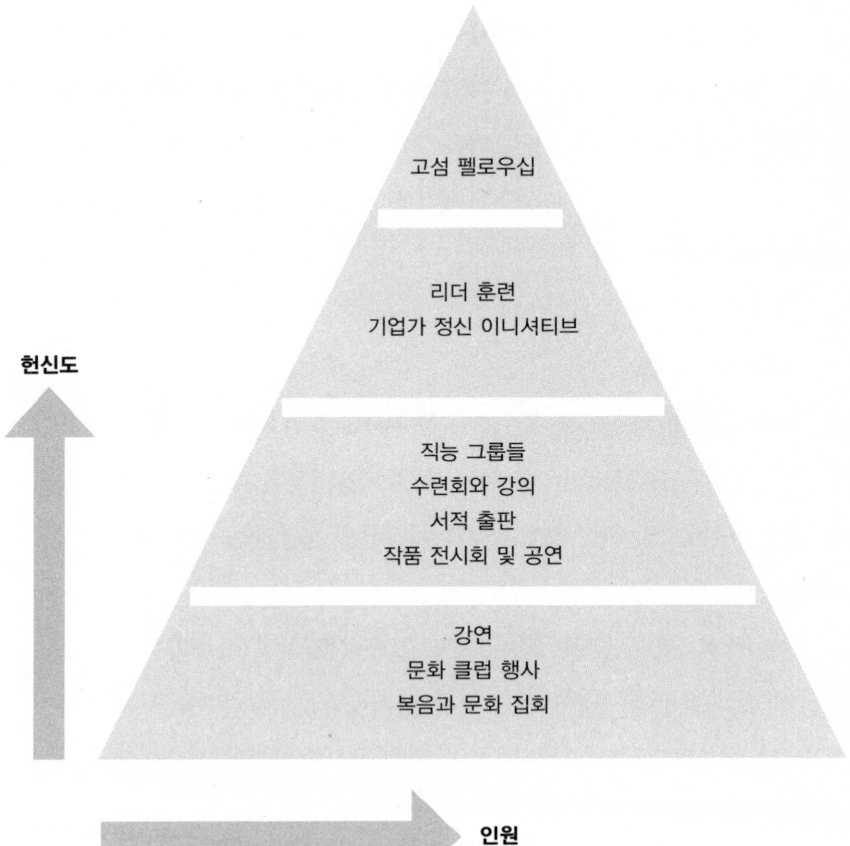

고섬 펠로우십

리더 훈련
기업가 정신 이니셔티브

직능 그룹들
수련회와 강의
서적 출판
작품 전시회 및 공연

강연
문화 클럽 행사
복음과 문화 집회

헌신도

인원

**직능 그룹**(Vocation Group)

직능 그룹들은 보통 한 달에 한 번 정도 모이며 더러 특강이나 사회 활동이 추가되기도 한다. 그룹마다 같은 직업을 가진 이들과 만나 신앙에 깊이를 더하고 복음의 눈으로 해당 분야에서 맞닥뜨리게 되는 도전과 기회들을 탐구하고 분석하는 일에 헌신하기로 작정한 자원봉사자 팀이 있어서 모임을 인도한다. 이들은 혁신적인 방식으로 그룹 구성 방식과 토의 주제를 설계한다. 현재 리디머에는 연기자, 광고인, 건축가, 엔지니어링과 건설 관계자, 경영자, 무용수, 교육자, 기업가는 물론이고 패션, 영화, 금융, 보건, 고등 교육, 정보 기술, 외교, 법률 분야 종사자와 박사과정을 밟는 학생, 비주얼 아티스트, 작가를 비롯해 수많은 직능 그룹들이 활발하게 움직이고 있다.

**고섬 펠로우십**

워싱턴 어빙(Washington Irving)이 뉴욕시에 붙인 별명에서 이름을 따온 고섬 펠로우십은 직종과 상관없이 청년 직장인들을 대상으로 아홉 달에 걸쳐 집중적으로 신학적인 소양과 리더십을 개발하는 훈련 프로그램이다.

어거스틴, 칼뱅, 오웬(Owen), 루터 같은 신학자와 사상가들의 작품 같은 기초 자료들을 공부하면서 복음을 저마다의 마음은 물론, 관계와 직업관에 적용하는 능력을 키운다. 노동 현장의 구체적인 상황들에 도입할 수 있는 신학적인 틀과 영적인 실천 방안들을 개발하도록 돕는다.

올해로 5년차를 맞는 고섬 펠로우십이 배출한 백여 명의 수료자들은 교회와 저마다 선택한 전문 분야에서 주님과 이웃을 섬기며 주기적으로 만나서 "서로 돌아보아 사랑과 선행을 격려"(히 10:24)하고 있다.

**기업가 정신 이니셔티브**(Entrepreneurship Initiative, Ei)

리디머는 새로운 교회들을 개척해서 교회에 다니지 않거나 예수님을 모르는 이들에게 복음을 전하는 활동뿐만 아니라 도시를 지탱하는 조직과 제도의 생태계를 구축하는 작업을 통해서 뉴욕시를 섬기는 데 헌신해 왔다. Ei는 '창업 계획 경진 대회'(Business Plan Competition)를 열어서 새내기 사업가들이 신학적이고 전략적으로 신규 사업에 뛰어들도록 초대한다. 입상자들은 교회 공동체의 선배 경영인들이 지급하는 다소간의 창업 보조금과 코칭을 받는다. Ei는 발명가, 기업의 임직원과 코치, 경험 많은 경영인과 새내기 기업가들을 아우르는 네트워크를 만들어서 복음을 기반으로 한 창업을 통해 우리가 사는 도시를 돕도록 이끈다.

**예술 사역**(Arts Ministries)

리디머교회에 출석하는 교인들의 15-20퍼센트 정도는 음악, 공연, 비주얼아트, 무용, 저술, 디자인 등 예술 분야 종사자들이다. 뉴욕시의 예술가들 가운데는 작품에 크리스천의 색채를 뚜렷이 드러내지 않는다는 이유로, 즉 노골적으로 교회를 언급하거나 기독교의 메시지를 담지 않는다는 이유로 신앙 공동체의 오해를 받거나 심하게는 배척당하고 있다고 느끼는 이들이 적지 않다. 리디머의 예술 사역은 이 분야에서 활동하는 이들에게 예술과 문화의 신학 속으로 끌어들이는 한편, 작품을 대중과 나누거나 함께 새로운 프로젝트를 꾸밀 기회를 제공한다.

### 교회에 토대를 둔 제자 훈련

리디머와 CFW는 신앙과 노동을 통합하는 사역이 교회 생활을 토대로 형성되는 게 지극히 중요하다고 믿는다. 더러 CFW가 비영리단체로 독립하면 어떻겠느냐고 묻는 이들이 있는데, 대답은 "아니오!"다. 성경이 가르치는 온전한 인간이 되려면 일터에서의 삶이 필수적이라는 신념의 본보기가 되는 게 CFW의 목표다. 교회는 결혼한 이들과 독신으로 사는 이들, 건강한 이들과 몸이 불편한 이들, 직장에 다니는 이들과 집에서 살림하는 이들을 모두 끌어안아야 한다.

교회를 기반으로 한 신앙과 노동 사역은 두 가지 면에서 중요하다. ① 일은 하나님이 저마다 가진 우상들을 조명하시고 죄다 녹여서 그리스도를 닮게 하시는 용광로 구실을 하는 경우가 많다. ② 교회는 신실하게 일터를 지키는 크리스천들을 통해 세상을 두루 어루만진다. 지난 10년은 신앙과 일을 통합하는 사역이 리디머 성도들의 삶에 필수적이어서 절대로 무시해선 안 된다는 사실을 확인한 세월이었다. 문화적인 영향을 피할 수 없는 상황 속에서도 점점 복음으로 생활의 틀을 잡아 갈 수 있었고, 세상을 섬기고자 하는 더 큰 비전을 공유하게 되었으며, 문화 속에서 교회의 신뢰성이 더 높아졌다.

리디머보다 작은 교회가 많은 게 사실이고 신앙과 일을 통합하는 사역은 규모에 따라 달라져야 하므로, 교회마다 상황과 형편에 적합한 틀을 찾아내는 게 바람직하다. 직능 그룹들을 조직하고 비즈니스, 예술,

사회복지로 영역을 세 갈래로 나누어 의견을 주고받는 정도는 어느 교회에서나 가능하리라 믿는다.

목회자가 직군별로 12-24명 정도의 참여자를 모아 오스 기니스(Os Guiness)가 쓴 「소명」(*Calling*)이나 알 월터스의 「창조, 타락, 구속」(*Creation Regained*)을 읽고 그 메시지가 저마다의 삶과 어떤 연관이 있는지 나누게 하는 것도 대안이 될 수 있다. 일터에서 마주치는 갖가지 도전들 틈에서 방향을 잡기 위해 신학적인 연구를 하고 싶어 하며, 목회자가 관심을 가지고 직장인들이 날이면 날마다 부딪히는 상황들을 더 알아 주길 갈망하는 크리스천들이 얼마나 많은지 모른다.

## 감사의 글

책 표지에 이름을 올린 건 캐서린과 나뿐이지만 보이지 않는 곳에서 묵묵히 뒤를 받쳐 준 팀 식구들이 있다. 스콧 카우프만(Scott kauffmann)은 여러 분야에 걸쳐 지침을 주고 편집 작업에 광범위하게 힘을 보탬으로써 이 책이 빛을 보는 데 결정적인 역할을 했다. 글재주뿐만 아니라 비즈니스 세계에 오래 몸담았던 경험과 신학적인 감각이 잘 어우러져서 아무런 어려움 없이 이 정교한 작업을 함께 해내도록 이끌어 주었다. 이 책에 도움이 됐다면 스콧에게 고마워해야 한다. 리디머가 펼치는 문서 사역의 열매가 나날이 풍성해지도록 늘 편집적인 지원을 아끼지 않는 데이비드 맥코믹(David McCormick)과 브라이언 타트(Brian Tart)에게도 고마운 마음을 전한다.

아울러 이 주제와 관련된 이해와 통찰에 큰 영향을 미친 두 친구와도 기쁨을 나누려 한다. 마이크 본트래거(Mike Bontrager)와 던 플로우(Don Flow)는 둘 다 복음적인 신앙을 날마다 마주하는 노동 현장과 신실하고 유쾌하게 통합해 낸 크리스천 비즈니스맨들이다. 성경을 자세히 풀어 설명하고 제자를 삼는 게 목회자로서 내 본분이지만 두 친구가 본보기를 보여 주고 능력을 발휘해서 나를 훈련시켜 주지 않았더라면 성경이 가르치는 직업관을 지금만큼 확실하게 파악하기 어려웠을 것이다.

마지막으로, 갖가지 갈등과 씨름하며 신앙과 일을 통합하는 문제를 철저하게 파고들어 준 리디머 Faith & Work센터의 평신도 지도자와 직원들에게 이 책을 바치고 싶다. 그렇게 애쓴 덕분에 이 책을 쓸 수 있었다. 캐서린의 리더십 아래서 케년 애덤스(Kenyon Adams), 크리스 돌런(Chris Dolan), 캘빈 친(Calvin Chin), 마리아 피(Maria Fee), 데이비드 킴(David Kim), 에밀리 왓킨스(Amilee Watkins)를 비롯한 여러 직원들은 이 책에 소개된 신학적인 개념들을 읽고 학습하는 데 그치지 않고 토론하고 적용하며, 개발하고 가르쳤다. 뿐만 아니라 일터에서 직접 살아 내기도 했다. 스스로 일하는 동기를 들여다보고, 복음을 심령에 직접 들이대고 어떤 변화가 일어나는지 관찰하며, 노동에 대한 성경의 가르침에 비롯된 풍성한 기쁨을 누리며 작업했다. 가시와 엉겅퀴가 돋아난 일터와 현장에서 활동하는 평신도 지도자들은 하나님께 기대어 제각기 자신의 동기를 붙들고 씨름하며 거룩한 역사가 일어나길 바라는 소망을 잃지 않았다. 다들 순전한 마음을 품고 다른 크리스천들이 지식과 행동, 양면에 걸쳐 성장하도록 돕고 있다. 얼마나 고마운지 모른다. 그런 모습들을 통해서 하나님이 머물게 하신 이 도시의 수많은 시민들 앞에 복음(다가올 하나님 나라의 기쁜 소식)의 증거를 제시하고 있기 때문이다.

# 주

### 들어가기 전에

1. 잭 밀러(C. John 'Jack' Miller) 목사는 필자가 1980년대 중반에 출석하던 뉴라이프 장로교회의 담임목사였다. 짐작하겠지만, 인용된 문장은 잭 밀러 목사가 쓴 책에서 따온 게 아니며, 설교와 강의 도중에 자주 했던 이야기를 옮겼다.

### 프롤로그

1. Robert N. Bellah, "Is There a Common American Culture?," www.robertbellah.com/articles_6.htm.
2. Robert Bellah, Richard Madsen, William M. Sullivan, Ann Swidler, and Steven M. Tipton, *Habits of the Heart : Individualism and Commitment in American Life*(Barekely : Univeristy of California Press, 1985), 287-88.
3. 현대 '신앙과 노동' 운동의 역사, 특히 주류 에큐메니컬 교회들에서 시작된 뿌리를 살피려면 David W. Miller, *God at Work : The History and Promise of the Faith at Work Movement*(Oxford, 2007)를 보라. 밀러는 20세기 초, 몇몇 복음주의 학생 조직들이(특히, Student Volunteer Movement와 나중에 Student Christian Movement로 이름을 바꾼 World Student Christian Federation) 전도와 해외 선교에서 사회적인 사

안들로 사역의 방향을 전환했음을 지적한다. 그런 움직임은 수없이 많은 집회들을 새롭게 일어나게 했으며, '신앙과 직제(Faith and Order)' 그룹과 '생활과 사역(Life and Work)' 그룹(이들은 훗날 연합해서 World Council of Churches, 곧 세계교회협의회를 이루었다) 같은 기구들의 결성을 불러왔다(p.163, n.43). 옥스퍼드의 생활과 사역 그룹이 1937년에 개최한 세계 대회는 신앙이 일과 경제에 미치는 영향에 특별한 관심을 기울였다. Joseph H. Oldham이 대회를 주관했는데, "실종돼 버린 예배와 일 사이의 연합을 회복하는 역사적 과제가" 우리 앞에 놓여 있다는 글을 쓴 인물이었다(Miller, God at Work, 31). 성경적인 노동관과 관련해서 20세기 중반에 등장한 서적들은 대부분 주류 에큐메니컬 진영에서 출간된 작품들이며 어떻게 기독교 신앙이 일과 직업 세계를 변화시켜 사회윤리에 더 민감하게 만들 것인가 하는 주제에 가장 큰 비중을 두고 있다. Alan Richardson의 *The Biblical Doctrine of Work*(SCM Press, 1952), ed., J.O. Nelson의 *Work and Vocation*(Harper and Brothers, 1954), W.R. Forrester의 *Christian Vocation*(Scribner, 1952), Hendrik Kraemer의 *A Theology of the Laity*(Westminster, 1958), 그리고 목회자와 선교사가 아니라 교회 바깥에서 일하는 크리스천 평신도 직업인들의 노동에 초점을 맞춘 교회사로는 거의 유일한 케이스로 보이는 Stephen Neill과 Hans-Ruedi Weber의 *The Layman in Christian History*(Westminster, 1963) 같은 책들이 여기에 속한다. 상대적으로 대중적인 글 가운데는 Elton Trueblood의 책들, 특히 *Your Other vocation*(Harper and Brothers, 1952)가 중요하다.

4. 20세기 중반, 교회 안에서 평신도가 주도하는 소그룹 단체들의 르네상스가 일어났다. 이 운동은 곧 가지를 뻗어 나가기 시작했다. IVF나 CCC, 네비게이토선교회를 비롯해서 제2차 세계대전 이후에 새로 설립된 캠퍼스 선교 단체들이 대표적이다. 그러나 이런 확산을 주도한 핵심 인물은 뉴욕에 Faith at Work를 설립하고 나중에 다시 Pittsburgh Experiment를 세웠던(두 단체 모두 비즈니스 세계에서 복음을 전하고 그들을 통해 직업 세계에 영향을 미치기를 꿈꾸는 평신도 소그룹들이 토대가 되었다) 성공회 신부 Sam Shoemaker였다(Miller, *God at Work*, 32).

5. 주류 교회들은 신앙과 일의 관계를 주로 정의롭고 사회적인 윤리를 의혹의 시선

을 받고 있던 자본주의에 적용하는 노력으로 해석했다. 이와는 대조적으로 보수적인 복음주의자들은 기독교 신앙을 상대적으로 훨씬 개인적인 차원에서 받아들였다. 자본주의 시장경제에 비교적 긍정적이어서 개혁에 무게를 두지 않았다. 대신 개인의 인격적인 결단과 구원에 가장 큰 관심을 기울였다. 따라서 일터에서 크리스천으로 산다는 건 무엇보다 동료들에게 복음을 전한다는 의미였다. Demos Shakarian이 세운 Full Gospel Business Men's Fellowship이나 Fellowship of Companies for Christ International 같은 오순절 계열의 단체들은 사회윤리보다 개인윤리(성실하고 정직하게 일해야 한다는)를 월등히 강조하며 비즈니스 세계에서 동료들을 전도하도록 훈련하는 데 집중한다는 점에서 주류 운동과 명확하게 구별된다(Miller, God at Work, 51).

6. 중세 로마 가톨릭 교회와 달리 루터와 칼뱅을 비롯한 종교 개혁가들은 일에 관한 교리를 명확하게 정리했다. 중세 사람들은 인간의 노동을 이 땅에서 살아가는 동안 유익을 얻을 일시적인 수단으로 여겼을 뿐, 세상을 떠난 이후 다가올 세계에서 영원한 축복을 누리는 데 필요한 요소로 생각지는 않았다. 따라서 노동은 지엽적인 문제일 따름이었다. 그러나 개혁자들은 인간의 노동을 달리 보았다. 인생을 향한 거룩한 뜻의 핵심으로 파악한 것이다. 칼뱅주의자들은 하나님을 경외하는 문화를 세워 가는 주님의 창조 사역을 이어가는 방법으로 인식했다. 루터교도들은 피조물을 보살피시는 하나님의 거룩한 사역을 수행하는 도구로 받아들였다. 그러나 가톨릭의 노동 신학도 정체 상태에 머물지 않았다. 1891년에 나온 교황 레오 13세의 회칙, Rerum Novarum을 필두로 1981년 요한 바오로 2세의 Laborem Exercens에 이르기까지 중요한 변화들이 일어났다. 가령, 바오로 6세만 하더라도 하나님이 "땅에 충만하라, 땅을 정복하라"고 말씀하시는 창세기 1장 28절을 언급하면서 "성경은 첫 장에서부터 모든 피조물이 인간을 위해 존재하고, 총명한 노력으로 개발하는 건 인류의 임무이며, 노동을 통해 그 책임을 완수하는 건, 말하자면 인생의 쓰임새"라고 했다(Lee Hardy, *The Fabric of This World : Inquiries into Calling, Career Choice, and the Design of Human Work*[Eerdmans. 1990], 71에서 인용). 가톨릭의 자연법  개념과 하나님이 예수를 믿지 않는 이들을 포함해서 모든

인간에게 지혜와 통찰을 주셔서 저마다 노동을 통해 세상을 풍요롭게 하도록 만드셨다는 개혁교회의 일반 은혜 사상이 대단히 유사하다고 지적하는 이들이 많다. 한마디로 말해서, 이제는 노동의 중요성에 대한 가톨릭 교회의 사회 교리와 개신교회의 가르침 사이에 별 차이가 없어졌다(Hardy, *The Fabric of This World*, 67ff를 보라).

7. 개신교회가 노동을 이해하는 데 기여한 바에 대해서는 다음 장에서 더 깊이 다루기로 한다.
8. 'Leaf by Niggle'은 1945년 1월 The Dublin Review에서 처음 출간되었다. 집필 시기를 두고는 의견이 엇갈린다. 톨킨의 전기를 쓴 작가 Humphrey Carpenter는 마감을 목전에 둔 1944년 9월에 탈고했다고 하지만(Humphrey Carpenter, *Tolkien : A Biography*[Nallantine Books, 1977], 220-1쪽을 보라), Tom Shippey는 제2차 세계대전이 터지기 직전에 글을 쓰기 시작했다고 주장한다(T. A. Shippey, *JRR Tolkien : Author of the Century*[Houghton Mifflin, 2000], 266쪽을 보라). 오늘날 이 이야기는 T.R.R. Tolkien, *Tree and Leaf*와 *The Homecoming of Beorhtnoth*(HarperCollins, 2001), 그리고 J. R. R. Tolkien, *The Tolkien Reader*(Del Rey, 1986)에서도 볼 수 있다. 이런 텍스트들은 'Leaf by Niggle'과 톨킨의 고전적인 에세이 'On Fairy Stories'를 모두 담고 있다. 본문에 인용된 'Leaf by Niggle'의 내용은 *Tree and Leaf*와 *The Homecoming of Beorhtnoth*, 93-118쪽에서 가져왔다.
9. 인용문과 거기에 이어지는 톨킨의 심리 묘사는 Humphrey Carpenter, *Tolkien*, 220-1쪽과 293-4쪽에서 가져왔다.
10. Ibid., 221.
11. Shippey, *JRR Tolkie*, 267쪽에서 인용.
12. Shippey는 "Before the need-fare"로 시작하는 옛 영시 "Bede's Death-Son"를 예로 든다. 여기서 'need fare'는 의무적인 여행, 누구나 떠나야 하는 긴 여정, 그리고 Bede의 표현을 빌자면 '초상날' 시작되는 길이다. Ibid.
13. Tolkien, "Leaf by Niggle," 109-10.

14. Tom Shippey와 Humphrey Carpenter는 결말에 대한 상반된 해석을 대표한다. Carpenter의 경우, '니글의 나무'는 '진정한 실재의 일부'라고 주장한다. 영광스럽고 참된 하나님 나라의 일부로 영원히 서 있는 나무라는 뜻이다. 화가인 니글은 장차 다가올 세계, 눈에 보이지 않는 진리 가운데 지극히 일부를 세상에 보여 준다. Shippey는 포부가 더 크다. "니글의 상급은 여정이 끝나는 순간, 그림은 현실이 되었다. 그의 '하위 창조(sub-creation)'를 하나님이 받아 주신 것이다"(pp. 276-7)라고 말한다. 다시 말해서, 니글의 예술적인 상상이 하나님 나라에서 현실로 실현되는 보상을 받았다는 뜻이다.

15. Shieppey는 애당초 '가톨릭적인 휴머니티'를 담은 작품을 써달라는 게 The Dublin Review의 요구였다고 지적한다(p. 266). 즉, 톨킨은 자신의 작품을 창조와 예술에 대한 기독교적, 또는 가톨릭적인 이해를 표현한 글로 보았다. 작가가 묘사한 하늘나라에 등장하는 'shepherd'는 틀림없이 그리스도를 가리킨다는 게 Shieppey의 주장이다(p. 277).

16. Tolkien, *Tree and Leaf*, 3ff에 실린 유명한 에세이 Tolkien, 'On Fairy Stories'를 보라.

17. Tolkien, 221쪽에 나오는 Carpenter의 말.

18. Ibid.

chapter 1

1. 구약학자 Victor Hamilton은 이렇게 썼다. "하나님의 창조 행위는 두 번에 걸쳐 '일'로 묘사되어 있다. 구약성경에는 두 가지 '노동'을 가리키는 어휘가 있다. 두 번째 단어는 거칠고 숙련되지 않은 특성을 강조한다. 반면에 첫 번째 낱말은 (그게 여기에 쓰인 용어인데) 장인, 또는 노련한 기능공이 해내는 숙련된 노동을 의미한다. 하나님이 일을 행하시는 솜씨는 그만큼 세련되고 전문가적이었다." V. P. Hamilton, *The Book of Genesis : Chapter 1-17*(Eerdmans, 1990), 142.

2. 구약성경 곳곳에 언급되어 있듯, 엿새를 일하고 하루를 쉬는 원칙은 종이나 가축

에게까지 적용되었다. 이는 이스라엘 백성들을 주변 민족들과 구별해 주는 명백한 특징이었다. "이집트에서 종살이하던 시절에는 강제 노동이 하루도 쉬지 않고 끊임없이 이어졌다. 예배할 시간을 달라는 모세의 요청에 바로는 코웃음으로 응수했다. 하지만 여호와는 '그들을 거기서 이끌어 내시고' 안식일을 '멈추는 날'로 지켜서 여호와를 의지할 뿐만 아니라 다른 모든 민족들과 권세로부터 독립된 백성임을 선포하라고 명령하셨다. J. I. Durham, *Word Biblical Commentary : Exodus*(Wors, 2002), 290.

3. 고대 창조 설화들을 간단하면서도 명료하게 살펴보려면, Encyclopedia Britannica Online(http://www.britannica.com/EBchecked/topic/142144/creation-myth)를 참조하라.
4. 성서학자 Gerhard von Rad는 주변 민족들과 달리, 이스라엘 백성들은 주님과 견줄 신적인 세력이 있다고는 상상조차 하지 않았다. *Wisdom in Israel*(SCM Press, 1970), 304.
5. Hesiod의 *Works and Days*, 109-29행을 참조하라. 영어로 번역된 본문은 Elpenor : Home of the Greek Word, http://www.ellopos.net/elpenor/greek-texts/ancient-greece/hesiod/works-days.asp?pg=4에서 볼 수 있다.
6. G. J. Wenham, *Word Biblical Commentary*, vol. 1, Genesis 1-15(Word, 2002), 35.
7. Ibid., 34.
8. 여기에 관한 더 자세한 내용은 제3장을 보라.
9. 여기에 관한 더 자세한 내용은 제4장을 보라.
10. Ben Witherington, *Work : A Kingdom Perspective on Labor*(Eerdmans, 2011), 2.
11. Lester DeKoster, *Work : The Meaning of Your Life*(Grand Rapids, MI : Christian Library Press, 1982). 17.
12. Dorothy Sayers, *"Why Work?" in Creed or Chaos?*(Harcourt, Brace, 1949), 53.
13. 이 개념에 관한 더 자세한 내용은 Timothy Keller, "Is Christianity a

Straitjacket?", *The Reason for God : Belief in an Age of Skepticism*(Dutton, 2008)을 보라.

14. John Calvin, *Institutes of the Christian Religion*, ed. John T. McNeill, tran. *Ford Lewis Battles*(Westminster Press, 1960), III.10.2.720-1.
15. William Henry Monk가 쓴 영국국교회 찬송가, "All Things Bright and Beautiful."
16. Pieper, *Leisure*, 33.

chapter 2

1. Ayn Rand, *Atlas Shrugged*(Penguin, 1999), 782.
2. Adriano Tilgher, *Work : What It Has Meant to Men Through the Ages*(Arno Press, 1977), Lee Hardy, *The Fabric of This World : Inquiries into Calling, Career Choice, and the Design of Human Work*(Eerdmans, 1990), 7에 인용.
3. Aristotle, Politics, I.VIII.9와 Nicomachean Ethics, X.7, 둘 다 Ibid.에 인용.
4. Plato, Phaedo, in Plato in Twelve Volumes, vol. 1, trans. *Harold North Fowler*(Harvard University Press, 1966).
5. Hardy, *Fabric of This World*, 27.
6. 인용문은 Luc Ferry가 요약 정리한 에픽테토스의 가르침에서 가져왔다. Luc Ferry, A Brief History of Thought : A Philosophical Guide to Living, trans. *Theol Cuffe*(HarperCollins, 2010), 45를 보라.
7. Leland Ryken, *Work and Leisure in Christian Perspective*(Multnomah, 1987), 64.
8. Hardy, *Fabric of This World*, 16.
9. Derek Kidner, *Genesis : An Introduction and Commentary*(InterVarsity Press, 1967), 61.
10. Alec Motyer, *Look to the Rock : An Old Testament Background to Our*

*Understanding of Christ*(Kregel, 1996), 71.

11. V. P. Hamilton, *The Book of Genesis : Chapters 1-17*(Eerdmans, 1990) 135.
12. Phillip Jensen and Tony Payne, *Beginnings : Eden and Beyond, Faith Walk Bible Studies*(Crossway, 1999), 15.
13. Jeff Van Duzer, *Why Business Matters to God*(And What Still Needs to Be Fixed) (Inter-Varsity Press, 2010), 28-9.

chapter 3

1. Derek Kidner, *Genesis*, 61.
2. 주석가들 가운데는 아담과 하와가 짐승들을 다스리고 정복하라는 명령을 받은 건 사실이지만, 창세기 1장 29절로 미루어 동물들을 죽이거나 살코기를 먹는 행위는 이 원초적인 지배에 포함되지 않는다고 주장하는 이들도 있다. 하나님은 창세기 9장에 나타난 홍수 이후에야 비로소 육식을 허용하셨다. 그러므로 다스리고 정복한다는 말은 착취의 의미가 될 수 없다는 것이다. V.P. Hamilton, *The Book of Genesis : Chapters 1-17*(Eerdmans, 1990), 139를 보라.
3. Albert N. Wolters, *Creation Regained : A Transforming View of the World*(Eerdmans, 1985), 36.
4. http://www.tufenkian.com/about/james-tufenkian.html
5. Mark Noll, *The Scandal of the Evangelical Mind*(Eerdmans, 1995), 51.
6. 만일(이건 대단한 '만일'이다), 인간의 삶에 가치를 더하는 게 아니라 오로지 개인의 이익만을 추구하는 프로젝트라면 하나님이 행하셨던 것과 같은 일을 하고 있다고 볼 수 없다. 단적인 예가 마약류 불법거래와 포르노그래피다. 하지만 그밖에도 기관이나 고객, 주주, 또는 사회 전반에는 명백하게 유해하지만 거래당사자들에게 단기간에 큰 이익을 안기는 프로젝트는 한둘이 아니다(그 가운데는 상당수는 최근 경기침체와 더불어 등장했다).
7. Andy Crouch, *Culture-Making : Recovering Our Creative Calling*(Inter-Varsity

Press, 2008), 47.

## chapter 4

1. 영어 원서의 성경 인용은 대부분 New International Version을 이용했다. 하지만 이 대목만큼은 English Standard Version을 썼다. 그리스어 원문의 감각을 더 잘 살렸다고 판단했기 때문이다.
2. 본문을 둘러싼 논란의 핵심은 21절에서 바울이 노예제도에 대해 하나님을 섬기는 부르심이라는 인식을 드러냈느냐는 것이다. 9장과 에베소서 6장에서 일의 새로운 동기를 살피기는 하지만 논쟁에 끼어들만한 능력이 되지 않는다. 다만, 다음 두 가지 사실을 알아두는 건 대단히 중요한 일이란 생각이 든다. ⓐ 21절에서 바울은 비록 노예 신분일지라도 원하기만 하면 자유를 얻을 수 있는 크리스천들을 가르치고 있으며, ⓑ 고대의 노예 전체가 오늘날의 제도에서처럼 재산 취급을 받았다고 보아서는 안 된다는 점이다. 본문에 관한 논란을 탁월하게 정리한 글을 보려면, R.E. Ciampa and B.S. Rosner, *The First Letter to the Corinthians*(Eerdmans, 2010), 306-28을 참조하라. 필자들은 "크리스천 노예들의 환경을 가볍게 취급하지 않도록 바울은 세심한 주의를 기울였다"고 주장한다.
3. Ibid., 308-9.
4. Ibid., 309에서 인용.
5. Robert Bellah, Richard Madsen, William M. Sullivan, Ann Swidler, and Steven M. Tipton, *Habits of the Heart : Individualism and Commitment in American Life*(University of California Press, 1985), 287-8.
6. Ciampa and Rosner, *The First Letter to the Corinthians*, 309, n.184.
7. Louis Berkhof, *Systematic Theology*(Eerdmans, 1949), 567을 참조하라.
8. 흥미롭게도 종교개혁 전체를 통틀어 아나뱁티스트들은 또 다른 측면에서 루터와 맞섰던 대항세력이었다. 이들은 공적인 세계를 본질적으로 사탄의 영역이라고 보고 식구들이 경찰이나 치안판사 같은 직책을 맡지 못하게 금지했다. 아나뱁티스

트들은 루터나 칼뱅 같은 개혁가들에게 가톨릭의 전통을 온전히 거부하지 않는다는 비난을 쏟아 내면서도 당시 가톨릭교회와 마찬가지로 세상의 이른바 '세속적인' 일들을 부정적인 시각으로 바라보았다. 따라서 일은 하나같이 하나님의 소명이라는 루터와 칼뱅의 가르침은 가톨릭교회와 아나뱁티스트 양쪽과 모두 충돌할 수밖에 없었다.

9. Martin Luther, *Three Treatises*(Fortress, 1970), 12.
10. 여기에 인용된 영문번역은 King James Version을 이용했다. *Luther's Works : Selected Psalms III*, ed., J. Pelikan, vol. 14(Concordia, 1958)에서 Edward Sittler의 번역을 보라.
11. Ibid., 95.
12. *Luther's Large Catechism : With Study Questions, trans. F. Samuel Janzow*(Concordia, 1978), 90.
13. Pelikan, *Luther's Works*, vol. 14, 95.
14. Ibid., 96.
15. Ibid., 100.
16. Ibid., 96.
17. *Luther's Works, Sermon on the Mount and the Magnificat* ed. J. Pelikan, vol. 21, (Concordia, 1958), 237.
18. Hardy, *Fabric*, 45.
19. *Luther's Works*, vol. 34, Career of the Reformer(Fortress, 1960), 336-8에 실린 루터의 라틴어 작품(*wittenberg*, 1545) 완결판 서문에서 따왔다.
20. *Luther's Works*, Genesis Chapters 6-14, eds. J. Pelikan and D.E. Poellot, vol. 2 (Concordia, 1960), 348.
21. *Luther's Works*, Sermon on the Mount, vol. 21, 367.
22. Dorothy Sayers, "Why Work?" in *Creed or Chaos?*(Harcourt, Brace, 1949), 51.
23. Sayers, "Creed or Chaos?", 42-3.

24. Ibid.

25. Lester DeKoster, *Work : The Meaning of Your Life*(Christian Library Press, 1982), 5, 7, 9-10.

26. Sayers, *Creed or Chaos?*, 56-7.

27. William E. Diehl, The Monday Connection : A Spirituality of Competence, Affirmation, and Support in *the Workplace*,(HarperCollins, 1991), 25-6에서 재인용.

28. Ibid., 29.

29. Ibid.

30. John Calvin, *Institutes of the Christian Religion*, ed. John T. McNeill, trans. Ford Lewis Battles(Westminster Press, 1960), III.11.6.725.

chapter 5

1. 하나님이 열매를 먹으면 죽을 것이고 하셨으므로, 아담과 하와는 스스로의 안위를 위해서라도 그 명령에 순종해야 했지만 이야기의 흐름 속에서 말씀 뜻을 정확하게 헤아리지 못했다고 주장하는 이들도 더러 있다.

2. 아담과 하와가 하나님께 등을 돌리면서 인류는 죄에 빠졌고 한 사람 한 사람이 모두 죄인이 되었다는 논리가 이 단락의 배경을 이룬다. 로마서 5장 12절은 아담의 범죄로 말미암아 '모든 사람이 죄를' 지었다고 말한다. 다른 지역에서는 어떨지 모르겠지만, 적어도 개인주의가 지배하는 서구사회의 경우, 직관에 반하는 관점이다. 신학자들은 이러한 성경의 가르침을 이렇게 해석하기도 한다. 즉, 하나님은 아담을 특별히 인류의 완벽한 대표자로 지으셨다. 만일 그런 상황에 처한다면 다르게 행동했을 거라는 아쉬움을 토로하는 이들이 있지만, 아담과 하와는 같은 처지에서 누구라도 저질렀음직한, 그리고 오늘날 저마다의 삶 가운데서 지속하고 있는 바로 그 잘못을 범했을 따름이다. 그러기에 '아담으로 말미암아' 죄를 지었다고 한 것이다. '죄'에 관해서는 J. I. Packer and I. H. Marshall,

eds., *The New Bible Dictionary*, Third Edition(Inter-Varsity Press, 1996), 1105ff를 보라.

3. William Butler Yeats, "The Second Coming" in *Michael Robartes and the Dancer*(Kessinger Publishing, 1010), 19.

4. David Atkinson, *The Message of Genesis 1-11 : The Dawn of Creation*(Inter-Varsity, 1990), 87.

5. Alec Motyer, *Look to the Rock : An Old Testament Background to Our Understanding of Christ*(Inter-Varsity Press, 1996), 118-9.

6. 이건 커다란 주제다. Timothy Keller and Kathy Keller, *The Meaning of Marriage : Facing the Complexities of Commitment with the Wisdom of God*(Dutton, 2011), Chapter 6를 보라. Derek Kidner는 창세기 3장 16절에서 "사랑은 온전히 인격적인 영역에서 벗어나 수동적이든 능동적이든, 본능적인 욕구로 넘어갔다. … 사랑하고 소중히 여기는 차원에서 욕구하고 지배하는 수준이 된 것이다"(Derek Kidner, Genesis, 71).

7. Albert C. Wolters, *Creation Regained : A Transforming View of the World*(Eerdmans, 1985), 44.

8. W. R. Forrester, *Christian Vocation*(Scribner, 1953), 129. Quoted in Ibid.

9. "Work and Worker" in *The Dictionary of Biblical Imagery*, eds. L. Ryken and T. Longman(Inter-Varsity Press, 1995), 966.

10. 살리에리와 모차르트라는 역사적 실존 인물과 희곡에 등장하는 인물이 동일한 건 아니라는 점을 감안하고 볼 필요가 있다.

11. Peter Shaffe의 희곡 Amadeus 원고는 The Daily Script, http://www.dailyscript.com/scripts/amadeus.html(2012. 5. 16 검색)에서 볼 수 있다.

12. Andy Kesswler, "What's Next for Silicon Valley?", *The Wall Street Journal*, June 16-17, 2010에 실린 Sebastian Thrun와의 인터뷰에서.

13. Crouch, *Culture-making*, 188. David Brooks, "Sam Spade at Starbucks," *The New York Times*, April 12, 2012.

14. Isaac Watts, "Joy to the World." Isaac Watts, *The Psalms of David : Imitated in the Language of the New Testament and Applied to the Christian State and Worship*(London : C. corrall, 1818).

chapter 6

1. Tremper Longman, *The Book of Ecclesiastes*(Eerdmans, 1998), 15-20.
2. 전승에 따르면, 재물과 권력이 불어났다는 이야기를 들려주는 전도서의 화자는 아버지 다윗의 뒤를 이어 이스라엘의 왕위에 오른 솔로몬이다. 그러나 이 전승에는 중대한 문제점이 있다. 전도서 자체의 증언과 모순되기 때문이다. 1장 16절에서 화자는 말한다. 나는 지혜를 많이 쌓았다. 이전에 예루살렘에서 다스리던 어느 누구도, 지혜에 있어서는 나를 뛰어넘지 못할 것이다." 그러나 그 전에 예루살렘에서 이스라엘 백성을 다스린 왕은 오로지 다윗뿐이었다. 솔로몬의 주장과 크게 상충되는 부분이다. 여기에 관해 더 깊은 토론은 Longman, *Book of Ecclesiastes*, 2-9를 참조하라.
3. 코헬레트의 성격은 무신론자라기보다 하나님을 멀리 떨어져 있는 모호한 존재로 파악하는 세속주의자에 가까웠다. 하지만 전도서의 저자는 책 말미에서는 '해 아래서' 누리는 삶이 전부가 아니라는 사실을 꿰뚫어보는 믿음의 사람으로 등장한다. 성경의 어떤 책도 전도서와 문학적인 장르가 딱 들어맞지 않지만, 그나마 가까운 글로 욥기를 꼽을 수 있다. 도입부에서 주인공을 소개하고 긍정적이고 직선적인 방식으로 이야기를 매듭짓는다는 점에서 그렇다. 온갖 어려움과 씨름하는 주인공이 회의적이고 자기모순적인 이야기를 늘어놓는 중간부분도 마찬가지다.
4. Peter Shaffer, *Amadeus*, *The Daily Script*, http://www.dailyscript.com/scripts/amadeus.html(2012. 5. 16 검색).
5. Michael A. Eaton, *Ecclesiastes : An Introduction and Commentary*(Inter-Varsity Press, 1983), 101.
6. Hardy, *Fabric of This World*, 31. 29-37쪽에서 Hardy는 칼 마르크스의 노동관

을 솜씨 좋게 개괄하고 비평한다.

7. Ibid., 32에서 인용.

8. Peter Drucker, *The Concept of the Corporation*(John Day, 1946) ; *The Age of Discontinuity*(Harper and Row, 1969) ; *PostCapitalist Society*(HarperCollins, 1993)를 보라.

9. Derek Kidner, *A Time to Mourn and a Time to Dance*(Inter-Varsity Press, 1976), 47.

10. David Brooks, "The Service Patch," *The New York Times*, May 24, 2012.

11. Ibid.

12. John A. Bernbaum and Simon M. Steer, *Why Work? Careers and Employment in Biblical Perspective*(Baker, 1986), 70.

13. Dorothy Sayers, "Why Work?" in *Creed or Chaos?*(Harcourt, Brace, 1949), 59.

14. Ibid., 60-62.

## chapter 7

1. Kidner, *Genesis*, 109.

2. Kidner, *Genesis*, 110.

3. C. S. Lewis, *Mere Christianity*(San Francisco : Harper, 2001), 122.

4. 런던의 St. Helens Bishopsgate에서 1989년 7월 26일에 처음 전한 Dick Lucas의 설교 "Gen. 44-45 : Story of Joseph Recalled and Applied : 4. No Way but down to Egypt."의 녹음에서 인용.

5. Raymond J. Balle, *A Theology as Big as the City*(Inter-Varsity Press, 1997), Chapter 13: "The Persian Partnership for the Rebuilding of Jerusalem," 105ff를 보라.

6. Karen H. Jobes, *Esther : Thje NIV Application Commentary*(Grand Rapids, MI :

Zondervan, 1999), 146.

chapter 8

1. Luc Ferry, *A Brief History of Thought : A Philosophical Guide to Living*(Harper, 2011), 3-12.
2. Martin Luther, *A Treatise Concerning Good Works*(1520 ; Kessinger Publishing Reprint, nd), X.XI.18-20.
3. Timothy Keller, *Counterfeit Gods : The Empty Promises of Money, Sex, and Power, and the Only Hope That Matters*(Dutton, 2009)를 보라. 인격적이고 개인적인 우상을 분별하는 데 내용의 대부분을 할애하고 있지만, 제5장과 제6장에서 부분적으로 문화적, 기업적 우상을 다루고 있다.
4. Andrew Delbanco, *The Real American Dream : A Meditation on Hope*(Harvard, 1999), 3, 23, 91.
5. 우상과 문화에 관한 니체의 사상은 Ferry, *Brief History of Thought*, 144-8에서 볼 수 있다. Nietzsche, *Twilight of the Idols, trans. Duncan Large*(Oxord, 1998)을 참조하라.
6. 포스트모던 해체의 아버지라고 할 니체는 '우상'의 제물로 전락하지 않은 생활 방법의 윤곽을 잡으려 애썼지만 그러지 못했다는 게 일반적인 평가다. 수많은 연구자들은 니체의 상대주의와 '해머를 든 철학'은 근본적으로 진리를 요구하고 있다고 지적한다. 페리는 니체야말로 우상을 때려 부순다는 명분을 내세워 실재(있는 그대로의 세계)를 본질적으로 성스러운 무언가로 변모시켰다고 당당하게 비판했다. Ferry, *Brief History of Thought*, 199-219를 보라.
7. Reinhold Niebuhr, *The Nature and Destiny of Man*, vol. 1, *Human Nature*(Scribner, 1964), 189. "권력에 대한 욕구는 그게 불안정하다는 음울한 사실을 의식적으로 자각하면서 촉발된다." "가장 확실한 형태의 우상숭배는 … 집단이나 국가의 운명 따위의 구심점을 둘러싸고 형성된다. 분명히 우발적이며 궁

극적이 아니다"(165)라고 한 대목도 살펴보라.

8. Steven Brull, "No Layoff Ideal Costs Japan Dearly," *The New York Times*, November 26, 1992, http://www.nytimes.com/1992/11/26/business/worldbusiness/26iht-labo.html.

9. Ferry, *Brief History of Thought*, 145-6.

10. Philip Kitcher, "The Trouble with Scientism : Why History and the Humanities Are Also a Form of Knowledge," *The New Republic*, May 4, 2012.

11. Robert Bellah, Richard Madsen, William M. Sullivan, Ann Swidler, and Steven M. Tipton, *Habits of the Heart : Individualism and Commitment in American Life*(University of California Press, 1985).

12. Ferry, *Brief History of Thought*, 122.

13. Ibid., 126.

14. 테일러가 Bethlehem Iron Company(나중에 Bethlehem Steel로 개명했다)에서 보여 준 일화에서 가져왔다. 테일러가 도착했을 당시, 거의 6백 명에 이르는 노동자들이 삽으로 석탄을 퍼내고 있었다. 수천 시간에 걸친 분석 끝에, 그는 가장 효과적인 삽의 모양과 효율적인 삽질 방법을 개발했다. 바꾼 도구와 방법을 교육하고 분 단위로 엄격하게 모니터한 결과, 인부들의 숫자를 삼분의 이로 줄였음에도 불구하고 한 사람이 하루에 삽으로 퍼낸 석탄의 양은 세 곱이 되었다. Frederick W. Taylor, *The Principles of Scientific Management*(Harper and Brothers, 1911), 66ff. Lee Hardy, *The Fabric of This World : Inquiries into Calling, Career Choice, and the Design of Human Work*(Eerdmans, 1990), 132에서 인용.

15. Hardy, *The Fabric of This World*, 139에서 인용. Stephen P. Waring, "Peter Drucker, MBO, and the Corporatist Critique of Scientific Management," Ohio State University Press, http://ohiostatepress.org/Books/Complete20PDFs/Nelson%20Mental/10.pdf도 참조하라.

16. 니체의 사상과 영향에 대해 감탄과 비판이 섞인 탁월한 분석이 필요하다면 Ferry, *Brief History of Thought*, Chapter 5-6, 143-219. 이어지는 단락은 Ferry의 논지를 따랐다.

17. Edward Docx, "Postmodernism Is Dead," *Prospect*, July 20, 2011, http://www.prospectmagazine.co.uk/magazine/postmodernism-is-dead-va-exhibition-age-of-authenticism.

18. Ferry, *Brief History of Thought*, 215-6.

19. Jacques Ellul, *The Technological Society*, trans. John Wilkinson(Alfred A. Knopf, 1964).

20. Delbanco, *Real American Dream*, 96-7, 102.

21. Ibid., 105.

22. Wendell Berry, *Sex, Economy, Freedom, and Community : Eight Essays*(Pantheon, 1994) ; William T. Cavanaugh, *Being Consumed : Economics and Christian Desire*(Eerdmans, 2008) ; Richard A. Posner, *A Failure of Capitalism : The Crisis of '08 and the Descent into Depression*(Harvard, 2009)를 보라. Posner는 시장에 자정 기능이 있다는 이른바 자본가 도그마의 핵심부에 대한 의견을 진술한다. 아울러 Bob Goudzwaard, "The Ideology of Material Prosperity," *Idols of Our Time*(Inter-Varsity Press, 1984), 49ff도 확인하라.

23. Daniel Bell, *The Cultural Contradictions of Capitalism : 20th Anniversary Edition*(Basic Books, 1996).

24. Naomi Wolf, "This Global Financial Fraud and Its Gatekeepers," *The Guardian*, July 15, 2012, http://www.guardian.co.uk/commentisfree/2012/jul/14/global-financial-fraud-gatekeepers.

25. Nicholas Wolterstorff, *Justice : Rights and Wrongs*(Princeton University Press, 2010), 145.

26. 신앙과 일을 통합하는 이 네 가지 방식 사이의 연관성과 기독교적인 노동관을 형성한 다양한 신학적 '흐름들'을 파악하는 데 관심을 두는 독자들도 있을 것이다.

이 책의 제9장은 서로 다른 세계관과 인생관을 개혁적으로 이해하는 데 중점을 두고 있다. 제10장은 모든 인간의 일은 거룩한 피조물과 인류를 보살피시는 하나님의 도구라는 루터의 견해를 살핀다. 제11장은 노동현장에서의 윤리적 행동과 사회정의를 특별히 강조하는 주류 에큐메니컬 교회들의 관점을 따라간 반면, 제12장은 개인구원과 영적 성장에 초점을 맞추는 보수적인 복음주의 교단들의 주장을 개괄한다.

chapter 9

1. Alasdair MacIntyre, *After Virtue : A Study in Mral Theory*, 2nd ed.(University of Notre Dame Press, 1984), 210.
2. 스토리가 세계관과 어떤 연관이 있는지 이해하기 쉬우면서도 학문적으로 훑어 보려면 N. T. Wright, "Stories, Worldviews and Knowledge," *The New Testament and the People of God*(Fortress, 1992), 38-80을 보라. 세계관과 내러티브에 관한 일반적인 지식을 얻는데 참조할 만한 유익한 글이다. 특히 내러티브 설명을 통해 성경말씀에 담긴 세계관을 보게 한다.
3. Ibid.
4. David K. Naugle, *Worldview : Ht History of a Concept*(Eerdmans, 2002)는 개념의 역사와 유용성에 관해 주목할 만한 주장들을 잘 소개하는 책이다. James K. A. Smith는 인간에게 저마다 현실을 해석하는 시각이 존재한다는 점을 부인하지 않으며 대개는 내러티브 형태로 유지된다는 점을 부인하지는 않지만, 일반인 대다수는 오늘날 통용되는 '세계관'이란 단어를 대단히 인지적으로 받아들인다고 주장한다. 세계관이란 처음부터 끝까지 이성과 정보로 구성된 교리적이나 철학적인 신념 다발 정도가 아니며 의식적이고 의도적으로 투입되는 소망과 사랑('무어의' 지식과 마음가짐)을 가리키기도 한다. 세계관 형성은 특정한 주장이나 정책을 통해 이뤄지지 않는다. 오히려 각자 받아들인 내러티브(특히, 인간의 풍요를 강렬하고도 바람직하게 그려내서 마음을 사로잡고 상상력을 자극하는)의 결과로 보는 편이 정확

하다. 이러한 내러티브들은 교실에서뿐만 아니라 다채로운 문화적 원천들에서 보고, 듣고, 읽는 이야기들에서도 얻을 수 있다. James K. A. Smith, *Desiring the Kingdom : Worship, Worldview, and Cultural Formation*(Baker, 2009). 캐나다 철학자 Charles Taylor의 주장에 따르면, Smith는 '세계관'보다 '사회적 상상(social imaginaries)'이란 표현이 더 적절하다고 제안했다.

5. MacIntyre, *After Virtue*, 211, Wright, New Testament, 38에 인용.
6. Leslie Stevenson, *Seven Theories of Human Nature*(Oxford, 1974).
7. Ibid., 42.
8. Albert C. Wolters, *Creation Regained : A Transforming View of the World*(Eerdmans, 1985), 50.
9. "Two Mordochs, Two Views," *The Wall Street Journal*, August 24, 2012.
10. Jay Rosen, "Journalism Is Itself a Religion," *Pressthink*, January 7, 2004, http://archive. pressthink.org/2004/01/07/press_religion.html.
11. Andrew Delbanco, *College : What It Was, I, and Should Be*(Princeton University Press, 2012), 94-95.
12. C. S. Lewis, "Illustration of the Tao," in *The Abolition of Man*(Collier, 1955), 7.
13. Andrew Delbanco, "A Smug Education?" *The New York Times*, March 12, 2012, http://www.nytimes.com/2012/03/09/opinion/colleges-and-elitism.html.
14. 예술계의 대표적인 해체이론을 본질적으로 제사장과 교리, 성전을 가진 종교에 빗댄 주장은 1975년에 나온 Tom Wolfe의 짤막한 사회비평에서 볼 수 있다. *The Painted World*(Bantam, 1975).
15. 심리적인 우상과 사회적인 우상들을 완벽하게 분별하는 건 불가능하다. 우상들은 하나같이 마음에 작용해서 두려움과 소망으로 인간을 조종하기 때문이다. 남들의 인정을 지나치게 바라는 것 같은 내면의 우상들은 두 명이 타는 자전거

처럼 문화의 우상과 어우러져 작동한다. 전통문화와 개인주의적인 현대 서구문화 사이에는 인정을 추구하는 방식에서도 차이가 난다(한 쪽 문화에서 인정을 얻는 행동이 다른 데서는 눈살을 찌푸리게 만들 수도 있다). 그럼에도 불구하고 심리적인 우상은 늘 사회적 우상과 밀접하게 물려 돌아가면서 독특한 복합체를 이루어 인간의 눈을 멀게 하고 심리를 조작한다. Timothy Keller, *Counterfeit Gods : The Empty Promises of Money, Sex, and Power, and the Only Hope That Matter*(Dutton, 2009)는 이 주제를 더 깊이 다루고 있다.

16. D. Martyn Lloyd-Jones, *Healing and the Scriptures*(Thomas Nelson, 1982), 14.
17. 의사들의 말은 저자와 개인적으로 통화한 내용에서 따왔음.
18. Jerome Groopman, "God at the Bedside," *The New England Journal of Medicine*, vol. 350, no. 12, March 18, 2004, 1176-78.
19. Lloyd-Jones, *Healing and the Scriptures*, 50.
20. Christian Smith, What Is a Person? Rethinking Humanity, *Social Life, and the Moral Good from the Person Up*(University of Chicago Press, 2010), 203.
21. C. John Sommerville, *The Decline of the Secular University*(Oxford, 2007), 69-70.
22. Rodney Start, *For the Glory of God*(Princeton University Press, 2004)과 Diogenes Allen, *Christian Belief in a Postmodern World : The Full Wealth of Conviction*(Westminster, 1989)를 보라.

chapter 10

1. 앞에서 살펴본 바처럼, 세계관의 차원에서 접근하는 방식(창조 작업으로서의 일)은 프로테스탄트 종교개혁을 주도한 개혁자들, 또는 칼뱅주의자들의 입장을 따르는 경향이 있는 반면, 섭리에 초점을 맞추는 접근 방식(사랑의 표현으로서의 일)은 루터파의 주장에 동조하는 성향이 있다. 조금 더 자세히 알아보고 싶다면, Lee Hardy, *The Fabric of This World : Inquiries into Calling, Career Choice, and the*

*Design of Human Work*[Eerdmans. 1990], Chapter 2, "Our Work, God's Providence : The Christians Concept of Vocation," 44-48을 보라. Hardy는 루터파와 칼뱅주의, 현대 가톨릭의 노동관을 두루 훑고 있다.

2. Richard Mouw, *He Shines in All That's Fair : Culture and Common Grace*(Eerdmans, 2001), 14.
3. 18세기에 활동한 윤리철학자인 Frances Hutcheson은 이러한 사실을 잘 보여 주기 위해 유명한 예화를 즐겨 사용하곤 했다. 어떤 사내가 뒷마당에서 억만금의 가치가 있는 보물을 찾아냈다는 이야기를 들었다고 상상해 보라고 주문한다. 그런데 얼마 지나지 않아 가난한 이들에게 그 재물을 다 나눠 줬다는 소문이 돈다면 어떨 것 같은가? 평생 꿈조차 꿔 보지 못했다 하더라도, 또는 남들 앞에서는 천하에 멍청한 짓이라고 목소리를 높였다손 치더라도, 속으로는 정말 대단한 일을 했다는 감탄을 금할 수 없을 것이다. 그러한 행동에 담긴 도덕적인 아름다움을 감지할 수 있는 선명한 감각이 내면에 존재하기 때문이다.
4. Alec Motyer, *The Prophecy of Isaiah*(Inter-Varsity Press, 1993), 235.
5. John Calvin, *Institutes of the Christian Religion*, ed. John T. McNeill, tran. *Ford Lewis Battles*(Westminster Press, 1960), II.2.15.
6. Ibid., II.2.12.
7. Leonard Bernstein's *The Joy of Music*(Simon & Schuster, 2004), 105에서.
8. Timothy Keller, *Generous Justice : How God's Grace Makes Us Just*(Dutton, 2010). Chapter 7 - "Doing Justice in the Public Square," pp. 148ff를 보라. Daniel Strange, "Co-belligerence and common grace : Can the enemy of my enemy be my friend?" Cambridge Papers, vol. 14, no. 3, September 2005, http://www.jubilee-centre.org/document.php?id=48도 참조하라.
9. 문화에 대한 기본적인 접근 방식들을 탁월하게 개괄하고 실제적으로 설명한 글이 필요하면, Andy Crouch, *Culture Making : Recovering Our Creative Calling*(Inter-Varsity Press, 2008), Chapter 5, "Gestures and Postures," 78ff

를 보라.

10. '겸손하면서도 비판적인' 참여란 무얼 말하는 것일까?

11. Timothy Keller, *Center Church : Doing Balanced, Gospel-Centered Ministry in Your City*(Zondervan, 2012), Part 5, "Cultural Engagement," 18ff.을 보라. 아울러 James D. Hunter, *To Change the World : The Irony, Gragedy, and Possibility Christianity in Late Modernity*(Oxford, 2010)도 참조하라.

12. R. C. Zaehner, quoted by Steve Turner, *Hungry fro Heaven : Rock'n Roll and the Search for Redemption*(Inter-Varsity Press, 1995), 1.

13. Turnau, "Reflecting Theologically," 279.

chapter 11

1. Sheelah Kolhatkar, "Trading Down," *The New York Times*, July 5, 2009.

2. "Forswearing Greed," *The Economist*, June 6, 2009, 66.

3. Fred Catherwood, *Light, Salt, and the World of Business : Why We Must Stand Against Corruption*(International Fellowship of Evangelical Students, 2007).

4. "Why Was Transparency International Founded?" *Transparency International*, http://www.transparency.org/whoweare/organisation/faqs_on_transparency_international/e/#whyTIFounded.

5. Catherwood, *Light, Salt, and the World of Business*, 20.

6. Paul Batchelor and Steve Osei-Mensah, "Salt and Light : Christian's Role in Combating Corruption," *Lausanne Global Conversation*, http://conversation.lausanne.org/en/conversation/detail/12129#article_page_4.

7. Meera Selva, "UK Politicians : Banking System Is Corrupt," *Seattle Times*, June 30, 2012, http://seattletimes.newsource.com/html/businesstechnology/20186-564970_apeubritainbanks.html.을 보라.

8. Hugh Heclo, *On Thinking Institutionally*(Oxford University Press, 2011).

9. Bruce K. Waltke, *The Book of Proverbs : Chapter 1-15*(Eerdmans, 2004), 96. 본인의 책, *Generous Justice*(Dutton, 2010)도 이 개념을 더 자세히 설명한다.

10. Lewis, *Abolition*, 95-121을 보라. Lewis는 북유럽의 비기독교 문화, 그리스 로마문화, 이집트문화, 유대문화, 유교문화, 불교문화, 기독교문화 등 고대문화 가운데 세계적으로 널리 알려진 문화들의 여덟 가지 특성을 열거한다. 일반적인 선행(남에게 대접을 받고자 하는 대로 남을 대접하라는 식의), 특별한 선행(자신이 속한 사람들, 집단, 국가에 바치는 충성과 사랑 같은), 부모와 선대를 향한 사랑과 존경, 자녀들과 후세에 대한 보살핌과 관심, '정의'(배우자에 대한 성적인 신의, 진실한 말, 법정에서 모든 당사자들에게 보이는 공평성 따위를 포함하는), 약속을 지키는 신의, 가난하고 연약한 이들에게 베푸는 자비, 그리고 용기와 절제, 영예를 일컫는 '관대함'이 그것이다. 제11장의 뒷부분에서 살펴보겠지만, 기독교 신앙이 강조하는 '신학적인 덕목들'은 상당부분 실종되었다. 고대문화들은 한 목소리로 가난하고 연약한 이들에게 자비를 베풀기를 요구하지만, 모든 인간은 하나님의 형상대로 창조되었으므로 누구나 올바른 대접을 받을 권리가 있다는 가르침에 토대를 둔 건 아니다. 자비로운 행동은 영예로운 인간이 마땅히 할 일이라는 사고방식에 근거할 따름이다. 다시 말해서, 자비를 베푸는 행위는 상대편의 가난한 이들보다 이편의 행복과 명예를 위한 행동에 가깝다. Nicholas Wolterstorff, "Augustine's Break with Eudaimonism," *Justice : Rights and Wrongs*(Princeton University Press, 2010), 180-207을 보면, Augustine이 어떻게 기독교 신앙을 통해 이교도들의 약자에 대한 관념과 그들을 대하는 방식에 영향을 미치고 변화를 끌어냈는지 소상히 볼 수 있다.

11. Thomas Aquinas, *Summa Theologica*, II.1.61. 온라인을 비롯해 여러 버전이 있다. New Advent, http://www.newadvent.org/summa/2061.htm.도 참고할 만하다.

12. Luc Ferry, *A Brief History of Thought : A Philosophical Guide to Living*(HarperCollins, 2011), 58-9.

13. Ibid., 60.
14. 하나님이 세상을 창조하신 까닭을 설명하는 가장 선진적인 이해를 보려면, Jonathan Edwards의 논문, "Concerning the End for Which God Created the World," in *The Jonathan Edwards : Ethical Writings*, vol. 8, ed. Paul Ramsey(Yale University Press, 1989)"를 참조하라.
15. Ibid., 58.
16. Aristotle, *Politics*, I.V. Benjamin Jowett(Dover Thrift Edition, 2000), 12에서 번역 인용.
17. John Calvin, *Institutes of the Christian Religion*, ed. John T. McNeill, trans. Ford Lewis Battles(Westminster Press, 1960), III.4.6.696-7. 여기에 조금 더 긴 설명을 인용한다. "자신의 공로로 판단한다면 대다수(인간은) 더할 나위 없이 무가치하다. 그러나 여기서 성경은 인간 그 자체의 공로가 아니라 그 안에 있는 모든 영광과 사랑을 돌리기에 합당한 하나님의 형상을 바라보라고 가르치라는 비할 데 없이 훌륭한 방식으로 도움을 준다. … 인간은 누군가를 향해 '비열하고 쓸데없는 자'라고 말하지만, 주님은 '그분의 아름다운 형상을 입은 자'로 드러내 보이신다. 그자를 섬길 이유가 전혀 없다고 말하면, 하나님은 늘 그러하시듯, 그 이를 주님의 자리에 앉히셔서 우리가 주님과 하나로 연합함으로써 누리는 크고도 많은 은혜를 깨달을 수 있게 하신다. 눈곱만큼이나마 애써줄 가치가 없는 인간이라고 말하려는가? 하지만 그이를 매력적으로 보이게 만드는 하나님의 형상은 자신과 소유 전부를 바치기에 부족함이 없다. '아무개는 나랑 전혀 다른 대우를 받아야 해'라고 말할지 모른다. 하지만 주님이 당하신 일은 합당했는가? … 잊지 말라. 인간의 악한 의도를 볼 게 아니라 … 그들 가운데서 사랑하고 끌어안지 않고는 견딜 수 없게 만드는 하나님의 형상을 바라보아야 한다."
18. Brian Tierney, *The Idea of Natural Rights : Studies on Natural Rights, Natural Law and Church Law 1150-1625*(Scholars Press, 1997)이 대표적이다. Tierney, "The Idea of Natural Rights - Origins and Persistence," *Northwestern Journal of International Human Rights*, vol. 2, Spring 2004도 참조하라.

19. 그리스도를 믿지 않은 이들도 인권을 믿고 정의를 위해 열정적으로 일한다는 사실(이는 기독교에서 말하는 일반 은총에 해당한다)에는 재론의 여지가 없지만, 한편으로는 인권에 대한 그들의 신념은 지성적으로 정당화한 개념임을 잊지 말아야 한다. 세상 사람들 가운데 대다수는 기본적으로 인간은 비인격적인 우주에서 튀어나왔으며 죽은 뒤에는 인식이 없게 되며 서로 구분 지을 수 없는 비인격적인 상태로 돌아간다는 고대 그리스 로마 사상가들의 관념을 공유하고 있다. 그러나 세속적인 정부와 제도들은 고대 철학자들이 가졌던 논리적으로 일관된 입장으로 돌아가지 않고, 도리어 인간 개인의 침해할 수 없는 존엄성과 가치에 집착한다. 그래서는 안 된다고 말할 근거가 없으며, 어느 면으로 보든, 사회가 발전하는 데는 옛 사람들이 가졌던 삶에 대한 인식으로 돌아가지 않는 편이 유리하다. 그러한 인권 의식은 인간 본성에 대한 인간 자신의 세계관과 동떨어진 신앙을 발판으로 큰 도약을 이루었다. 인권이란 개념은 본시 무신론보다 신이 존재한다는 시각을 가질 때 훨씬 쉽게 이해되기 때문이다. Nicholas Wolterstorff는 그의 책 *Justice : Rights and Wrongs* 가운데 "Is a Secular Grounding of Human Rights,"와 "A Theistic Grounding of Human Rights" chapter 15와 16에서 이러한 사실을 소상히 규명한다. Christian Smith, "Does Naturalism Warrant a Moral Belief in Universal Benevolence and Human Rights?" in *The Believing Primate : Scientific, Philosophical, and Theological Reflections on the Origin of Religion*, eds. J. Schloss and M. Murray(Oxford, 2009), 292-317도 보라. 그리스도를 모르는 이들 가운데도 인간의 존엄과 인권을 믿는 이들이 허다하지만 그러한 신념은 본질적으로 종교적일 수밖에 없다.

20. 본문을 인용하면서 NIV와 KJV를 혼용했다. 개인적으로는 16절 번역의 경우, KJV를 더 선호하는 편이다.

21. 요즘 독자들은 '종'(5절)이라든지 '주인'(9절) 같은 단어를 보면 움찔한다. 다른 인종을 납치해서 죽기까지 혹사했던 근대 아프리카 노예무역을 먼저 떠올리기 때문이다. 그러나 고대사회에는 대단히 다양한 노예제도가 있었다. 물론, 노예 생활이 고단하고 참혹했음을 보여 주는 증거는 이루 헤아릴 수 없이 많다. 그러나

아프리카에서 잡혀 온 근대 노예와 달랐으며 중간에 그만두거나 주인을 바꿀 수 없다 뿐, 정상적인 삶을 살고 정기적으로 임금을 받았으며 봉사 기간이 평균 10년 정도였음을 보여 주는 자료들도 수두룩하다. 전쟁 포로들은 흔히 노예가 되었다. 범죄를 저지른 남자들은 군용선에서 노를 젓는 노예가 되었다. 부채를 갚기 위해 일정 기간 종살이를 하기도 했다. 고대에는 파산신청 같은 제도가 없었기 때문이다. 빚을 다 청산할 때까지 일한다는 고용 계약서를 작성하는 사례도 적지 않았다. 놀랍게도, 노예도 종을 소유할 수 있었으며 상당수는 의사, 교수, 행정가, 또는 공무원으로 일했다(Andrew T. Lincoln이 쓴 *Word Biblical Commentary : Ephesians*[Word, 1990], 고대 노예 항목을 보라[Ephesians, 415-20]). 여기서 Lincoln은 고대에는 노예제도를 제외한 경제구조나 노동시장을 상상조차 할 수 없었다고 말한다. 가혹한 형태의 노예제도가 있기는 했지만, 그 개념 자체는 기정사실로 받아들여졌다(계약 노예는 자신이 가진 기술을 다른 고용주에게 자유롭게 판매할 수 없었다). Lincoln은 다른 학자의 글을 빌어 노예제도는 누구에게나 인정받았으며 "고대에는 노예제도에 문제가 있다는 얘길 누구도 입에 담지 않았다"(Westerman, 415를 인용)고 적었다. 다시 말해서, 종살이하는 노예를 포함해 아무도 폐지해 마땅한 제도로 여기지 않았다는 뜻이다. 바울의 편지가 노예제도 폐지가 아니라 오래된 제도에 내부로부터 변화를 주는 걸 목표로 하고 있는 까닭이 여기에 있다. F. F. Bruce는 고린도전서, 갈라디아서, 에베소서, 골로새서, 빌레몬서 등의 편지에서 바울은 짤막한 언급을 통해 노예와 주인의 동등함을 부각시킨다고 말한다. "(바울의 편지들은) 노예제도가 점점 약화되다 소멸되리라는 분위기를 조성한다"(F. F. Bruce, *Paul : Apostle of the Heart Set Free*[Eerdmans, 1977], 407). 정확한 지적이다. 노예제도는 태곳적부터 지구상의 모든 문화와 사회가 인정하는 제도였다. 오직 기독교 문화권에서만 폐기되어야 할 끔찍한 제도라는 인식이 차츰 성장해서 자리를 잡았다. 어째서일까? 바울이 펼쳐 보이는 복음에 힘입은 바 크다. 모든 크리스천들은 스스로 종(doulos)이 되신 그리스도의 '노예들', 또는 일꾼들이다(빌 2:7). 바울은 꼬박꼬박 노예를 소유한 크리스천들에게 하나님의 입장에서 보면 종과 주인이 동등하므로 형제로 대하기를 권면했다(고전 7:22-23). 갈라디아서 3장

26-29절에서도 사도는 그리스도 안에서는 종도, 자유인도 없으며 모두가 동등하다는 점을 부각시킨다. 이런 사례들에 비추어 볼 때, 빌레몬서는 이러한 복음의 신학을 적용한 편지임을 알 수 있다. 바울은 크리스천 노예인 오네시모를 크리스천 주인인 빌레몬에게 돌려보낸다. 사도는 빌레몬에게 오네시모는 '사랑받는 형제'요 '동역자'라고 말한다. Miroslav Volf의 책, *Public Faith : How Fellowers of Christ Should Serve the Common Good*(Brazos, 2011)에서 저자는 이런 가르침은 주종관계를 변화시켜서 형태는 여전히 남아 있을지라도(종은 주인을 위해 일해야 하는 데는 변함이 없지만), "노예제도는 제도적인 껍데기만 남기고 … 소멸되었다"(p.92)고 했다. 크리스천들 사이에서 노예제도가 흔들리고 약화되는 과정은 대단히 신속하게 진행돼서 '속 빈 강정'이 되었다가 결국은 폐기되고 말았다. 훗날, 인종적 차이와 납치를 토대로 수립된 신세계의 노예제도는 성경의 원리에 어긋나는 것으로 수많은 크리스천들이 그 악습을 종식시키기 위해 싸웠다. 대단히 복잡한 주제이기는 하지만, 크리스천이라면 반드시 돌아봐야 한다. 기독교를 비판하는 이들 가운데는 성경이 노예제도를 지지한다고 오해해서 다른 가르침마저 외면하는 경우가 적지 않다. 그러나 실제로 성경의 신학은 기독교 공동체 내부에 존재하는 노예제도의 강압적인 요소들을 분쇄하고 마침내는 억압적인 구조로 흐르기 쉬운 제도 자체를 없애도록 크리스천들을 이끌었다. 기독교 신앙이 어떻게 노예제도가 잘못이라는 의식을 세상에 일깨웠는지에 대해서는 Rodney Stark, *For the Glory of God*(Princeton University Press, 2003), Chapter 4, "God's Justice"를 보라. 요약해서 설명하자면, 에베소서 6장에서 바울은 크리스천들에게 이야기하면서 노예제도 자체를 맹렬히 비난하지는 않았다(최소한 로마제국 안에서는 그럴 필요가 없었다). 제도 속에 들어와 있는 크리스천 당사자들 하나하나에게 직접 자신을 어떻게 여겨야 하는지 설명했으며 그 가르침은 가히 혁명적이었다.

22. P. T. O'Brian, *The Letter to the Ephesians, Pillar New Testament Commentary*(Grand Rapids, MI : Eerdmans, 1999), 454.

23. 예수님이 이 말씀을 하실 당시에는 직물이 부를 쌓는 주요한 수단이었으므로 '좀과 녹'은 대단한 위험을 상징했다. 패션의 변화는 거의 없었고 대를 이어 의복을

물려 입는 일이 흔했다. 물론 '도둑들'은 늘 가장 소중하고 아끼는 것들을 털어 갔다.

24. Jonathan Rushworth and Michael Schluter, *Transforming Capitalism from Within : A Relational Approach to the Purpose, Performance, and Assessment of Companies*(Relationships Global, 2011)를 보라.

25. Arlie Hochschild, *The Outsourced Self : Intimate Life in Market Times*(Metropolitan Books, 2012).

26. Bob Goudzwaard, *Capitalism and Progress : A Diagnosis of Western Society*(Paternoster Press, 1997), John Medaille, *The Vocation of Business : Social Justice in the Marketplace*(Continuum Books, 2007)는 자본주의에 대한 공부를 시작하기에 좋은 출발점들이다. 비즈니스와 관련된 결정에 관해서는 Jeff Van Duzer, "How Then Should We Do Business?" in *Why Business Matters to God : And What Still Needs to Be Fixed*(Inter-Varsity Press, 2010), Lee Hardy. "Part Two : Applications," *The Fabric of This World : Inquiries into Callling, Career Choice, and the Design of Human Work*(Eerdmans, 1990)를 보라. 아울러 Rushworth and Schluter, *Transforming Capitalism from Within*도 참조하라. 개론으로는 Michael Goheen and Craig Bartholomew, "Life at the Crossroads : Perspectives on Some Areas of Public Life," *Living at the Crossroads : An Introduction to Christian Worldview*(Baker, 2008)

chapter 12

1. Dr. Ann, "I Do, Therefore I Am! Aren't I," *Crosswalk*, http://christiannewsrssfeed.blogspot.com/2012/06/crosswalk-i-am-arent-i.html.에서도 볼 수 있다.

2. Dorothy Sayers, *Creed or Chaos?*(Harcourt, Brace, 1949), 81.

3. Ibid., 81-2.

4. C. S. Lewis, *Mere Christianity*(San Francisco : Harper, 2001), 226.

5. Eric Liddell은 크리스천이자 개신교 선교사였던 반면, John Coltrane의 신앙은 쉬 규정하기 어려우며 더러 똑 부러지게 크리스천이라고 말할 수 없다는 의견도 있음을 덧붙여 두고자 한다. 나로서는 어느 편이 옳다고 말할 만한 입장이 아니다. 그럼에도 불구하고 하나님의 사랑과 우리의 믿음, 일 사이의 관계에 대한 Coltrane의 설명은 생생하고도 정확하다.

에필로그

1. Free University에서 행한 Kuyper의 취임 연설에서 인용. *Abraham Kuyper : A Centennial Reader*, ed. James D. Bratt(Eerdmans, 1998), 488에 토대를 두었음.

2. "Reflections on Work : A Survey," *Redeemer Report*(교회의 뉴스레터, 지금은 발행하지 않음), January 2004.